F R A I

Françoise Bourdin a le goût des personnages hauts en couleur et de la musique des mots. Très jeune, Françoise Bourdin écrit des nouvelles ; son premier roman est publié chez Julliard avant même sa majorité. L'écriture est alors au cœur de sa vie. Son univers romanesque prend racine dans les histoires de famille, les secrets et les passions qui les traversent. Elle a publié une trentaine de romans chez Belfond depuis 1994 – dont quatre ont été portés à l'écran –, rassemblant à chaque parution davantage de lecteurs. Françoise Bourdin vit aujourd'hui dans une grande maison en Normandie.

**Retrouvez toute l'actualité de Françoise Bourdin
sur www.françoise-bourdin.com**

LES SIRÈNES
DE SAINT-MALO

L'HOMME DE LEUR VIE
LA MAISON DES ARAVIS
LE SECRET DE CLARA
L'HÉRITAGE DE CLARA
UN MARIAGE D'AMOUR
UN ÉTÉ DE CANICULE
LES ANNÉES PASSION
LE CHOIX D'UNE FEMME LIBRE
RENDEZ-VOUS À KERLOC'H
OBJET DE TOUTES LES CONVOITISES
UNE PASSION FAUVE
BERILL OU LA PASSION EN HÉRITAGE
L'INCONNUE DE PEYROLLES
UN CADEAU INESPÉRÉ
LES BOIS DE BATTANDIÈRE
LES VENDANGES DE JUILLET *suivies de* JUILLET EN HIVER
UNE NOUVELLE VIE
NOM DE JEUNE FILLE
SANS REGRETS
MANO A MANO
D'ESPOIR ET DE PROMESSE
LES SIRÈNES DE SAINT-MALO

FRANÇOISE BOURDIN

LES SIRÈNES DE SAINT-MALO

belfond

© Belfond 1997.

place
des
éditeurs

© Belfond, un département de
2006, pour la présente édition.

ISBN 978-2-266-21262-5

Pour Michèle et André Castelot,
avec mon amitié et mon admiration.

1

Pour une fois la cathédrale semblait trop petite. Est-ce que Jaouën avait vraiment compté tant d'amis ? Son cercueil reposait sur des tréteaux, dans l'allée centrale, et une foule de gens avait déjà manié le goupillon d'un air recueilli.

Surmontant un vertige, Liliane s'appuya davantage sur Joël. Plusieurs comprimés de tranquillisants lui avaient été nécessaires pour affronter l'épreuve de l'enterrement. Mais Jaouën, son mari, n'avait que cinquante-six ans, et à présent il était enfermé pour toujours dans cette boîte. Même Jacques Cartier, dont la tombe se trouvait quelque part dans l'une des chapelles latérales, n'était pas mort si jeune. Elle sentit le bras de son fils qui la retenait fermement. Sans doute serait-elle tombée sans lui.

— Maman, souffla Mariannick, c'est bientôt fini…

À travers son voile de mousseline noire, Liliane considéra le mouchoir de dentelle que lui tendait sa fille. À quoi bon essuyer des larmes qui ne tarissaient pas depuis trois jours ? Depuis que Jaouën s'était effondré sur le palier pour ne plus jamais se relever. Un infarctus foudroyant, qui l'avait emporté en quelques minutes à peine. Agenouillée près de lui, Liliane avait vu son visage devenir couleur de cendre. Il lui avait broyé les mains, entre les siennes, avant de se détendre brusquement.

Joël chercha le regard de Mariannick, au-dessus de la tête de leur mère. Celle-ci paraissait tellement petite et fragile, démunie dans son deuil, que ses enfants se sentaient impuissants. Yeux dans les yeux, le frère et la sœur se comprirent.

Les employés des pompes funèbres surveillaient l'interminable procession. Si toute cette foule se rendait au cimetière, l'enterrement allait durer jusqu'au soir. Joël fit un signe discret à l'ordonnateur et ils sortirent de la cathédrale Saint-Vincent par une porte de côté. Le chauffeur du corbillard éteignit sa cigarette en les voyant arriver.

Ouvrant la portière de sa voiture, Joël fit asseoir Liliane. Malgré le soleil, un vent froid venu du large transperçait leur manteau. Ils laissèrent leur mère et s'éloignèrent de quelques pas sur la place. Les hautes façades de granit s'élevaient partout autour d'eux. Et, au-delà, les remparts ceinturant la ville accentuaient l'impression étouffante de se trouver au centre d'une forteresse.

— Il va falloir surveiller maman de près…, murmura Mariannick en enfouissant ses mains dans ses poches.

D'un geste tendre, Joël prit sa sœur par la taille et l'attira contre lui. Ils avaient les mêmes yeux bleu délavé, les mêmes cheveux blonds fins, la même allure nordique. Et elle portait toujours ce parfum de vanille dont il n'avait jamais oublié l'odeur.

— Depuis combien de temps n'étais-tu pas venu ? demanda-t-elle à voix basse.

— Huit ans.

Mais il avait toujours donné de ses nouvelles, à elle ou bien à leur mère. Il racontait son existence par petites touches, au téléphone et dans ses lettres. Saint-Malo demeurait une plaie ouverte dont il ne parlait pas volontiers. Pourtant, depuis quelques mois, il avait enfin repris contact avec son père. Pudiquement, d'abord, par un premier courrier presque anodin. Jaouën avait aussitôt sauté sur l'occasion et il avait répondu sur le même ton badin. Puis leur correspondance était devenue régulière, les soulageant l'un comme l'autre du poids de la culpabilité. Enfin Jaouën avait eu le courage d'appeler son fils et de l'inviter pour Noël. « Avec ta femme et ma petite-fille ! » avait-il précisé, péremptoire.

— Il se réjouissait tant à l'idée de te voir…, chuchota Mariannick.

Il fallait qu'elle le dise. Toute la famille y avait pensé à l'arrivée de Joël. Il était le portrait vivant de son père. Elle s'écarta un peu de lui pour le regarder. Il ne chercha pas à se détourner malgré ses larmes. C'était sa sœur, il pouvait pleurer devant elle sans se cacher.

Les portes de la cathédrale s'ouvrirent avec fracas, derrière eux, et au même instant un accord déchirant fendit l'air. Les sonneurs de couple ouvraient la marche, soufflant dans les binious et les bombardes. Huit marins les suivaient lentement, d'un pas cadencé, le cercueil sur l'épaule. Des mouettes s'éloignèrent en criant. Une émotion aiguë, insupportable, prit Joël à la gorge. Pour y échapper, il entraîna Mariannick en hâte vers sa voiture. Leur mère ne devait surtout pas rester seule.

Il fallut plusieurs heures de condoléances et d'embrassades pour venir à bout de la cérémonie. Les derniers à se présenter, en bon ordre hiérarchique, furent les employés de l'armement Carriban qui dévisagèrent Joël avec insistance tout en marmonnant des phrases de circonstance.

Charlotte avait fini par s'éclipser, abasourdie par la solennité de cet enterrement d'apparat. Elle n'avait jamais vu Jaouën et n'avait rencontré Liliane qu'à deux reprises. Bien sûr, Joël parlait parfois de sa famille, de Saint-Malo, de sa jeunesse, mais c'était abstrait pour Charlotte. Transie, elle avait essayé un moment de tenir son rôle de belle-fille puis elle y avait renoncé. Personne ne la connaissait ici, alors que tous ces inconnus s'adressaient à son mari sur un ton familier. Joël par-ci, Joël par-là : il était chez lui. Discrètement, elle s'était mise à l'écart, puis éloignée dans une allée du cimetière. Elle n'avait pas hésité à s'asseoir sur une pierre tombale et à enlever ses chaussures pour masser ses pieds. Il y avait des heures qu'elle était debout. Avec un soupir, elle s'était résignée à attendre, surveillant de loin les silhouettes vêtues de noir. Lorsque, enfin, Joël était venu la chercher, l'heure du déjeuner était passée depuis longtemps.

Par la route, ils gagnèrent Dinard où se trouvait la maison des Carriban. Au-dessus du barrage de la Rance, Joël ralentit un peu pour que Charlotte puisse observer le paysage mais c'est lui qu'elle surveillait. Depuis qu'il avait appris la mort de son père, il était resté silencieux, tendu, inaccessible, offrant un visage inconnu. Lorsqu'ils étaient arrivés, à l'aube, ils s'étaient rendus directement chez Mariannick qui avait présenté son mari, Benoît, et ses trois petits garçons, puis s'était écroulée dans les bras de son frère comme si elle l'avait attendu, lui et personne d'autre, pour enfin se laisser aller.

— J'espère que Juliette ne s'est pas ennuyée, soupira Charlotte.

— Ses cousins ont dû la distraire…

Les enfants avaient été confiés à une amie de Mariannick qui avait promis de s'occuper d'eux.

— Oh, mais c'est complètement kitsch ! s'exclama Charlotte tandis qu'ils longeaient la côte.

D'invraisemblables bâtisses se succédaient, plantées face à la mer, avec des allures étranges de châteaux et de paquebots. Joël esquissa un sourire, le premier depuis longtemps.

— Non, corrigea-t-il, c'est superbe, c'est la Belle Époque…

C'était surtout sa jeunesse qui surgissait brusquement. Chacune de ces façades lui était familière et il avait des souvenirs au fond de presque tous les parcs. Au-delà de la pointe de la Malouine, ils franchirent un imposant portail de fer forgé et s'engagèrent dans une allée bordée d'hortensias. Quelques dizaines de mètres plus loin, la villa Carriban se détacha soudain à contre-jour : des tourelles, des toits d'ardoise pentus coiffés de flèches et troués de chiens assis, trois étages de brique rose et de pierre blanche, des terrasses en surplomb et des bow-windows en avancée, tout un enchevêtrement architectural dément.

— Voilà…, dit simplement Joël qui avait contourné l'édifice pour s'arrêter devant le perron.

Le vent soufflait toujours et les vagues venaient se fracasser en contrebas. Charlotte quitta la voiture et fit quelques pas. Elle aperçut une volée de marches qui descendaient jusqu'à la mer. Deux hors-bords étaient amarrés à une courte jetée. La vue vers Saint-Malo et l'île du Grand-Bé était somptueuse. Elle se détourna et observa de nouveau la villa. C'était donc dans cette espèce de manoir écossais, de forteresse espagnole et de citadelle bretonne que son mari avait grandi ?

— Maman !

Juliette accourait vers eux, suivie de ses trois cousins et d'une jeune fille. Ils avaient dû passer un grand moment à jouer dehors et leurs joues étaient rouges, leurs vêtements sales. Volubile, la fillette entreprit de raconter à ses parents quelle journée fabuleuse elle avait vécue.

— Vous êtes Servane ? demanda Joël en serrant la main de la jeune fille. C'est très gentil à vous d'avoir pris soin de Juliette.

Il l'avait à peine entrevue, le matin même, quand il lui avait confié la petite.

— Je leur ai promis des crêpes, ils sont affamés ! dit-elle en guise de réponse.

Avant de se détourner elle ajouta, avec un sourire triste :

— Je n'ai pas eu l'occasion de vous présenter mes condoléances…

Cette fois, elle s'éloigna d'une démarche dansante, les enfants gambadant autour d'elle. Joël prit la main de sa femme et la conduisit à l'intérieur de la villa. Quelques intimes étaient déjà dans le salon où Mariannick servait à boire. Joël constata que rien n'avait changé dans le décor de la maison familiale. C'était absurde de penser que Jaouën était mort, que désormais ses éclats de voix ne résonneraient plus dans ces immenses pièces.

Luttant contre un malaise persistant, il s'éloigna du salon après avoir installé Charlotte sur un canapé. Il traversa le hall, hésita une seconde puis se dirigea résolument vers le bureau de son père. Il ouvrit la porte mais n'osa pas franchir le seuil. Les lourds rideaux de velours vert étaient tirés et la collection des demi-coques en bois précieux luisait doucement contre les murs. C'était ici que, huit ans plus tôt, Jaouën avait littéralement sauté à la gorge de son fils. Un souvenir atroce. Le soir même, Joël avait quitté la maison.

Étouffant un soupir, il s'obligea à entrer. Le pavillon de l'armement Carriban était à sa place, au-dessus de la cheminée. C'est Liliane qui l'avait brodé elle-même et Jaouën en était très fier. D'ailleurs, pour lui, tout ce que faisait sa femme était admirable. Ils avaient formé un couple exceptionnel, toujours aussi amoureux l'un de l'autre au bout de trente ans de mariage.

Dans un renfoncement, les photos de toutes les unités s'alignaient, soigneusement encadrées d'acajou. Joël connaissait le nom de chaque bâtiment. Même ceux que l'armateur avait achetés après leur brouille. Par Mariannick, il avait suivi chaque acquisition. Il observa avec attention les nouveaux chalutiers. Puis son regard fut attiré par une aquarelle. Il se souvenait très bien de ce tableau qui, autrefois, avait orné sa chambre de jeune homme. Le voilier, représenté dans la tempête, était reconnaissable entre tous. C'était ce superbe bateau de course, le *Nadir*, qui avait été la cause de la querelle. Pourquoi diable Jaouën l'avait-il accroché dans son bureau ?

— Il t'aimait tant, dit la voix tremblante de Liliane derrière lui, et il n'a pas pu te revoir…

Joël se retourna, prit sa mère dans ses bras.

— Qu'allons-nous devenir ? chuchota-t-elle dans un sanglot.

L'idée s'imposa aussitôt d'elle-même avec une telle évidence que Joël en resta stupéfait. Il n'avait pas eu le temps de se réconcilier avec son père, soit, mais il ne pourrait pas se dérober à son devoir plus longtemps. Les huit années qui venaient de s'écouler ne comptaient pas. Sa vie était ici, il l'avait compris en arrivant aux portes de Saint-Malo.

Mariannick entra dans le bureau, referma et s'adossa au battant.

— Tu devrais te reposer, maman.

Sa voix était ferme, mais tendre. C'était sans doute sur ce ton qu'elle s'adressait à ses trois garçons.

— Il faut d'abord que je vous dise quelque chose…, protesta Liliane en se détachant de Joël.

Elle faillit trébucher et se laissa tomber sur un petit fauteuil crapaud dont elle se mit à caresser distraitement l'accoudoir.

— Je ne vais pas rester ici. Oh, non ! Parce que je ne pourrai jamais m'habituer à son absence. Vous comprenez ?

Mais elle n'attendait pas de réponse, elle se parlait à elle-même.

— Cette maison, c'était la nôtre, je n'en ferai pas la mienne. Alors, gardez-la, vendez-la, débrouillez-vous tous les deux !

Ils se regardèrent, pas vraiment surpris. Ils n'imaginaient pas leur mère seule dans cette trop grande villa. Mariannick habitait, à Saint-Malo, une maison près des remparts. Elle offrit spontanément de loger sa mère mais celle-ci secoua la tête, agacée.

— Non, non ! Tu as ton mari, tes enfants, ta vie… Trouve-moi quelque chose près de chez toi. N'importe quoi mais vite, je t'en supplie !

Dans le silence qui suivit cette déclaration, des bruits de conversation leur parvinrent. Au salon, les invités commençaient sans doute à oublier Jaouën.

— Et la société Carriban ?

Comme son frère ne se décidait pas, c'est Mariannick qui avait posé la question.

— L'armement ? Mon Dieu, je ne sais pas… Je n'y connais rien, je n'y comprends rien ! C'était son affaire. Alors, maintenant…

Relevant brusquement la tête, elle fixa Joël et ce fut à lui seul qu'elle s'adressa.

— Ton père n'avait rien prévu. À cinquante-six ans, il n'avait aucune raison de penser à son testament !

Elle sembla une seconde sur le point de suffoquer et elle dut reprendre sa respiration avant de poursuivre.

— Il attendait Noël. Il voulait discuter avec toi.

Sans l'avoir fait exprès, elle venait de lui porter un nouveau coup. Ses paroles le glacèrent.

— Si tu es heureux ailleurs, ne te sens pas obligé, ajouta-t-elle. Évidemment le problème, ce sont les employés. Tous ces pauvres gens… Mais c'est une belle affaire. Tu peux la vendre, non ?

Quelque part dans la villa, il y eut un éclat de rire aussitôt étouffé. Liliane risqua un regard furtif vers le bureau et le fauteuil vide de Jaouën. Elle poussa un long soupir qui s'acheva en plainte.

— Arrangez-vous tous les deux mais ne me demandez rien de plus. Après tout, peut-être vaudrait-il mieux bazarder tout ça…

Mariannick s'approcha, posa ses mains sur les épaules de sa mère.

— Tu es fatiguée, maman. Tu devrais monter.

— Monter ?

Son air soudain terrifié en disait long : sa chambre, la villa et même Dinard lui faisaient horreur à présent. Depuis le décès de Jaouën, elle dormait chez Mariannick.

— Tu pourrais t'allonger dans la bibliothèque, sur le canapé. Je vais te chercher un comprimé et une couverture. Ce soir je te ramènerai à Saint-Malo, mais le salon est plein de gens, on ne peut pas les abandonner.

Vaincue, Liliane se laissa emmener. Joël, qui n'avait pas bougé jusque-là, alla ouvrir les rideaux de velours. Le soir tombait sur la mer. « C'est une belle affaire. Tu peux la vendre. » Bien sûr que non ! Plusieurs générations de Carriban s'étaient battues pour l'armement et il ne pouvait pas être le premier à faillir. Il déverrouilla l'une des fenêtres, et le vent froid s'engouffra dans la pièce. Le bruit des vagues n'avait rien d'apaisant, au contraire.

— Joël ?

Mariannick revenait le chercher. Il lui fit signe d'approcher. Il ne voulait pas rejoindre les invités tout de suite, affronter les phrases de condoléances, les questions indiscrètes, la curiosité. Sa sœur vint s'appuyer contre son épaule pour contempler l'océan avec lui.

— Tu te sens coupable ? murmura-t-elle. Tu as tort. Lui aussi se faisait des reproches… De toute façon, on ne peut plus rien y changer.

Elle était toujours aussi franche. Et il sut exactement ce qu'elle allait lui demander.

— Alors ? Qu'est-ce que tu décides ?
— Je reste. Si tu acceptes de m'aider, on garde tout.
— Tout ?
— L'armement, surtout.
— Est-ce que tu sauras ?
— Oui ! Bien sûr que oui…

Les doigts de sa sœur cherchèrent les siens pour les serrer, une seconde. Leur contact était doux et chaud. Il devina qu'elle venait de lui donner son accord.

— Je saurai, affirma-t-il, mais je ne peux pas y arriver tout seul. Surtout au début. Tu as beaucoup travaillé avec lui et tu connais la société mieux que moi. Je veux que tu sois là.

Elle prit le temps de fermer la fenêtre pour échapper au vent, avant de se retourner et de lui faire face. Dans le contre-jour, ses cheveux ébouriffés formaient une auréole pâle autour de sa tête.

— Je peux m'arranger avec Benoît, dit-elle lentement. Mais toi ? Ta femme, ton appartement, ta situation ?

— Je m'en charge.

Elle attendit quelques instants, méditant sur cette réponse.

— Joël ? Réponds-moi honnêtement, est-ce que… Est-ce que tu veux juste te racheter ?

Il sembla chercher ses mots avant de conclure : Saint-Malo n'était pas pour lui une sorte de purgatoire. C'était sa vie, tout simplement.

— Non, dit-il très bas. Non, pas ça. J'en ai vraiment envie.

Malgré la pénombre, il distingua son sourire.

— Bien. Alors, allons-y.

L'un derrière l'autre, ils traversèrent tout le bureau. Leur confiance mutuelle était si naturelle qu'ils n'avaient pas besoin de s'expliquer davantage. Jaouën leur avait légué à tous deux, de manière équitable, un bel entêtement de Breton. D'une certaine manière, la mer leur était indispensable, ils ne connaissaient qu'elle. Toute leur jeunesse avait été rythmée par l'équipement et l'exploitation des bateaux, par le va-et-vient des marins-pêcheurs, par la météo maritime et par l'activité du port.

Joël constata que sa douleur et ses remords s'étaient un peu apaisés au moment même où il prenait sa décision. Il pensa qu'il n'avait jamais eu le choix, qu'il n'y avait pas d'alternative.

Durant toute la fin de l'après-midi, Charlotte observa son mari. Il allait et venait d'un invité à l'autre, l'air grave et les yeux ailleurs. Son métier de journaliste avait donné à la jeune femme un sens aigu du détail. Elle savait quelles déductions tirer de ces petits gestes révélateurs qui trahissent les gens malgré eux. Or Joël, s'il était évidemment triste, manifestait en plus une extrême nervosité, presque une impatience. Les regards qu'il échangeait avec sa sœur étaient lourds, chargés de multiples messages.

De son canapé, Charlotte se mit à étudier Mariannick. Elle l'avait rencontrée deux fois, à Paris, sans lui prêter une grande attention. Hormis une agaçante complicité avec son frère, elle ne lui avait rien trouvé de très remarquable. Mais aujourd'hui, elle la découvrait différente. Il y avait quelque chose d'énergique dans ses traits, de volontaire dans ses yeux pâles. À deux ou trois reprises, elle était allée s'enquérir des enfants et s'était contentée d'adresser un sourire rassurant à sa belle-sœur en revenant. Lorsqu'elle avait annoncé que Liliane s'était endormie, dans la bibliothèque, le petit groupe d'amis avait baissé la voix durant quelques minutes.

Un homme d'une trentaine d'années, séduisant avec son allure sportive et son visage bronzé, ne quittait pas Joël d'un pouce. Sans doute Thierry, son ami d'enfance.

Naturellement, il était beaucoup question de Jaouën qui semblait laisser le souvenir d'une très forte personnalité.

Vers sept heures du soir, gagnée par la somnolence, Charlotte se décida à bouger. Elle s'éclipsa avec discrétion et trouva le chemin de la cuisine qui était déserte. C'était, comme les autres, une pièce immense. Comment Liliane et Jaouën avaient-ils pu vivre à deux dans un tel espace ? Un long comptoir d'acajou, souligné de cuivre, délimitait le lieu des repas. Sur la grande table de marbre, des bols et des assiettes sales étaient empilés, attestant du passage des enfants. Elle prêta l'oreille et se laissa guider par des rires jusqu'au jardin d'hiver. Installés à même le sol, ses trois neveux et sa fille avaient entamé une partie de Monopoly. Assise dans un fauteuil de rotin blanc, Servane les surveillait, l'air fatigué.

— Je peux prendre la relève, proposa Charlotte qui n'en avait aucune envie.

La jeune fille lui sourit et secoua la tête.

— Ne vous en faites pas… Je vais les faire dîner avant de partir. Est-ce que vous savez où sont vos chambres ? Les deux dernières portes à droite, dans la galerie du premier étage…

— Merci beaucoup, dit Charlotte plus sèchement qu'elle ne l'aurait voulu.

Au lieu d'être touchée par la gentillesse de Servane, elle se sentit vaguement agacée. D'abord la jeune fille était bien trop jolie et, de plus, elle la traitait en étrangère. Elle repartit vers le hall, s'engagea dans l'invraisemblable escalier à double révolution. Elle décida qu'elle détestait cet endroit. En pénétrant dans ce qui avait été la chambre de jeune homme de son mari, elle aperçut son sac de voyage sur le lit. Quelqu'un avait dû le monter jusque-là. Elle n'accorda pas un regard aux boiseries

21

blondes, aux rideaux écossais, aux fauteuils de cuir, et alla droit à la salle de bains. Elle avait besoin d'une bonne douche avant tout. La journée avait été interminable et la soirée menaçait de durer.

Après le départ de tous les intimes qui avaient tenu à manifester leur compassion jusqu'à une heure avancée, Mariannick décida de s'occuper du dîner tandis que Benoît reconduisait Servane et ses trois fils à Saint-Malo. Charlotte s'était chargée de coucher Juliette. Joël s'assura que sa mère dormait toujours puis il mit le couvert dans la cuisine. Il se sentait chez lui, retrouvant les objets à leur place, n'hésitant pas devant les placards ou les tiroirs. C'était comme s'il n'était jamais parti.

— Cette fille, Servane, c'est une de tes amies ? Je ne la connaissais pas…

— Elle devait avoir douze ou treize ans quand tu as quitté Saint-Malo !

— En tout cas elle est ravissante. Et elle a été très serviable, aujourd'hui.

— On peut toujours compter sur elle, c'est quelqu'un de formidable. Je la connais depuis un moment. Elle est venue s'inscrire à l'association et nous avons sympathisé tout de suite.

L'association à laquelle Mariannick faisait allusion était sa grande préoccupation. Il s'agissait de la sauve-garde et de la restauration des calvaires bretons qui la passionnaient. Benoît, au début, s'en était amusé. Mais sa femme y mettait un tel enthousiasme qu'il avait fini par la prendre au sérieux. En peu de temps, elle avait réuni une bonne centaine d'adhérents, dont plusieurs personnalités politiques, avait obtenu des subventions et entamé une véritable campagne.

— Vraiment jolie, oui…, répéta Joël d'un air songeur.

Entre deux rafales de vent, ils entendirent la voiture de Benoît qui revenait.

— Est-ce qu'on réveille maman ?

— Non, tu es fou ! Pour manger ? Elle n'a sûrement pas faim. Et quand elle dort, elle n'y pense plus. Il faut gagner du temps.

Benoît apparut à la porte-fenêtre et Joël lui ouvrit en le voyant chargé.

— J'ai pris des huîtres à la maison, j'ai pensé que ça vous ferait plaisir…

Il déposa la bourriche sur un plan de travail, guettant leur approbation.

— Tu fais un sacré beau-frère ! dit Joël. Elles viennent de chez toi ?

En guise de réponse, Benoît haussa les épaules.

— Comme si on allait manger la concurrence…, maugréa-t-il.

Charlotte venait d'entrer et elle proposa son aide à Mariannick qui refusa en lui faisant signe de s'asseoir. Le bruit du couteau qui grinçait contre les coquilles rappela des souvenirs à Joël. Très souvent, leur père rapportait des fruits de mer le soir et c'est lui qui avait appris à son fils comment forcer le pied d'un mouvement précis de lancette.

Il rejoignit sa femme et s'installa en face d'elle. Ce qu'il avait à dire n'était pas facile mais il fallait qu'il s'en débarrasse tout de suite, avant même qu'elle ait le temps de lui adresser la parole ou de lui poser une première question.

— J'ai bien réfléchi et je crois que je vais reprendre la société…, dit-il très vite.

Réfléchir ? Non, il n'en avait pas eu besoin, mais il ne pouvait pourtant pas l'avouer.

— Quelle société ? Celle de ton père ?

— Oui, l'armement.

Elle le dévisagea. Avant de le rencontrer, elle avait toujours cru qu'un armateur ne pouvait être que grec et milliardaire. Il avait dû lui expliquer que ce métier concernait tous ceux qui équipaient et exploitaient des bateaux. Et que la pêche avait ses armateurs tout comme la plaisance, la guerre, le transport des voyageurs ou des marchandises.

— Et alors ? demanda-t-elle d'une voix tendue.

Elle savait où il voulait en venir et elle rejetait déjà cette idée avec horreur.

— Eh bien…, je suppose qu'il faudra que nous nous installions ici.

— Ici ?

Cette fois elle avait crié. Elle regarda autour d'elle, eut un petit rire méprisant.

— Tu veux dire dans cette maison ? Avec ta mère ?

— Non. Maman s'en va. Mais la maison reste.

— Et toi aussi ? Alors ce sera tout seul !

Elle aurait voulu atténuer la dureté de sa réponse mais c'était trop tard. Il la regardait sans comprendre. Il savait que ce n'était pas gagné d'avance mais il n'avait pas envisagé qu'elle puisse refuser d'une manière si abrupte.

— Charlie…, murmura-t-il.

Se tenant très droite sur sa chaise, elle était crispée au point d'en avoir les muscles douloureux. Benoît, gêné d'être témoin de leur discussion, faisait beaucoup de bruit avec ses huîtres.

— Tu ne penses pas sérieusement que je pourrais vivre là ? Et le journal ? Je suis censée donner ma démission pour te faire plaisir ? Mais enfin, Joël, comment peux-tu…

Renonçant à achever, elle secoua la tête. Depuis l'appel de Mariannick annonçant à Joël le décès de leur père, elle redoutait quelque chose de ce genre. Mais elle n'avait pas voulu y penser pour de bon.

— Je ne peux pas faire autrement, soupira son mari.

— Bien sûr que si ! C'est toi qui décides.

Certaine qu'il ne servait à rien d'argumenter, elle se retranchait derrière une hostilité presque agressive. Il voulut lui prendre la main mais elle la retira aussitôt.

— Ta sœur et toi, vous n'êtes pas obligés de vous sacrifier. Si votre mère préfère s'en aller, vous n'avez qu'à liquider la succession.

— Non.

Les yeux de Joël étaient rivés aux siens. Elle aimait ce regard limpide qui ne savait pas mentir. Elle lut sa détermination et sa tristesse. Il avait fait son choix sans elle.

— Tu ne me donnes pas une seule chance de…, articula-t-elle péniblement. Tu vas vraiment nous laisser tomber, Juliette et moi ?

Debout devant l'évier, Mariannick avait sursauté. Elle ne se retourna pas mais, même de dos, on devinait aisément sa réprobation. Charlotte brûlait les étapes, acculait son mari.

— Nous pouvons avoir une très bonne vie ici tous les trois, protesta-t-il d'une voix blanche. Essaie, au moins !

— Jamais ! cria-t-elle en tapant sur la table de son poing serré. Si je quitte mon travail, je serai remplacée dans la minute ! N'importe qui sautera à pieds joints sur mon poste parce que c'est une place enviable, tu le sais très bien ! J'ai mis des années à faire mon trou et j'adore le journal, je ne partirai pour rien au monde. Si ça t'amuse de te lâcher des deux mains, de donner ta démission et de changer de vie, c'est ton problème.

Comme il avait baissé la tête sous l'orage, elle ne voyait plus que ses cheveux clairs. Une vague de rancune la submergea et elle se pencha un peu en avant.

— Quand nous nous sommes mariés, il n'a jamais été question de ça... Tu ne m'as pas dit qu'un jour tu voudrais revenir ici. Sinon je t'aurais prévenu. Maintenant, nous avons une fille. Nous avons acheté un appartement. C'était notre avenir. Ensemble. Je ne suis pas un meuble qu'on déménage.

Il se redressa et elle comprit qu'elle venait de lui infliger une blessure supplémentaire. Elle n'était pas en état de le regretter. Elle se leva, toisa un instant sa belle-sœur et son beau-frère avant de quitter la cuisine et de s'élancer vers l'escalier.

— Mon Dieu, Joël, qu'est-ce que tu vas faire ? chuchota Mariannick.

Avec cette simple question, elle lui donnait la possibilité de changer d'avis. Il pouvait courir après sa femme, renoncer à tout, elle ne lui en voudrait pas. Son frère avait toujours été une moitié d'elle-même, malgré la séparation des dernières années. Elle le scruta, constata qu'il souffrait mais que rien ne le ferait plus reculer. Il ne le pouvait pas, quoi qu'il arrive.

— Manger les huîtres de Benoît, répondit-il avec un petit sourire qui la bouleversa.

Au premier étage, Charlotte s'assura que sa fille était bien endormie, sa girafe dans les bras, avant de repousser la porte de communication qu'elle laissa entrebâillée. Elle fit quelques pas vers le lit, regarda le désordre de vêtements qui débordait de son sac de voyage. Ils avaient prévu de rester deux ou trois jours. Pas toute la vie !

La scène pénible avec son mari lui laissait un goût amer de défaite. Elle le savait têtu, secret, parfois même coléreux, mais elle n'avait jamais envisagé qu'il puisse la trahir. Il l'aimait, elle en était certaine, elle en avait des preuves tous les jours. Et il adorait sa fille, c'était presque un père modèle. Comment pouvait-il les balayer ainsi, toutes les deux ? Jusque-là, il avait pourtant fait preuve d'un grand respect pour son travail au journal, pour ses désirs de femme.

Elle tourna la tête à droite et à gauche, détaillant enfin le décor de la pièce. Il y avait passé son enfance puis sa jeunesse. Or rien, ici, ne ressemblait à ce qu'elle connaissait de lui. S'approchant d'un mur couvert de photos elle reconnut Joël et son ami Thierry dans les deux marins enfouis sous des cirés qui posaient sur le pont d'un voilier. Deux visages bronzés, heureux. Son mari n'avait pas beaucoup changé en dix ans. À l'époque, il avait seulement quelques rides de moins, un air plus insouciant et des cheveux trop courts.

Les larmes aux yeux, elle se détourna. Le bow-window offrait un large renfoncement et abritait deux fauteuils club au cuir patiné. À l'autre bout de la pièce, elle avisa un bureau breton, outrageusement sculpté, qui lui arracha un sourire. Ce n'était pas là-dessus que Joël avait fait ses études. Il lui avait raconté ses années pénibles, à Rennes, la chambre minuscule sous les toits d'un immeuble insalubre où il avait travaillé sans relâche. C'est là qu'elle l'avait connu. Bien sûr, il avait une revanche à prendre. Mais pourquoi contre elle ? Ne pouvait-il pas régler ses comptes sans les sacrifier, elle et Juliette ?

De nouveau gagnée par la colère, elle quitta la pièce d'un pas décidé et partit à la découverte du reste de l'étage. Elle détestait d'emblée cette villa prétentieuse et démesurée. L'escalier et le plafond en chapelle du hall avaient nécessité une large galerie circulaire en surplomb, qui évoquait une coursive de paquebot. Elle songea à un vieux bâtiment luxueux descendant paresseusement le Mississippi et, cette fois, elle étouffa un petit rire. Comment pouvait-on se plaire dans un endroit pareil ? Elle poussa des portes, s'engagea dans des couloirs et faillit se perdre. Cette maison devait être un cauchemar pour les enfants. Ou bien un paradis.

Regagnant la galerie, elle se pencha au-dessus de la balustrade pour écouter. Tout était silencieux. Qu'est-ce que Joël pouvait bien dire à sa chère sœur, en ce moment ? De quelle manière se justifiait-il ? Peut-être qu'elle l'approuvait, l'encourageait, le félicitait. Il était des leurs, il devait rentrer au bercail, c'était tout simple pour eux. Elle perçut enfin du bruit en provenance de la cuisine. Le beau-frère devait jeter les coquilles vides. Ils avaient donc mangé tranquillement, échafaudant des projets d'avenir.

— Sans moi ! dit-elle entre ses dents.

Mais sa rage n'avait plus la même force. À présent elle était lasse, presque écœurée. Elle reprit le chemin de la chambre et se déshabilla en hâte. Elle voulait être endormie lorsque Joël viendrait enfin. Se glissant sous les draps, elle remonta l'édredon et éteignit la lumière. Dans le silence, elle espéra que le bruit de la mer allait la bercer pour l'aider à trouver le sommeil.

Deux heures plus tard, après avoir compté des millions de moutons et guetté malgré elle les pas de son mari, elle éprouva un réel soulagement en le sentant s'allonger à ses côtés. Il la prit dans ses bras d'un mouvement brusque et l'attira contre lui. Sans avoir prononcé un mot, il l'embrassa avec une sorte de passion désespérée. Elle allait répondre à son élan lorsqu'elle se sentit repoussée.

— Charlie, je t'aime, murmura-t-il, loin d'elle. Il faut qu'on trouve une solution. Maintenant !

— C'est tout vu. Je rentre demain, avec Juliette. Nous prendrons le train. Ensuite… eh bien, nous viendrons le week-end ! Mais peut-être pas tous les week-ends.

Jamais elle ne lui avait parlé aussi froidement. Elle se demanda ce qui lui arrivait et réalisa qu'elle mourait de peur à l'idée de le perdre. Mais c'était en train de se produire et elle était révoltée.

— Je t'en supplie, dit-il au même moment, dans un souffle.

Pour toute réponse, elle se rapprocha, le toucha, roula sur lui.

— Fais-moi l'amour, chuchota-t-elle. Même si c'est la dernière fois…

Elle avait besoin de lui rendre le mal qu'il lui faisait, il était devenu son ennemi à la minute où ils avaient atteint les remparts de Saint-Malo. Elle lui annonçait la suite, la rupture inéluctable qui les menaçait soudain par sa faute.

Les mains de Joël, sur ses hanches, l'immobilisèrent brutalement. Comme elle l'avait provoqué, elle n'essaya pas de se débattre. Malgré le précipice qui venait de s'ouvrir entre eux, ils avaient envie l'un de l'autre.

2

C'était pire qu'un pèlerinage, c'était plutôt un chemin de croix. Incapable de trouver le sommeil, Joël avait erré dans la villa comme Charlotte quelques heures plus tôt. Mais lui en connaissait chaque recoin, retrouvait des souvenirs à chaque pas. Même à l'autre bout du monde, il aurait pu reconstituer de mémoire le plan de cette improbable maison, avec son exubérance, sa dissymétrie, ses proportions folles. Il l'avait toujours adorée. Et il en était parti la mort dans l'âme, un soir de janvier, certain de ne jamais y revenir. Plus tard, il s'était apaisé, avait pu l'évoquer de nouveau sans douleur. Même si la culpabilité ne l'avait jamais tout à fait quitté.

À vingt ans, Joël n'envisageait pas sérieusement son avenir. Son père tenait solidement les rênes de l'armement. Mais la plaque, sur les bureaux du quai, portait la mention : « J. Carriban. » Avec cette simple initiale, la continuité était assurée. Le père de Jaouën s'appelait Jérôme, on passait ainsi d'une génération à l'autre en douceur. Un jour, Joël serait à son tour armateur. Mais il ne voulait pas savoir quand, il s'amusait beaucoup trop pour s'en soucier. Il y avait le *Nadir*. Une vraie bête de course avec son impressionnante surface de voilure, son long bout-dehors et ses équipements électroniques de pointe. Thierry était le meilleur coéquipier qui soit et ils avaient aligné ensemble un beau nombre de succès, repoussant sans cesse les limites du bateau. Joël avait toujours cru que son père était fier de lui. Dès que le *Nadir* touchait à quai, les professionnels venaient poser des questions, les filles se précipitaient, les journalistes prenaient des photos. C'était vraiment la belle vie. Jusqu'au jour où Jaouën avait déclaré que le bateau de son fils lui coûtait trop cher et qu'il ne subventionnerait plus sa carrière de navigateur. Il avait froidement ajouté qu'un diplôme quelconque serait le bienvenu. Joël avait plaidé sa cause en vain. Son père le renvoyait à ses chères études sans autre explication. Plus question de payer les notes vertigineuses du chantier naval qui soignait les plaies du *Nadir* à chaque retour. Finie la liberté, adieu les croisières et les tempêtes des mers lointaines, Jaouën rangeait définitivement les exploits de son fils dans une vitrine, on n'en parlerait plus. Mariannick avait pleuré tandis que Liliane regardait ailleurs. Le soir même, Joël et Thierry s'étaient copieusement saoulés dans les bars à matelots, incapables de trouver seuls une solution à leur problème.

Officiellement, le bateau appartenait à la société Carriban. Et il était en train de subir de lourdes réparations, décidées trois semaines plus tôt après un coup de chien qui l'avait fait démâter. En vue de la course la plus importante de la saison, celle pour laquelle les jeunes gens s'étaient entraînés sans relâche, certaines modifications avaient été demandées, dont un nouveau génois et le remplacement de la VHF [1]. La facture allait être

1. *Very High Frequencies*, radio de très hautes fréquences.

vertigineuse, et si Jaouën refusait de la payer, comme il le prétendait, le bateau resterait en cale sèche.

Même si c'était dur, à l'époque, Joël aurait dû se résigner et le cours de sa vie n'aurait pas été bouleversé. Mais il était trop jeune et trop gâté pour être raisonnable. Il était surtout fou amoureux de l'océan et de son voilier. Après quelques jours de lutte avec sa conscience, il commit le pire : il imita la signature de son père. Thierry avait été son mauvais ange, le persuadant que Jaouën serait flatté au bout du compte, qu'il s'agissait d'une crise d'autorité passagère, que Joël n'avait qu'à se réinscrire dans une faculté pour prouver sa bonne foi et que, lorsqu'ils auraient gagné — ce dont il ne doutait pas un instant —, personne n'aurait plus rien à dire.

Le chantier ne fit aucune difficulté. Un J. Carriban en valait un autre ! Le voilier fut mis à l'eau mais ne prit jamais le départ car, entre-temps, Jaouën avait reçu la terrible facture. Thierry avait mal calculé en supposant qu'ils seraient en mer à ce moment-là. Le courrier, détaillé et courtois, qui comportait une somme énorme, arriva la veille du départ.

La réaction de Jaouën fut sans commune mesure avec ce que Joël avait pu redouter. Sa fureur dépassa toutes les bornes connues. Il était seul dans la villa quand son fils rentra du port où il préparait l'avitaillement du *Nadir*. Il ne lui laissa pas la plus petite chance de se défendre. Étouffant de rage, il lui désigna la lettre, puis il jaillit de son fauteuil en hurlant des insultes avant de se jeter sur lui.

Jusqu'au bout, Joël parvint à se souvenir qu'il s'agissait de son père et qu'il ne pouvait pas tenter un seul geste de riposte. Ce fut l'arrivée de Liliane qui mit un terme à la scène homérique, hallucinante. Elle réussit à traîner

Jaouën sur la terrasse, se suspendant à son cou, en larmes. Il avait fini par retrouver un peu de lucidité et il avait alors dégringolé les marches jusqu'au ponton, détaché l'un des hors-bords, emballé le moteur avant de filer vers le large pour se calmer.

Joël avait repris ses esprits dans un bureau dévasté. Parmi toutes les horreurs que son père lui avait jetées à la tête il n'en retenait qu'une : la mise en vente immédiate du *Nadir*. Il passa tout l'après-midi sur un des fauteuils de sa chambre, tournant le dos au bow-window, indifférent aux bruits de la maison. Juste avant l'heure du dîner il descendit, un sac marin sur l'épaule. Il ne rencontra personne dans l'escalier ou dans le hall. Il ne voulait pas voir sa sœur, de toute façon, ni sa mère, et il n'avait même pas téléphoné à Thierry. Il avait pris sa décision, il partait pour de bon et sa première destination était la gare.

Tout aussi têtu que son père, il n'était pas revenu. Même lorsqu'il avait appris, par Mariannick, les conséquences dramatiques de l'histoire du voilier.

Orgueilleux, Jaouën n'avait pas jugé bon de crier sur les toits l'état précaire de la société. Il aimait son métier mais la comptabilité n'était pas son fort. Et l'industrie de la pêche connaissait alors des revers épouvantables. Bref, il était endetté, ce qu'il était le seul à savoir, et l'appel au secours lancé à un organisme de gestion financière avait eu pour résultat un abominable contrôle fiscal. Il était juste au début de ce parcours du combattant, cherchant à persuader l'envoyé du trésor public de sa bonne foi, lorsque la facture somptuaire du *Nadir* était tombée comme un pavé dans la mare. Le voilier, qui ne rapportait rien, coûtait des sommes folles. Cette « danseuse » du fils de la maison jetait un total discrédit sur les protestations d'honnêteté du père. Le contrôleur décida de tout reprendre de zéro. Deux mois plus tard, il rendit son verdict en réajustant à la hausse les impôts de la société qu'il avait assortis d'une lourde amende. L'armement Carriban faillit sombrer pour de bon. Jaouën fut obligé de réduire sa flotte et de licencier des marins. Pendant toute une année, il ne fallut même plus prononcer le prénom de son fils devant lui.

Mariannick fit la seule chose qui était en son pouvoir, elle attaqua courageusement un cycle de gestion industrielle et commerciale. Elle mit les bouchées doubles afin de s'atteler rapidement à la comptabilité de la société. Elle aida son père à sauver ce qui pouvait l'être et, finalement, ils redressèrent la barre. Ce fut elle, la première, qui se remit à parler de Joël.

Le frère et la sœur ne s'étaient pas perdus de vue. Elle savait qu'il était à Rennes et ils s'écrivaient régulièrement. Elle ne lui avait rien caché des déboires de Jaouën dont il était en grande partie responsable. Sans vouloir le culpabiliser davantage, elle tenait à ce qu'il comprenne la situation et qu'ainsi il pardonne. Leur père n'avait sur la conscience qu'une crise de folie passagère, presque justifiable, alors que Joël, par son égoïsme et son immaturité, avait failli précipiter la famille dans la ruine. Mais elle ne les jugeait ni l'un ni l'autre. Tout le monde souffrait de cette interminable brouille, Liliane la première. Celle-ci était la seule à connaître la vérité sur ce qui s'était passé entre les deux hommes, sur ce moment de violence pure où son mari avait voulu étrangler son fils pour des histoires d'argent.

Jaouën se mit à demander régulièrement des nouvelles de Joël à Mariannick. Son fils lui manquait beaucoup, ce qu'il n'aurait reconnu pour rien au monde. Toutefois c'était bien pour lui qu'il voulait redresser l'armement, lui administrant la preuve qu'il était le plus fort tout en préservant son avenir, l'avenir immuable de tous les Carriban, armateurs de père en fils. Même s'il ne lui en voulait plus depuis longtemps, il ne se décidait pas à faire le premier pas.

Par sa sœur, Joël savait que leur père le suivait avec attention malgré son silence. Il s'acharna, de son côté, à montrer ce dont il était capable. Livré à lui-même, il trouva normal d'être quasiment dans la misère, malgré les discrets subsides de sa mère, et il en profita pour se prendre au jeu des études qu'il avait négligées jusque-là. Un brillant cursus universitaire s'acheva par une série de diplômes agrémentés de mentions flatteuses. Cet été-là, il attendit un signe qui ne vint pas. En septembre, il accepta un poste d'architecte naval à Paris. S'il avait rêvé d'un retour, il n'avait pas osé le demander et son père ne l'avait pas proposé.

Lorsqu'il apprit l'exil de son fils, Jaouën se sentit impuissant à réparer leur faille. Il n'extériorisait pas ses sentiments mais Mariannick voyait bien qu'il continuait de chercher, chaque matin, une écriture familière dans la pile du courrier. Une simple carte postale de la tour Eiffel lui aurait suffi pour dormir enfin en paix. Il laissa partir sa femme et sa fille au mariage de Joël sans se permettre un seul commentaire. Il ne leur demanda même pas, à leur retour, si sa bru était jolie.

Incapable de tendre la main à son fils, Jaouën entoura alors sa fille d'une affection infinie. Comme elle l'avait considérablement aidé à redresser ses affaires, il lui rendit gaiement sa liberté lorsqu'elle voulut épouser Benoît. C'était un mariage avantageux dans la mesure où ce gendre ostréiculteur ne prétendrait jamais à la succession de l'armement. Il possédait une bonne petite affaire, saine et relativement prospère, son adoration pour Mariannick avait quelque chose de touchant, et sa virilité bourrue cachait une authentique gentillesse. Jaouën applaudit donc à cette union, mais il prit quelques précautions d'usage. Il offrit à sa fille, *avant* le jour des noces, une grande maison près des remparts. Puis il lui fit faire un contrat de communauté de biens réduite aux acquêts qui la laisserait donc seule propriétaire. Ensuite il expliqua à Benoît que la maison, vétuste et inhabitée depuis un moment, nécessitait une remise en état. Obéissant mais pas naïf, le gendre finança les travaux sans discuter.

Rassuré sur l'avenir de sa fille, comblé par la naissance de ses trois petits-fils, Jaouën n'oubliait pas Joël pour autant. Le faire-part du baptême de Juliette, adressé à madame *et monsieur* Carriban, fut le premier indice du dégel. Juliette portait l'initiale de la dynastie et ce détail suffit à Jaouën pour envoyer un télégramme de félicitations. La semaine suivante, la première lettre de son fils arriva enfin. Pour marquer cet événement tant attendu, Jaouën monta chercher l'aquarelle du *Nadir* et la redescendit dans son bureau où il l'accrocha.

Sur un ton léger, mêlant l'humour et la courtoisie, les deux hommes commencèrent à correspondre sans jamais évoquer le passé. Ce règlement de compte-là ne pourrait se faire que de vive voix, que les yeux dans les yeux. Joël parlait de son travail de manière détachée, comme s'il ne comptait pas s'éterniser dans cet emploi pourtant lucratif, et Jaouën savait très bien lire entre les lignes. Il répondait de la même manière, pudique et bourrée d'amour.

Un soir d'automne, alors que le soleil couchant faisait flamber la mer à l'horizon, Jaouën avait étalé sur son bureau ces dizaines de lettres qui commençaient toutes par le même mot : « Papa. » Il les avait regardées fixement, jusqu'à en avoir la vue brouillée, puis il avait décroché son téléphone. La voix chaude de Joël l'avait cloué à son fauteuil mais il avait trouvé le courage de claironner une invitation à séjourner, pour Noël, avec Charlotte et Juliette dont il souhaitait faire enfin la connaissance. Un silence de quelques secondes, intolérable tant il était chargé d'émotion, avait précédé la réponse éperdue de son fils. Le passé avait été englouti d'un seul coup, à se demander pourquoi ils avaient tant tardé, par quelle vanité déplacée, quel stupide entêtement.

En raccrochant, Jaouën croyait tout savoir de l'avenir radieux qui l'attendait à présent. Mais il ignorait qu'il n'avait plus que quinze jours à vivre.

Joël n'eut donc pas l'occasion de se réconcilier, de solliciter et d'offrir l'absolution. Désormais, il devrait vivre avec cette question sans réponse, cette faute indélébile. Il avait ressassé en vain, des nuits entières, tout ce qu'il pourrait dire le jour où il se retrouverait devant son père. Ce jour-là n'existerait jamais, le retour du fils prodigue n'aurait pas lieu ; il n'y avait eu, à la place, qu'un cercueil porté par des marins.

Avant même que son frère n'atteigne Saint-Malo, Mariannick avait deviné la suite logique des événements. Joël allait rester, quoi qu'il lui en coûte. Sans bien connaître sa belle-sœur qu'elle n'avait rencontrée que deux fois, Mariannick imaginait aisément sa réaction. C'était le genre de Parisienne qui devait considérer la Bretagne comme une villégiature estivale, un endroit où manger des crêpes en buvant du cidre. Elle n'y vivrait pas. Ne comprendrait rien à la culpabilité qui rongeait son mari. Et poserait probablement un ultimatum bien inutile.

Tout en parcourant la folle maison dans laquelle ils avaient grandi, sa sœur et lui, Joël cherchait toujours une solution. Se séparer de Charlotte était intolérable, mais se dérober à ses devoirs ici était pire. Peu avant l'aube, il remonta s'allonger près de sa femme. Il ne serait plus jamais un enfant gâté ou un mari comblé, la page venait de se tourner.

Tandis que Juliette explorait le wagon, très excitée à l'idée de ce voyage en train, Charlotte et Joël restèrent quelques instants face à face dans le compartiment.

— Appelle-moi en arrivant, demanda-t-il en s'efforçant de lui sourire.

Elle acquiesça d'un battement de cils.

— Nous allons réfléchir à tout ça calmement, chacun de notre côté…, dit-il encore. Il doit bien y avoir un moyen de…

Il manquait de conviction et s'arrêta en la voyant secouer farouchement la tête.

— C'est tout vu, articula-t-elle avec peine. Dépêche-toi de descendre, le train va partir.

Juliette se jeta dans les jambes de son père au moment où il allait répondre. Il se pencha vers elle, la serra un instant dans ses bras et se redressa. Un sifflement strident l'empêcha d'ajouter quelque chose. Il se retrouva sur le quai, agitant la main d'un geste machinal, submergé par une odieuse impression de solitude.

En regagnant sa voiture, il se sentit hagard, incapable de réfléchir, et il dut attendre deux ou trois minutes avant de démarrer. Est-ce qu'il venait vraiment de quitter sa femme et sa fille ? Était-il possible qu'une chose aussi impensable arrive aussi facilement ? Toujours perdu dans ses pensées, il reprit la route du barrage. Sur son tableau de bord, les clefs de la villa gisaient, trousseau abandonné.

— Merde…, marmonna-t-il en s'apercevant qu'il venait de brûler un stop.

Il fit un gros effort pour se reprendre et choisit d'aller directement dans les locaux de la société car c'était le plus urgent. Il y avait une douzaine de bâtiments en mer et Mariannick, qui assurait l'intérim depuis la mort de leur père, ne pouvait pas être partout à la fois, s'occuper de sa mère, de ses enfants, de son mari, et surveiller les rotations des chalutiers. À force de ne rien déléguer, Jaouën avait rendu son affaire vulnérable. Personne ne possédait la signature, même pas son bras droit, le vieux Luc.

Près du bassin Vauban, Joël eut envie de faire quelques pas, histoire de jeter un coup d'œil aux bateaux. Après tout, n'était-ce pas la seule raison de sa présence à Saint-Malo ? Bien sûr, il était censé s'occuper des affaires de la famille, protéger sa sœur et sa mère, reprendre possession du fief Carriban ; mais il était surtout là pour les bateaux, pour la mer, pour sa passion de toujours qu'il avait feint d'ignorer et qui ne demandait qu'à flamber. Le *Nadir* était une aventure de jeunesse. Aujourd'hui son goût des navires avait pris une autre dimension.

Sur un quai presque désert, il respira voluptueusement des relents familiers d'iode, de mazout et de poisson. Il avait choisi un endroit isolé, assez éloigné des gares maritimes pour être tranquille mais une silhouette recroquevillée sur une bitte d'amarrage attira son attention.

Sans doute un vieux marin en retraite, un de ces nostalgiques qui peuvent contempler les flots et la ligne d'horizon des journées entières. L'homme portait une casquette, un caban râpé, sa pipe semblait rivée au coin de sa bouche et sa main droite restait posée sur la tête d'un grand chien noir. Il regardait Joël approcher, plissant les yeux de curiosité.

Au moment où Joël, parvenu à sa hauteur, s'apprêtait à lui adresser un signe de tête ou un sourire, il perçut une évidente hostilité. Serrant sa pipe entre ses dents, l'homme marmonna une bordée d'injures. Joël s'immobilisa, surpris, alors que le chien retroussait ses babines en grondant. Il allait passer son chemin lorsque le marin ôta brusquement la pipe de ses lèvres, gonfla ses joues et cracha avec une insolence consommée dans sa direction.

— Qu'est-ce qui vous prend ?

Toujours assis, l'homme le toisait.

— P'tit con, fumier, pourri…, finit-il par éructer.

Joël eut la nette impression qu'il ne s'agissait pas seulement des imprécations d'un ivrogne mais que les insultes s'adressaient à lui personnellement. Il se demanda si sa ressemblance avec Jaouën n'y était pas pour quelque chose mais l'autre le détrompa en ajoutant :

— Pire que ton père…

Le marin l'avait donc identifié en tant que fils Carriban. Il ne voulut pas exiger d'explication ou provoquer un scandale. Le chien ne le quittait pas des yeux et tremblait à présent qu'il avait senti la colère de son maître. Joël ne pouvait rien faire, et surtout pas s'attaquer à un vieil alcoolique. Il haussa les épaules et fit demi-tour. Il entendit pourtant la phrase que l'autre lâchait dans son dos :

— Le mauvais œil est sur toi, mon gars !

Perplexe, il revint vers sa voiture en essayant de comprendre les raisons de cette agressivité. Il y avait longtemps qu'il était parti et il n'avait pas souvenir de s'être fait des ennemis de ce genre dans sa jeunesse. L'incident le déconcertait, le contrariait.

Il se gara dans la cour pavée et franchit le porche de l'armement Carriban la tête haute. La première personne qui le vit fut une secrétaire qu'il identifia comme Mme Heulin et qui resta saisie. Sa ressemblance avec son père le poursuivait, décidément. La malheureuse eut bien du mal à prononcer quelques phrases de circonstance, bienvenue et condoléances mélangées. Joël bavarda deux minutes avec elle avant de gagner le bureau de Jaouën. Son bureau à présent. Il ne marqua aucune hésitation, sur le seuil, et referma la porte avec désinvolture. Puis il reprit sa respiration, et regarda autour de lui. Tout était pareil. Son père n'aimait pas le changement. Le téléphone bourdonna et il décrocha machinalement.

— Tu es déjà là ? Magnifique !

La voix sereine de Mariannick le réconforta.

— Va voir Luc, je l'ai prévenu ce matin et il t'attend comme le Messie. Il doit être au premier étage dans la salle des ordinateurs. Je serai là vers onze heures. Est-ce que ça ira, patron ?

— Grouille-toi, je suis au bord de la panique !

Il ne plaisantait qu'à moitié, elle le devina tout de suite.

— Mets ton gilet de sauvetage et attends-moi, dit-elle avant de couper la communication.

Avec un soupir, il repoussa le téléphone et contourna la grande table. La première chose à faire était de dresser la liste de ce dont il aurait besoin dans l'immédiat. D'abord un fauteuil décent, confortable, pas ce siège imposant, digne d'une cathédrale, qu'avaient affectionné son père et son grand-père.

Il prit une feuille de papier mais renonça à écrire. Toute la pièce devait être repensée. Cependant il fallait qu'il visite d'abord les locaux, qu'il répertorie les installations et les équipements des bureaux. Mariannick avait parlé d'ordinateurs, c'était plutôt bon signe. Relevant la tête, il se demanda où son père pouvait bien accueillir les visiteurs. Et, tout naturellement, il pensa à son propre bureau, à Paris, dans cette tour ultramoderne où il travaillait depuis trois ans. Un environnement fonctionnel et luxueux, dénué de fantaisie. Un univers qu'il allait quitter sans le moindre regret. À condition de commencer par rédiger sa lettre de démission. Il avait encore quatre jours de congé devant lui. Ensuite il lui faudrait annoncer son départ, trouver un accord pour ne pas effectuer de préavis. Il comptait passer un minimum de temps à Paris, juste le strict nécessaire pour régler ses affaires.

— Charlie…, murmura-t-il malgré lui.

Le pire, c'était ça. Impossible d'installer une situation provisoire entre eux. S'il faisait une valise, une seule, elle considérerait — avec raison d'ailleurs — qu'il partait pour toujours. Et il y avait peu de chance pour qu'elle le suive, elle avait été claire. Son travail au journal, même s'il lui tenait à cœur, n'était pas l'unique raison de son refus. Elle aimait Paris mais, tout de même, elle aimait davantage son mari. À moins que leur couple ne soit déjà un peu usé, même s'il n'en avait pas eu conscience jusque-là. Ou alors… Peut-être était-elle incapable d'accepter la soudaineté d'une décision qu'elle ne comprenait pas, qu'elle jugeait arbitraire. Il n'y avait eu aucun rapport de force entre eux, jusque-là. Et brusquement il imposait ses choix, se révélait sous un jour nouveau, démontrait qu'il n'avait besoin de personne, ni femme ni enfant, pour changer de cap.

Il se leva d'un bond, enfouit ses mains dans les poches de son jean et se mit à marcher autour de la table, sourcils froncés. Penser à Charlotte le rendait nerveux. Il n'avait pas d'explication valable à lui offrir et, à ce jeu-là, il allait la perdre tout en s'y résignant d'avance ! Pourtant il l'aimait, il la désirait et il la respectait.

— Tout ça pourquoi ? demanda-t-il à haute voix en s'arrêtant devant une carte marine.

La réponse était là, sous ses yeux. Le relief de la côte, les courants, les îles et les récifs parlaient d'eux-mêmes. Il leva la main pour passer ses doigts sur le papier glacé, lisant des noms au hasard. Puis il décida qu'il était temps d'aller voir Luc et que Mariannick ne devait à aucun prix le trouver en train de rêvasser.

Le vieux marin avait fini par se lever et il était parti d'un pas mal assuré, tirant des bordées d'un côté à l'autre du quai. Il n'aimait pas l'appartement exigu de sa fille mais il n'avait pas d'autre endroit où aller déjeuner. Elle était bien gentille de l'héberger, de fermer les yeux sur son penchant pour la bouteille, de garder le sourire tandis qu'il ressassait ces histoires de pêche qu'elle connaissait par cœur. Quand même, il essayait de ne pas trop la déranger, de se faire le plus petit possible durant ces visites quotidiennes. Elle avait ses soucis, elle aussi, ce qui était vraiment injuste pour une jeune fille jolie comme elle.

Il tapa sa pipe contre sa semelle pour la vider puis se laissa remorquer par le chien dans l'escalier. En ouvrant la porte, il sentit une agréable odeur de poulet grillé. Dans la cuisine, le couvert était mis pour deux. Il se cala sur une chaise et attendit, les yeux dans le vague, jusqu'à ce que sa fille surgisse soudain, emplissant toute la pièce de sa gaieté.

Elle portait un pantalon moulant, vert sombre, et un col roulé blanc. Elle l'embrassa en passant, puis se précipita vers le four qu'elle éteignit.

— Tout à l'heure, je laverai ton Clebs, il est vraiment trop sale ! déclara-t-elle d'un ton résolu.

Elle l'en avait déjà menacé et, têtue comme elle l'était, elle finirait par le faire. Ensuite, bien entendu, il faudrait qu'il nettoie le siphon de la douche.

— Le fils Carriban est de retour, dit-il à mi-voix.

Tournée vers lui, son plat à la main, elle l'observa quelques instants.

— Mais oui, je sais. Il est venu pour l'enterrement de Jaouën…

— Pas seulement ! Il va rester, crois-moi. Je l'ai vu tout à l'heure, alors j'en ai profité pour lui cracher dessus !

Autant qu'elle l'apprenne tout de suite. Elle était toujours fourrée chez Mariannick Quillivic, ce qu'il vivait comme une trahison, même si, il en convenait, la fille de l'armateur n'était pas à l'origine de son malheur. C'était à Joël et à personne d'autre qu'il devait son chômage. Depuis huit ans, il n'avait pas mis les pieds sur le pont d'un bateau à cause de ce gamin arrogant qui s'était pris pour un navigateur.

— Papa…, dit Servane agacée, fous-lui donc la paix !

Fronçant les sourcils, il essaya sans succès de prendre un air sévère. Dans cette cuisine, c'était elle qui commandait.

— Ne cherche pas la bagarre. C'est de l'histoire ancienne.

Avec dextérité, elle découpait le poulet. Elle était fine et souple, toute en harmonie. Ses cheveux roux et ses yeux gris lui donnaient l'air d'une Irlandaise. Et, chaque fois qu'il la regardait, Yvon n'en revenait pas d'avoir fait une fille pareille, gracieuse comme un elfe et sur laquelle tous les hommes sans exception se retournaient.

— Sans lui, insista-t-il, je ne serais pas là à t'embêter… Je serais en mer, loin d'ici !

Il renifla pour exprimer son ressentiment. Il vivait dans un petit pavillon sans charme qu'il avait mis vingt ans à payer et où il se sentait à l'abri, mais rien ne remplacerait jamais les longues campagnes en mer. Dès qu'elle avait eu dix-huit ans, Servane avait commencé à travailler. Puis elle avait loué son appartement, faisant promettre à son père qu'il viendrait déjeuner tous les jours. C'était une façon pour elle de ne pas l'abandonner tout en se préservant. Elle ne pouvait pas l'empêcher de sombrer peu à peu dans l'alcoolisme mais elle voulait quand même veiller sur lui. Il avait accepté sans fausse honte, afin qu'elle se sente libre. Depuis lors, il ne rentrait chez lui que le soir pour dormir, boire et fumer. Elle avait gardé la clef du pavillon et, de temps à autre, elle allait y mettre de l'ordre, s'occuper du linge, aérer. Grâce à elle, à sa détermination, ils menaient une vie normale chacun de leur côté. Elle avait su éviter le piège du misérabilisme, de l'aigreur, et conserver toute sa joie de vivre.

— Tu es de mauvaise foi ! affirma-t-elle. Allez, sers-toi.

La présence de son père ne la gênait jamais. Il était sa seule famille et elle trouvait sa présence normale. Ayant constaté qu'il mangeait de bon appétit, elle en déduisit qu'il n'avait pas trop bu et elle se décida à piquer un morceau dans le plat, du bout de sa fourchette. Elle ne souhaitait pas entendre parler de Joël Carriban pour le moment. Son père le tenait pour un salaud et Mariannick, tout au contraire, le mettait sur un piédestal. Servane aurait bien le temps de se forger sa propre opinion, elle n'était pas pressée.

Elle sentit la tête du chien, sur son genou, et elle glissa une main sous la table pour le caresser. Il n'avait pas de nom, c'était seulement « le Clebs », mais il suivait Yvon comme son ombre depuis deux ans. Lorsqu'elle releva les yeux, son père lui sourit.

— Il ne fait pas chaud, hein ? Si tu le mouilles, il va attraper la crève…

— Tu n'auras qu'à regarder la télé pendant qu'il sèche ! riposta-t-elle. J'ai des tas de trucs à faire cet après-midi mais je commence par le Clebs.

Il n'osa pas insister, ému par sa gentillesse. Sans elle, il y a longtemps qu'il se serait jeté dans le port. À l'époque où Jaouën l'avait licencié, il buvait déjà pas mal et sa femme venait de mourir d'un cancer à l'hôpital. Servane avait quinze ans et elle avait fait face sans se révolter. Même adolescente, elle savait exactement ce qu'elle voulait. Et rien au monde ne pourrait entamer son goût du bonheur.

— Tu n'aurais pas une petite goutte de vin ? demanda-t-il d'un air innocent.

En fin de journée, épuisés, Joël et Mariannick s'étaient retrouvés seuls dans le bureau de leur père. La situation financière était pire que prévu, ils l'avaient découvert au fil des heures. Le vieux Luc n'avait pas mâché ses mots, n'avait pas cherché à les ménager. Jaouën n'était pas l'unique responsable, la pêche étant en crise depuis un bon moment. Le gouvernement avait pris tout un train de mesures contradictoires qui avaient précipité ce secteur dans un véritable chaos.

— Eh bien, ce n'est pas brillant, dit Joël d'un ton las.

Il songeait avec inquiétude à son rendez-vous du lendemain à la banque.

— Oui, le navire prend l'eau…, soupira Mariannick.

Depuis la naissance de ses fils, elle avait un peu perdu de vue la société. Et, fidèle à lui-même, Jaouën ne l'avait pas tenue au courant de ses difficultés. Il avait trop d'orgueil pour reconnaître ses échecs.

— Ce n'est peut-être pas une bonne idée, ajouta-t-elle.

— Quoi ?

— De nous lancer dans l'aventure. Pour moi, ça ne fait rien. Même si nous échouons. Mais toi, tu prends un très gros risque. Tu vas démissionner, tu n'auras aucune indemnité, et si tu te casses la figure ici…

Le coup de poing qu'il assena sur la table la fit sursauter. Une seconde, elle se crut en face de son père.

— Sûrement pas !

Il lui sourit pour atténuer son geste de colère.

— Écoute-moi, reprit-il. Il faut tout changer. Dieu sait que, quand je songe à papa, je… Tu penses bien que je ne peux pas me permettre de le critiquer, seulement il n'est pas question d'en faire un mythe. Il a commis des erreurs, il suffit de lire les comptes ! Il avait sa conception de l'armement et j'ai la mienne. Ce ne sont pas des délais que je vais demander à son banquier, c'est un emprunt. Il faut qu'on casse tout, ma vieille, qu'on recommence de zéro. J'ai plein d'idées…

Décidément, il avait changé. Même s'il avait les traits de Jaouën, il était différent. Ses années de vache enragée, ses études menées tambour battant, son expérience professionnelle, son rôle de mari et de père, tout cela l'avait transformé. Au-delà de la revanche qu'il avait à prendre, il pouvait sûrement réussir à les sortir de l'impasse.

— Parle-moi de tes idées, proposa-t-elle. Mais je te préviens, il y a une chose que tu ne peux pas faire.

— Licencier, je sais.

La discussion était simplifiée par leur totale intimité. Ils se connaissaient par cœur.

— Et engager, je peux ? Acheter des bateaux, tu serais d'accord ?

Elle posa un coude sur la table, appuya son menton dans sa main, prodigieusement intéressée tout à coup.

— Raconte…

Il exposa son point de vue, insistant sur la manière dont il comptait prospecter pour trouver des clients. C'était comme s'il n'avait pensé qu'à ça depuis toujours. Elle comprit qu'il s'y était préparé parce qu'il se mit à lui réciter le cours des marchés, les dernières lois mises en application, les statistiques les plus récentes. Il débordait d'un enthousiasme inventif et batailleur.

— Ce plan quinquennal européen est un cauchemar pour les petits. Alors on va aller jouer dans la cour des grands. La filière traditionnelle des mareyeurs ne suffit plus, je veux un véritable débouché et je vais dénicher des partenaires. C'est ça ou la clef sous la porte, tu comprends ?

Tout ce qu'il disait paraissait logique, possible. Il ne rêvait pas à voix haute, il était en train de prendre les commandes.

— De toute façon, il faudra choisir, on ne peut pas garder une flotte dépareillée. Je ne veux pas de congélation en mer, ils sont trop nombreux sur ce créneau.

Leur père avait tenté de se diversifier, sans grand succès. D'évidence, Joël avait d'autres projets.

— Tu pensais à tout ça, en dessinant tes plans à Paris ?

— Je suppose que oui… Et c'est normal ! Des bateaux en papier…

Elle se souvint de toutes les questions qu'il lui posait chaque fois au téléphone. Elle s'était imaginé que c'était par pudeur, pour ne pas parler de Jaouën. Mais non, il continuait à vivre l'armement par procuration, il voulait être prêt lorsque son père lui adresserait enfin un signe.

— Il n'y a pas beaucoup d'exemples de réussite chez nos concurrents en ce moment, reprit-il. Un à Saint-Brieuc et un à Lorient, c'est tout ce que je vois. Mais la solution existe forcément puisqu'on mange de plus en plus de poisson ! Je suis pour la pêche hauturière, a priori. On verra ça en cours de route.

— Très bien, dit-elle, tu as raison. Garde ta salive pour les financiers, tu m'as convaincue.

Elle se redressa et regarda sa montre.

— Il est très tard, allons dîner. J'espère que Benoît a pensé à préparer quelque chose. Tu manges avec nous, bien sûr ?

La grande villa de Dinard serait silencieuse, le réfrigérateur vide et les souvenirs un peu lourds pour un homme seul, elle le savait bien. Il prit son imperméable et commença d'éteindre les lumières.

— Quelqu'un m'a craché dessus, aujourd'hui ! Un vieux matelot, sur le quai. Sûrement un pauvre type…

Il le racontait sans rancune, comme une anecdote, mais elle fut contrariée. À Saint-Malo, les gens avaient de la mémoire et Joël allait devoir faire ses preuves très vite s'il voulait regagner leur confiance. Elle l'observa tandis qu'il fermait à clef la haute porte cochère. Juste au-dessus de lui, l'enseigne de l'armement J. Carriban brillait doucement dans la nuit. Dans un élan, elle lui prit le bras.

— On va y arriver ! s'exclama-t-elle.

La tête renversée en arrière, elle contemplait l'inscription formée des lettres de leur nom et elle se rendit compte qu'elle y tenait autant que lui. Serrés l'un contre l'autre, ils restèrent silencieux un moment et prirent vraiment conscience du décès de leur père. Lorsqu'elle frissonna, ils s'éloignèrent enfin.

3

À son retour à Paris, Charlotte avait passé deux jours à pleurer. Ensuite elle s'était préparée à affronter son mari. Et, le vendredi, elle avait perdu plusieurs heures chez le coiffeur et dans un institut de beauté.

Lorsque Joël était enfin arrivé, il était dix heures du soir et Juliette dormait. Il découvrit sa femme qui somnolait sur le canapé, plus belle que jamais. Avant même de se dire bonsoir, ils se retrouvèrent dans les bras l'un de l'autre. Elle avait prémédité de le repousser mais, victime de son propre piège, elle fut incapable de lui résister. Un peu plus tard, ils prirent une douche ensemble, osant à peine se regarder. Ils avaient fait l'amour comme des sauvages, comme si c'était le plus important et le plus urgent pour eux. Mais à présent, il fallait bien évoquer cet avenir immédiat qui les effrayait autant l'un que l'autre.

En peignoir, Joël alla embrasser sa fille sans troubler son sommeil, puis il rejoignit Charlotte dans leur chambre. Elle avait posé un plateau sur la commode et il aperçut le champagne, les petits canapés au saumon, les toasts au foie gras. Assis au pied du lit, il l'observa. Elle était la femme la plus désirable qu'il ait jamais rencontrée. D'ailleurs elle en jouait volontiers, amusée et émue par les regards des hommes. Ce fut elle qui attaqua.

— Alors, mon chéri, nous fêtons nos adieux ? Tu n'as pas changé d'avis ?

— Non, dit-il doucement.

À quoi bon prétendre le contraire ?

— Très bien… Demain matin, je conduirai Juliette chez maman.

— Chez ta mère ?

Déconcerté, il se demandait ce qu'elle allait lui annoncer.

— Au cas où tu l'aurais oublié, j'ai une famille moi aussi ! répliqua-t-elle rageusement. La petite sera mieux là-bas, le temps que tu fasses tes bagages. D'ailleurs, autant qu'elle s'habitue tout de suite à ne plus te voir, n'est-ce pas ?

— C'est ma fille aussi, murmura-t-il.

— Le juge décidera de tes droits !

Comme elle était debout devant la lampe, il vit sa silhouette dessinée sous la soie d'un déshabillé qu'il ne lui connaissait pas. Elle était vraiment superbe et elle le savait. Avant d'épouser Joël, elle s'était beaucoup divertie en multipliant les conquêtes. Elle l'avait choisi parce qu'il avait quelque chose de plus que les autres. Un mélange de force et de tendresse qui l'avait séduite. Et, depuis leur mariage, elle ne l'avait pas trompé, ce qui était pour elle un exploit. À présent, elle ne comprenait pas pourquoi il lui échappait et elle sortait ses griffes.

— Qu'est-ce que tu comptes emporter, en dehors de tes vêtements ?

Il eut envie de la jeter sur le lit, de la faire taire. Mais c'est lui qui l'abandonnait, il en avait pleinement conscience, il fallait qu'il l'écoute, qu'il discute.

— Charlie, ce ne serait pas au-dessus de tes forces de venir avec moi, plaida-t-il. Tu pourrais trouver un travail, il y a des tas de journaux qui ne demanderaient pas mieux. Ce n'est pas l'enfer que je te propose. La maison est...

— Cette espèce de pièce montée grotesque, une maison ? Et j'y ferai quoi, à part regarder les vagues ? J'écrirai pour quel genre de canard ? *Le Courrier dinardais* ? Quelle sorte d'articles ? La vie aventureuse de Théodore Botrel ? Des comptes rendus sur l'élevage des porcs ? La maladie de la moule ? Tu te fous de moi !

Cette fois elle l'avait poussé à bout et il réagit.

— Pour ma part, je ne peux pas être armateur à Montparnasse ! Tourne Saint-Malo en dérision tant que tu veux, ça ne me touche pas.

— Rien ne te touche ! hurla-t-elle. Même pas Juliette !

— Avec elle, tu me fais du chantage, c'est odieux.

— Quel chantage ? On ne peut quand même pas la couper en deux !

Il baissa la tête, refusant de se quereller davantage, mais elle n'en avait pas fini.

— Si tu fais tes valises, Joël, ce sera le divorce, je ne te prends pas en traître. L'amour par correspondance, très peu pour moi ! Tu m'entends ?

— Il faudrait que je sois sourd, murmura-t-il. Tu cries et ça ne résout rien. Je t'aime, Charlie, mais...

— Parce qu'il y a un « mais » ? Tu m'aimes mais tu préfères les p'tits bateaux qui vont sur l'eau ? Ah, tu es d'un égoïsme monstrueux !

Avec un soupir, il se leva, s'approcha d'elle.

— Au point où nous en sommes, si je te disais que je renonce, que je reste à Paris, tu me croirais ? Tu n'aurais pas l'impression que je te cède, par lâcheté ?

D'un geste nerveux, elle rejeta ses cheveux en arrière.

— Enfin Joël, demanda-t-elle d'une voix sourde, tu y tiens tant que ça ?

— Oui. Évidemment.

— Mais il n'en a jamais été question, jamais ! D'ailleurs tu ne m'as rien raconté. Tu as juste parlé d'une brouille avec ton père, rien d'autre.

Elle n'en était plus très sûre. Elle avait bien remarqué, lors des deux visites de Mariannick, de quelle manière avide il l'interrogeait. Quand il était avec sa sœur, son regard était différent. Elle y avait lu de la tristesse, de la frustration, de la culpabilité. Elle avait supposé qu'il taisait volontairement des choses importantes, dramatiques. Mais elle avait eu peur de savoir quoi et elle avait soigneusement évité de poser des questions. Si elle l'avait fait, ils n'en seraient pas là aujourd'hui.

Il tendit la main vers elle, hésita puis la laissa retomber. Gagner du temps ne changerait rien à leur problème. Elle eut la sensation qu'il l'écartait de sa vie et qu'il s'y résignait trop vite.

— Ouvre donc cette bouteille, dit-elle d'une voix glaciale.

Elle ne voulait pas être plus malheureuse que lui. Le défiant du regard, elle lui adressa un petit sourire insupportable.

— La prochaine fois qu'on se verra, j'espère que tu ne sentiras pas trop le poisson, mon chéri !

Sans se donner la peine de répondre, il lui tourna le dos et quitta la pièce. Elle resta immobile quelques instants puis le suivit. Comme elle s'y attendait, il était en train de se rhabiller, près du canapé.

— Je vais dormir à l'hôtel, déclara-t-il en enfilant son blouson. Je serai là demain matin vers neuf heures. Bonne nuit.

La porte claqua sur lui avec un bruit sec. Une onde de colère parcourut alors Charlotte de la tête aux pieds. Au lieu de le poursuivre, de l'injurier, elle s'obligea à respirer calmement. Puis elle regagna la chambre à pas lents. Elle ouvrit la bouteille de champagne, se servit une coupe qu'elle vida d'un trait. En la reposant sur le plateau, elle se jura qu'elle se vengerait.

Quand il revint, en début de matinée, Joël trouva l'appartement désert. Il avait passé une mauvaise nuit, à cause de Charlotte bien sûr, mais aussi à recenser toutes les difficultés qui l'attendaient à Saint-Malo.

Comme il devait déjeuner avec le directeur de la société qui l'employait depuis trois ans, il se dépêcha de sortir deux valises d'un placard. Pendant plus d'une heure, il empila machinalement des vêtements. Il ne voulait pas penser à sa femme qui le menaçait de divorce, ni à sa fille qui lui manquait déjà, ni à ce Noël qu'ils auraient dû fêter en famille avec Jaouën. Les remords et les regrets ne serviraient qu'à le désespérer davantage, autant les écarter tant qu'il le pouvait encore.

Après avoir bouclé ses bagages, il hésita un long moment. Y avait-il un seul objet auquel il tienne particulièrement ? Il fit le tour des pièces sans toucher à rien, étonné d'être déjà étranger chez lui. Lorsque Charlotte s'était occupée de la décoration, avec enthousiasme, il avait approuvé ses choix. Ils avaient été heureux durant plusieurs années ici. Heureux ?

Assis tout au bord du canapé, il alluma une cigarette. Le bonheur, pour lui, avait toujours été à Dinard. Il aurait dû l'expliquer honnêtement à sa femme dès le début. Mais il avait eu honte de ce manque, de cette frustration, de l'humiliation d'être tenu à distance, alors il avait tout occulté avec succès. Et puis, après le coup de téléphone de son père, il avait repris espoir en secret. Peut-être, petit à petit, les choses pourraient-elles retrouver leur place — et lui la sienne. Les changements se feraient en douceur, Charlotte comprendrait. Mais la mort soudaine de Jaouën avait bouleversé une nouvelle fois les cartes et l'avait pris de vitesse. En roulant vers Saint-Malo, il avait essayé de ne pas penser à l'avenir. Il avait préféré raconter à Juliette ce grand-père qu'elle ne connaîtrait jamais.

S'apercevant qu'il était presque midi, il se leva et alla chercher les deux valises. Inutile de tergiverser davantage, il n'était vraiment plus temps. Il fallait qu'il aille à ce déjeuner, qu'il explique pourquoi il démissionnait. Là-bas aussi, il devrait rassembler ses affaires personnelles, prendre congé de ses confrères. Il espéra qu'il pourrait quand même quitter Paris avant la fin de la journée.

Servane relut plusieurs fois l'inscription, sur l'écran : « Nous ne pouvons accéder à votre demande. » Se sentant rougir, elle reprit sa carte bancaire et s'éloigna du distributeur. Le virement de son salaire avait sans doute un peu de retard et il faudrait qu'elle patiente un jour ou deux. Son contrat de secrétaire intérimaire lui assurait des revenus irréguliers mais elle n'avait pas pu trouver un autre travail.

Elle traversa la rue de sa démarche légère et se dirigea vers la place du Poids-du-Roi. Comme tous les Malouins, elle adorait se promener dans la cité intra-muros, mais le vent était vraiment trop froid pour flâner.

— Attends-moi ! cria une voix familière derrière elle.

Mariannick la rejoignait en courant malgré ses paquets encombrants.

— Oh, ces courses, quelle barbe ! Tu m'aides ?

Elles se répartirent les sacs avant de se remettre en route. La maison de Mariannick était toute proche et elles se retrouvèrent cinq minutes plus tard dans la cuisine ultramoderne dont Benoît était si fier.

— Pose tout ça où tu veux, on va se faire une tasse de thé.

— Comment va ta mère ?

— Pas très bien. Ce sera long. Quand elle arrête les tranquillisants, elle pleure du matin au soir. J'ai demandé aux garçons de la distraire un peu, mais tu les connais…

Servane sourit. Elle adorait les trois petits monstres qu'elle avait parfois l'occasion de garder, ce qui arrondissait ses fins de mois.

— Quant à mon frère, qui doit rentrer ce soir, je me demande si…

— Tu n'as pas confiance en lui ?

La question, trop rapide, fit rire Mariannick de bon cœur.

— Oh, là, là ! Bien sûr que oui, j'ai confiance ! Mais le vieux Luc a fait revenir tous les bâtiments et les équipages sont convoqués demain matin. Je ne sais pas si Joël est prêt à leur parler. Tu les connais mieux que moi, ils ne sont pas commodes. Que leur patron soit un mec de trente ans, tout frais débarqué de Paris, ça risque de froisser certains capitaines.

— Plutôt, oui.

— Bon, mais ils n'ont pas le choix. L'armement Carriban continue, c'est le principal pour eux. Et moi, je rempile. Je ne peux pas laisser Joël tout seul en ce moment. D'autant plus que Luc le déteste. J'ai essayé de lui faire croire le contraire mais il ne sera pas dupe longtemps.

— Pourquoi ?

— Eh bien, disons que Luc est de la vieille école. Déjà, il résistait à papa qui n'avait pourtant rien d'un novateur… Il n'a pas évolué et si on l'écoutait, on pêche-rait toujours la morue alors que les gens en veulent de moins en moins ! Tu te rends compte ?

Mariannick parlait à Servane comme si elle était des leurs, du côté des armateurs, et non la fille d'un marin au chômage. Elle connaissait l'histoire d'Yvon Collinée et de son licenciement — dû en partie aux frasques de Joël — mais elle avait décidé une fois pour toutes que son amie méritait autre chose. Elle ne la prenait jamais en pitié, n'avait aucune condescendance en la rémunérant pour garder ses enfants, acceptait volontiers son aide bénévole à l'association. Cette attitude franche avait favorisé leur amitié rapide malgré la dizaine d'années qui les séparait. Servane adorait la compagnie de Marian-nick, sa gaieté et son inépuisable énergie.

— Bref, ce ne sera pas une semaine facile et j'aurai sûrement besoin de toi. Benoît n'arrivera jamais à s'occuper de tout. Il a déjà commencé à ronchonner.

Elle ponctua sa phrase d'un rire clair.

— Est-ce qu'ils vont s'installer définitivement dans la villa ? demanda Servane.

— Qui ça, « ils » ?

— Eh bien ton frère, sa femme, leur fille…

— Il vient tout seul. Charlotte n'a rien voulu entendre. Pas question pour elle de quitter Paris. Alors ils se séparent.

— Tu plaisantes ? Ce n'est pas une raison suffisante pour se séparer ! Un si beau couple, ce serait dommage. Sans parler de la petite !

— Joël est un père merveilleux et il est très amoureux de sa femme. Mais dans la situation actuelle, ça ne change rien.

Servane la regardait sans comprendre, éberluée. Charlotte l'avait impressionnée par son élégance un peu hautaine. Est-ce qu'on pouvait abandonner une femme comme elle du jour au lendemain ?

Un coup de sonnette les interrompit et Servane proposa d'aller ouvrir. Dans la pénombre du hall, lorsqu'elle tira la porte, elle découvrit Joël.

— Bonsoir, dit-il en lui adressant un petit signe de tête. Ma sœur est là ?

Elle s'effaça pour le laisser entrer, brusquement intimidée, et elle le précéda jusqu'à la cuisine.

— C'est déjà toi ? Tu es venu en hélicoptère ou quoi ?

— J'ai roulé vite, reconnut-il. Mais je crois que tu nous as prévu un programme plutôt chargé pour demain ?

Mariannick le poussa vers une chaise d'un geste familier.

— Comment ça s'est passé ?

— Bien. Je suis libre comme l'air. Mon directeur s'est montré compréhensif parce qu'il s'agit d'un décès.

— Et tu…

Gênée par la présence de Servane, elle hésitait à l'interroger davantage.

— Mon coffre est bourré de valises. Je crois que tout est réglé, je n'aurai pas à retourner à Paris avant un bon moment.

Elle le comprit à demi-mot et eut de la peine pour lui.

— Je vais faire le dîner, enchaîna-t-elle. Tu es fatigué ?

— Non, pas vraiment. Ne fais rien du tout, allons plutôt au restaurant.

Mariannick sourit, songeant que Benoît serait content parce qu'il aimait sortir.

— Je peux garder les enfants, proposa Servane.

Elle s'était adressée à Mariannick mais ce fut Joël qui répondit.

— Pourquoi ? Il faut bien que je fasse connaissance avec mes neveux ! Ils ont le droit de s'amuser, je les emmène.

— On ne peut pas laisser maman, lui fit remarquer sa sœur.

— Sois un peu simple, ma vieille ! Vous n'allez pas vous transformer en pleureuses de Cancale toutes les deux ? Qu'elle vienne donc avec nous, ça la distraira. Et Servane aussi, d'accord ?

Il la questionnait d'un regard amical, chaleureux, et elle ne savait pas quoi dire. Elle qui ne redoutait jamais rien, elle s'aperçut qu'elle avait peur de lui. Était-ce parce qu'un homme capable de laisser tomber une femme pour des bateaux lui semblait odieux, ou bien alors parce que ses yeux bleu pâle s'attardaient sur elle avec trop d'insistance ?

— Tu as raison, trancha Mariannick, allons nous changer les idées !

Une demi-heure plus tard, ils étaient installés tous les huit chez Gilles, rue de la Pie-qui-boit. Durant toute la soirée, Joël se montra attentionné envers sa mère qui gardait un visage figé et restait muette. Murée dans sa douleur, elle était incapable de profiter de la présence de ce fils qui lui avait tant manqué. Même ses petits-enfants la laissaient indifférente. À toute sa famille réunie, elle superposait l'image de Jaouën et trouvait la vie sans intérêt.

Les trois garçons ne se privèrent pas, eux, de bombarder leur oncle de questions. Ils voulaient absolument savoir quand leur cousine arriverait et Joël eut beaucoup de mal à les faire changer de sujet. Très à l'aise avec les enfants, il s'abstint de trop les faire rire par égard pour Liliane, mais il les conquit sans peine.

Quand Servane et Mariannick se lancèrent dans une grande discussion à propos d'un calvaire qui menaçait ruine et qu'il fallait sauver d'urgence, Benoît en profita pour demander à son beau-frère quelles étaient ses idées en matière d'armement. Joël expliqua posément qu'il allait tout changer et le plus vite possible.

— « Tout », ça fait beaucoup à la fois… Est-ce que tu es au courant de la décision des Anglais ?

— Interdire la pêche à moins de douze milles de leurs côtes ? Oui. Je suppose qu'on peut leur rendre la pareille. Mais ce n'est pas une zone pour nos chalutiers.

Il avait parlé d'un ton net, autoritaire, et Benoît songea aussitôt à Jaouën. Il glissa un regard vers Liliane qui restait absente de la discussion.

— Tu sais, dit-il lentement, si tu arrives en ayant l'air de vouloir tout casser, les gars ne vont peut-être pas te suivre…

— Ah oui ? Et qui fait la paye, d'après toi ?

Haussant les épaules, Benoît balaya l'argument.

— Il s'est passé beaucoup de choses en ton absence. Les marins-pêcheurs ont leurs opinions, que tu le veuilles ou non.

— Oh, mais tant mieux ! Qu'ils me donnent donc leur avis, j'en tiendrai compte. La seule chose dont je sois sûr est que papa était au bord de la faillite, comme beaucoup d'autres, et que je ne vais pas rester les bras croisés jusqu'au dépôt de bilan. Le problème est simple à poser : qui mange du poisson ? Il faut cesser de se demander quoi pêcher et où, si on ne sait pas d'abord à qui on va vendre. De façon régulière, sûre. Alors il faut se tourner vers les chaînes de distribution alimentaire, de restauration, les hypermarchés, les hôtels, n'importe quoi !

Ébahi, Benoît le dévisageait.

— Ne fais pas cette tête-là. Je te choque ?

— Non… Mais si tu mets le doigt dans l'engrenage de la grande distribution, tu ne seras pas longtemps maître chez toi.

— Oh, ça m'étonnerait beaucoup !

— J'ai essayé, pour les huîtres, et j'ai fait machine arrière en catastrophe.

— Ce n'est pas comparable, Benoît ! Tu me parles d'un truc saisonnier.

— Peut-être, mais si tu fais dans le gigantisme, tu n'auras pas le droit à l'erreur ! Tu sais combien ils coûtent, les chalutiers de quatre-vingt-dix mètres qui partent trois mois dans le Groenland ?

— Je ne veux pas de ces usines flottantes ! Même si j'en avais les moyens… D'ailleurs le marché du congelé est saturé.

À cet instant, Liliane posa la main sur le bras de son fils.

— J'aimerais rentrer, dit-elle d'une voix lasse.

Joël se tourna vers elle, esquissa un sourire tendre et lui entoura les épaules de son bras.

— On t'ennuie avec tout ça…, murmura-t-il.

— Je suis seulement très fatiguée, répondit-elle en baissant les yeux.

Il se demanda si elle était contrariée par l'enthousiasme qu'il avait manifesté et par les changements qu'il envisageait mais elle ajouta :

— Tout ce que tu feras sera très bien. Ne t'occupe pas de moi, je m'en moque à présent.

C'était sans doute vrai. Joël aurait pu mettre le feu aux navires sans pour autant la sortir de son apathie. Il alla régler l'addition pendant que les autres enfilaient leurs manteaux. Ils revinrent à pied jusqu'à la maison de Mariannick, les enfants courant devant. Puis Joël proposa de raccompagner Servane en voiture avant de gagner Dinard.

Elle n'habitait pas dans la vieille cité corsaire et elle le guida jusqu'à son immeuble. Devant la porte, elle le remercia d'une voix hésitante sans penser à lui serrer la main. Puis soudain, comme à regret, elle lâcha :

— Vous avez rencontré un marin, avant-hier sur le quai…

Surpris, il acquiesça en silence.

— Il a été désagréable, je le sais parce que c'est mon père. Si vous le voyez de nouveau, évitez-le. Je suis navrée.

Elle descendit, claqua la portière de l'Audi et s'engouffra chez elle mais il la rattrapa dans le hall.

— Attendez !

Le cœur battant, elle s'appuya à la rangée de boîtes aux lettres. Une ampoule nue éclairait le carrelage gris de façon sinistre.

— Est-ce qu'il a une raison de m'en vouloir ?

Comme elle ne bougeait pas, retenant son souffle, il crut qu'il l'avait effrayée et il lui sourit.

— Dites-lui de ma part qu'en ce qui concerne le « mauvais œil » je ne suis pas d'accord ! J'ai toujours eu une bonne étoile… À bientôt, Servane. Il vous a choisi un joli prénom.

Immobile, elle écouta la voiture qui démarrait, qui s'éloignait, et elle se détendit d'un seul coup. Même s'il n'y croyait pas, Joël, en bon Breton, ne voulait pas qu'on lui jette un sort.

Ce fut en suspendant le dernier de ses blazers qu'il comprit à quel point Charlotte allait lui manquer. Il referma la porte du dressing, traversa le couloir et se réfugia dans sa chambre. Il s'y était installé tout naturellement. Plus tard, il penserait peut-être à s'établir dans la grande chambre d'amis qui donnait sur le parc. Mais non, il aimait trop la vue sur la mer pour y renoncer. Il ressortit, emprunta la galerie et passa de l'autre côté de la maison, dans ce que sa sœur et lui avaient toujours considéré comme le monde des adultes.

Toute la villa était à lui désormais, il pouvait bien choisir n'importe quelle pièce. Sauf chez ses parents. En tout cas, pas dans l'immédiat. Il poussa la porte du petit boudoir de Liliane, un endroit où elle aimait se tenir pour coudre ou broder. Il était souvent venu faire ses devoirs près d'elle, lorsqu'il était enfant. Elle répondait à ses questions en riant, sans se moquer de sa naïveté. C'était une femme gaie, tendre, heureuse.

En effectuant ensuite une visite complète de l'étage, il eut l'impression de se trouver dans un hôtel fermé pour l'hiver. Jaouën l'appelait sa maison des trente-deux portes et trente-deux fenêtres. Il le disait pour rire mais avec une bonne dose de fierté quand même. La villa, l'armement, sa famille… Son père avait tout préservé mais n'avait rien prévu.

Joël descendit jusqu'à la cuisine pour y chercher une bouteille d'eau. Puis il alla examiner, dans l'office, le contenu des congélateurs qui regorgeaient de plats préparés amoureusement par sa mère. Elle adorait faire la cuisine pour son mari et savait accommoder les poissons de toutes les façons possibles. Les sacs transparents étaient étiquetés avec soin. Certains d'entre eux portaient la mention : « Pour Noël ». Très ému, il rabattit le couvercle en se promettant d'aller dévaliser un super-marché dès le lendemain. Il ne mangerait pas les plats de sa mère, quoi qu'il arrive. Mieux valait tout porter chez Mariannick. Ou bien l'offrir à la brave Armelle qui venait faire le ménage trois fois par semaine.

Debout dans la cuisine, il se prépara un café. La solitude ne l'inquiétait pas, ni cette énorme bâtisse. Il s'était débrouillé seul durant des années, à Rennes, et il lui suffirait de voir les choses en grand pour s'organiser. Mais il pensait à sa fille avec amertume, certain qu'elle aurait aimé vivre là. Hélas ! elle allait devoir se contenter d'un week-end sur deux pour profiter de cette maison de conte de fées et de ses trois cousins.

Il emporta la tasse et la bouteille jusqu'à sa chambre. Là il se mit à chercher, sur le mur en retour du bow-window, la trace laissée par l'aquarelle du *Nadir*. Le clou était encore en place. Il redescendit une nouvelle fois pour aller la prendre dans le bureau de son père. Le voilier était le symbole d'une lourde erreur de jeunesse, d'une trahison. Il ne voulait pas l'avoir sous les yeux chaque jour en travaillant. Jaouën avait dû s'approprier le tableau lorsqu'il s'était senti en mesure d'oublier, de pardonner.

— Retourne d'où tu viens, saloperie de bateau…, marmonna Joël en fixant le cadre.

Ici, il n'y prêterait pas attention. Ou alors il en ferait cadeau à Thierry.

— En souvenir de nos conneries !

Il avait promis de l'appeler, il faudrait qu'il y songe. Thierry était devenu dentiste mais, d'évidence, il était resté mordu de voile. Tournant le dos au *Nadir*, Joël s'assit dans l'un des fauteuils club. Sur la petite table basse, son téléphone portable semblait le narguer. Il mourait d'envie d'appeler sa femme, de s'excuser, de supplier. Il faillit le faire mais y renonça au dernier moment, alors qu'il avait déjà composé la moitié du numéro. Charlotte allait lui rire au nez, lui servir une de ces phrases aigres-douces qu'il détestait.

Complètement désemparé, il alla jusqu'à son lit, enleva ses chaussures et se coucha tout habillé. Il ne voulait plus songer à son père, ni à sa femme, ni à sa fille. À tous ces gens qui auraient dû être là. Sa famille… Il s'endormit avec la certitude qu'il allait faire des cauchemars.

La plupart des hommes baissaient la tête ou regardaient ailleurs mais trois d'entre eux toisaient Joël sans indulgence. Debout face à eux, il parlait calmement, d'un ton conciliant. Pour le moment, il n'était que « le fils de l'armateur » et rien de plus. Il était urgent de leur prouver qu'il était le nouveau patron.

Mariannick était assise derrière lui mais il ne s'était pas retourné une seule fois pour quêter son assentiment. Il savait qu'elle ferait bloc avec lui, quoi qu'il dise. Des chaises avaient été installées pour tout le monde, en prévision d'un long discours. Luc était assis à l'écart, affichant un sourire résolument optimiste qui exaspérait Joël. Il n'avait pas besoin de la caution de cet homme pour s'imposer.

— Les rotations vont se poursuivre jusqu'à la fin du mois selon le programme prévu. D'ici là, j'aimerais que les capitaines me préparent un compte rendu sur l'état des bâtiments. Le *Pegeit* et l'*An Heol* en particulier.

Les deux hommes concernés firent un vague signe de tête.

— J'espère que vous n'êtes pas contre le changement ou l'imprévu ?

Les visages, impénétrables, ne lui fournirent aucune réponse.

— En modifiant nos orientations, je vais être obligé de vendre certains chalutiers pour en acheter d'autres, plus adaptés à nos besoins. Les équipes seront recomposées, selon les unités. Mais, bien entendu, tout le monde garde son emploi. Si je dois embaucher, je ferai toujours un tour de table préalable.

La cohabitation à bord posait parfois des problèmes, il s'en souvenait et annonçait ainsi qu'il en tiendrait compte. L'un des hommes, assis au dernier rang, l'apostropha :

— Qu'est-ce que vous reprochez à la façon dont M. Carriban gérait l'armement ?

— Strictement rien ! riposta Joël. Mon père connaissait parfaitement son métier, et c'est lui qui me l'a appris. Je ne suis pas de la même génération, c'est tout. Et l'époque de la prospérité est terminée, vous le savez très bien. Ou on s'adapte ou on meurt. Demandez à vos collègues, informez-vous.

Ignorant les signes inquiets que lui adressait Luc, Joël poursuivit :

— Vous voulez sans doute savoir qui je suis, c'est normal. J'ai fait mes études d'architecture navale à Rennes. Avec du droit commercial et de la gestion d'entreprise. À Paris, j'ai participé à la conception d'un certain nombre de paquebots, de ferries, de cargos. Je suis né à Saint-Malo et je maintiendrai l'armement Carriban dans le créneau de la pêche industrielle, même si ce n'est pas sous la forme que vous pratiquez actuellement.

Un silence attentif accueillit ses paroles. Plusieurs marins, parmi l'assistance, l'avaient connu lorsqu'il était jeune. Il avait alors la réputation d'un excellent skipper mais aussi d'une tête brûlée. Et si, depuis quelque temps, Jaouën avait repris l'habitude de parler de lui, de citer son prénom, les Malouins ne savaient plus à quoi ressemblait ce fils absent. Quand ils étaient arrivés, une heure plus tôt, ils avaient tous été frappés par la ressemblance de Joël avec son père.

— La grande pêche a fait son temps et je crois que presque tout le monde a dit adieu aux bancs de Terre-Neuve. Le thon ne m'intéresse pas et je laisse volontiers la place à nos concurrents de Bretagne sud. Pas de surgélation à bord et pas de conserverie.

Il marqua une pause mais personne ne fit la moindre remarque.

— Je privilégierai donc la mer d'Irlande, celle d'Écosse et le large de l'Islande pour tous les poissons frais de grande consommation. Tout en sachant que les ressources diminuent là aussi et qu'il faut repenser le problème… Si vous n'avez pas d'autre question, on peut lever la séance. Le verre de l'amitié vous attend.

Dans un brouhaha de chaises repoussées, les hommes se mirent debout. Les capitaines vinrent serrer la main du nouvel armateur, mais de manière distante, sans faire aucun commentaire. Mariannick se dépêcha de gagner le grand hall avant les autres. Sur une table, recouverte d'une nappe blanche, un traiteur avait disposé des boissons alcoolisées et des pains-surprises. Il était impossible d'échapper à la tradition et Joël avait insisté pour que les choses soient faites dans les règles. Luc avait essayé de s'y opposer, arguant du récent deuil de Jaouën, mais Mariannick s'était rangée à l'avis de son frère, comme toujours.

Les marins burent poliment, dans un silence persistant, et nul ne s'attarda. Joël ne s'attendait pas à autre chose, certain que les discours ne suffiraient pas à gagner la confiance des équipages. Sans manifester de déception, il regagna son bureau où Luc vint le rejoindre peu après.

— Vous voyez, ils ne sont pas commodes ! lança-t-il en entrant. Et comme ils ne reprennent la mer que demain matin, ils vont avoir la journée entière pour parler de vous dans tous les bistrots du port !

— Grand bien leur fasse, répondit Joël sans lever le nez de son agenda.

Luc s'assit tout au bord d'un fauteuil et patienta. D'un geste machinal, il passa sa main sur son front dégarni pour tenter de ramener quelques cheveux en avant. Des lunettes aux verres épais, toujours un peu grasses, lui faisaient des yeux globuleux. Quand Joël lui prêta enfin attention, il le trouva décidément laid et antipathique.

— Vous avez tort de vouloir tout bouleverser, lui déclara Luc. Pourquoi ne pas vous familiariser d'abord ? Nous ne sommes pas aux abois. En revanche, quand vous parlez d'acheter des bateaux, je suis contre.

C'était le moment ou jamais, pour Joël, de mettre les choses au point. Il en profita aussitôt.

— Contre quoi ? Écoutez, Luc, je croyais avoir été clair. J'ai besoin de capitaux mais pas de conseils. J'aimerais que chacun reste à sa place. La vôtre est là-haut avec les ordinateurs.

— Ne vous fâchez pas, jeune homme ! Je m'en vais… Mais, au passage, je vous fais remarquer que nous possédons une fiche signalétique parfaitement à jour pour chaque unité. C'était inutile de demander aux capitaines un rapport là-dessus ! Si on les écoutait…

— Est-ce qu'il faut que je vous parle en breton ? Est-ce que vous allez m'empêcher de travailler longtemps ?

C'était une riposte directe au « jeune homme » qu'il n'avait pas du tout apprécié. Une expression haineuse déforma une seconde le visage ridé de Luc. Durant près de vingt ans, il avait subi le caractère de Jaouën, avec ses coups de gueule et ses mouvements d'humeur. En apprenant son décès, il aurait pu ressentir un certain soulagement s'il n'avait pas été inquiet pour son avenir. Il avait passé en revue les acheteurs potentiels et s'était promis de ne pas retomber sous un autre joug. Décidé à profiter de l'intérim et du changement de propriétaire pour s'affirmer comme indispensable, il avait complètement oublié Joël dans ses hypothèses. Pour lui, le fils de Carriban ne reviendrait jamais à Saint-Malo. Il faisait carrière à Paris, et il était très bien là-bas. Un garçon qui avait failli ruiner l'armement, huit ans plus tôt, était forcément indésirable. Et voilà qu'il était assis à la place de Jaouën, qu'il prenait des décisions sans consulter personne.

— Comme vous voudrez, dit Luc en se levant. J'en ai vu d'autres.

La porte claqua sur cette déclaration de guerre. Joël s'était engagé à ne licencier personne mais il le regrettait déjà.

Les trois semaines qui suivirent furent très pénibles pour Mariannick. Le temps était gris, froid, mais elle s'en moquait et restait penchée sur ses dossiers ou pendue au téléphone du matin au soir. Un expert-comptable, engagé par Joël, venait l'aider chaque matin. L'après-midi elle était seule, attendant des nouvelles de son frère. Il était allé à Rennes, au siège social de la banque pour discuter des divers emprunts qu'il voulait effectuer, puis il avait sillonné toute la région pour rencontrer d'autres armateurs, des marins-pêcheurs indépendants et enfin les divers partenaires qu'il avait sollicités.

Pendant son absence, les travaux avaient commencé dans les locaux de la société. Le bureau de Jaouën avait été vidé de ses meubles puis repeint en blanc. Joël voulait pouvoir y recevoir n'importe qui et Mariannick s'occupa de la décoration classique mais luxueuse que souhaitait son frère. Elle fit poser une moquette noire, choisit des meubles d'acajou. Dans le grand hall, elle installa des cartes en relief, des consoles en verre fumé et des fauteuils confortables. Elle réaménagea son propre bureau de manière fonctionnelle mais douillette pour avoir plaisir à y travailler. Elle convoqua des ouvriers pour un ravalement de la haute façade de pierre et de la cour pavée. Enfin elle passa des heures à essayer de comprendre ce que lui racontait le technicien venu moderniser tous les équipements informatiques. À l'heure du déjeuner, en grignotant des sandwiches, elle se familiarisait avec le nouveau logiciel de gestion.

Lorsqu'elle rentrait le soir, épuisée, Benoît boudait un peu. Joël avait promis qu'il la soulagerait dès qu'il en aurait fini avec sa liste de rendez-vous mais, en attendant, il n'était pas question de laisser Luc aux commandes. Dix fois par jour, il appelait sa sœur pour lui faire part des résultats de ses démarches ou des idées qu'il avait eues.

Au début du mois de décembre, il revint enfin à Saint-Malo, très content de lui. Il avait obtenu plusieurs contrats avec différents distributeurs et son programme pour l'année à venir prenait forme. La première urgence consistait à trouver quatre chalutiers de fort tonnage. Des bâtiments d'une cinquantaine de mètres, rigoureusement identiques, sur lesquels les équipes de marins pourraient devenir interchangeables. Ensuite il passerait un accord avec un cargo pour transborder la pêche en mer.

En entendant ces nouvelles, Luc faillit s'étrangler. Imperturbable, Joël expliqua qu'il n'était plus question de perdre du temps en allées et venues. Pour les quantités auxquelles il aspirait, à savoir quatre-vingts tonnes de poisson au minimum par chalutier, il fallait impérativement rester sur la zone de pêche.

— Et la relève des hommes ? s'insurgea Luc.

— Par avion. C'est rentable. On en a fini avec la pêche artisanale, je vous avais prévenu.

— Oh oui, ce sera vraiment laborieux ! Les marins-ouvriers !

— C'est mieux qu'un marin au chômage !

— Si c'est vous qui le dites, vous êtes bien placé pour le savoir...

Jamais Luc n'aurait dû évoquer le passé, il s'en rendit compte trop tard. Le regard que Joël posa sur lui était froid, menaçant. Il préféra l'ignorer et, au point où il en était, il décida de poursuivre.

— Vous voyez trop grand, c'est de la folie. Personne n'est prêt à...

— *Vous* n'êtes pas prêt ! Tout ce que vous savez de la mer, vous le lisez sur des écrans ! Vous n'aurez qu'à ajouter quelques zéros, vous ne serez pas dépaysé ! Mais si vous ne vous sentez pas en mesure de le faire, je vous trouverai un autre poste au sein de la société Carriban.

Luc devint livide et s'appuya au dossier du fauteuil flambant neuf sur lequel il n'avait pas osé s'asseoir. Il se tourna vers Mariannick, qui avait assisté à la discussion, mais elle gardait la tête baissée. Il quitta le bureau en deux enjambées, sans même fermer la porte.

— Quel con ! dit Joël à voix haute. Pourquoi papa le gardait-il ?

— Parce qu'ils pensaient pareil.

Un peu désemparé par cette réponse, il alluma une cigarette qu'il tendit à sa sœur. Elle aspira une bouffée et la lui rendit. Elle s'était arrêtée de fumer à la naissance de son premier garçon.

— Et toi, demanda-t-il doucement, quel est ton point de vue ? Allez, madame Quillivic, j'attends une réponse claire !

— J'adore l'aventure ! répondit-elle en souriant. On finira riches ou ruinés, mais on ne va pas s'ennuyer, hein ?

Il vint près d'elle, lui ébouriffa les cheveux malgré ses protestations, puis la prit par le menton.

— Il est drôle ton nom de femme. Mariannick Quillivic… C'est mignon comme toi. Mais tu as l'air crevée…

— Toi aussi.

Elle appuya sa tête contre le pull de son frère et y resta blottie une ou deux minutes.

— On va engager une secrétaire, décida-t-il brusquement. Tu as besoin d'être secondée, de respirer, et Mme Heulin est déjà saturée de boulot.

— Elle ne…

— Oui, j'ai remarqué, il ne faut pas grand-chose pour la déborder ! Alors trouve-toi donc quelqu'un de dynamique qu'on prendra à mi-temps. Et garde des moments pour tes fils.

Trop soulagée pour le contredire, elle ne répondit rien puis elle s'écarta.

— Qu'est-ce qu'on va faire à Noël ? Je n'ose pas en parler à maman mais il faut bien organiser quelque chose, à cause des enfants… Est-ce que Charlotte et Juliette viendront ?

Jusque-là, elle n'avait pas osé aborder ce sujet avec lui.

— Elles seront là samedi. Je leur poserai la question.

Il s'était rendu dans la région parisienne, la semaine précédente, pour y rencontrer les responsables d'une chaîne d'hypermarchés. Il avait appelé chez lui mais sa femme avait refusé de le voir, prétextant qu'elle était occupée. Furieux, il était allé attendre Juliette à la sortie de l'école pour l'emmener goûter et Charlotte avait bien été obligée de faire bonne figure devant sa fille. Finalement, elle avait accepté à contrecœur de venir passer un week-end à Saint-Malo. Il ne savait pas s'il devait s'en réjouir ou au contraire le redouter. Quant aux fêtes de Noël, il était sans illusion, jamais Charlotte n'y consentirait.

— Elles te manquent, hein ? chuchota Mariannick.

Oui, sa femme lui manquait la nuit et sa fille le jour, la sensualité de l'une et la tendresse de l'autre, il ne pouvait pas le nier.

— Bon, c'est pas tout ça…, marmonna-t-il en retournant s'asseoir à son bureau.

Il demandait déjà beaucoup de choses à sa sœur, alors il n'était pas question que, en plus, elle le prenne en pitié et se sente obligée de veiller sur lui.

Quand Joël descendit de sa voiture devant la villa, il constata qu'Armelle, la femme de ménage, avait laissé une lumière dans le jardin d'hiver. Elle avait dû mettre son couvert sur la table de la cuisine, à tout hasard. Heureuse de continuer son service chez les Carriban, elle essayait de choyer Joël en multipliant les petites attentions. Pourtant, lorsqu'il avait eu l'occasion de discuter avec elle, elle s'était montrée plutôt revêche. Mais c'était sa façon d'être et il ne s'en offusquait pas car il la connaissait depuis près de vingt-cinq ans.

Sur la dernière marche du perron, il sentit quelque chose crisser sous sa semelle. Il ouvrit la porte et alluma les lanternes extérieures. Il dut se baisser pour observer ce qui avait attiré son attention. Une douzaine d'abeilles mortes étaient disposées en croix sur la pierre blanche. Perplexe, il se redressa et jeta un regard vers le parc. Qui avait bien pu faire ça ?

Un peu troublé, il entra dans le hall, marqua une hésitation puis alla chercher le balai de la cheminée, dans la bibliothèque. Il poussa les abeilles de marche en marche jusqu'au gravier où il les dispersa. Quelque chose lui échappait. Il s'agissait probablement d'une sorte de message mais lequel ? À sa connaissance, il n'y avait pas d'apiculteur dans les environs.

Après avoir remis le balai en place, il fureta parmi les rayonnages pendant dix minutes avant de trouver le livre qu'il cherchait. Il le feuilleta debout jusqu'au passage qui l'intéressait et qu'il lut à mi-voix.

— « Les abeilles sont les servantes du Seigneur... Témoins de moralité... Ne s'attachent à une maison que si le propriétaire est bon travailleur, bon père, bon fils... »

Il ferma l'ouvrage d'un mouvement sec. Bon fils ? S'il ne se trompait pas sur la signification de cet avertissement, le message était clair. Il se demanda s'il devait téléphoner à Armelle mais il y renonça vite. Il était tard, et la vieille Bretonne était trop superstitieuse pour qu'il prenne le risque de l'inquiéter.

Vaguement contrarié, il quitta la bibliothèque et fila jusqu'à la cuisine où il grignota sans appétit. Oubliant l'incident, il termina la soirée dans le bureau de son père. L'attitude distante de ses marins le préoccupait davantage que les menaces d'ennemis anonymes. Se faire respecter, imposer ses choix et ne pas se rendre trop antipathique devait être sa priorité absolue. Il pouvait y arriver, c'était sans aucun doute moins difficile que de limiter les risques financiers. Parce que, dans ce domaine, il avait fait un pari vraiment dangereux. Si son père le voyait, de là-haut, il devait le maudire encore une fois. Mais, heureusement pour lui, Joël ne croyait pas non plus aux revenants.

4

Charlotte semblait insensible au décor de la Duchesse Anne, un restaurant pourtant légendaire et installé dans les remparts de Saint-Malo. Elle avait chipoté sur son homard grillé, bâillé ostensiblement à plusieurs reprises. Joël s'occupait de Juliette en lui apprenant à découper sa darne de turbot et en la faisant rire aux éclats. Ravie de retrouver son père, la petite fille s'émerveillait de tout sans s'apercevoir de l'exaspération de sa mère qui soupira soudain :

— C'est vraiment une expédition pour venir ici…

Très élégante dans un tailleur bleu nuit, elle avait relevé ses cheveux en chignon pour mettre en valeur son maquillage sophistiqué.

— Le problème est que Juliette ne peut pas voyager seule. Je ne sais pas comment nous allons faire !

Sa mauvaise volonté était tellement évidente que c'était presque une provocation.

— Il y a un aérodrome à Saint-Servan.

— Non, non ! Je ne la confierai pas à ces coucous, tu rêves ! s'écria-t-elle avec une moue effrayée.

Ils n'étaient séparés que depuis un mois mais elle se comportait en étrangère, en ennemie.

— Nous en discuterons plus tard, dit-il en remarquant l'expression inquiète de leur fille.

Il s'obligea à sourire pour essayer de détendre l'atmosphère mais Charlotte le toisait toujours.

— On va dans ta maison, maintenant ? s'enquit Juliette d'une toute petite voix.

— C'est ta maison aussi, mon amour. Quand tu viendras, pendant les vacances, tu pourras inviter tes cousins. Et puis on fera du bateau, au printemps.

— Ne compte pas sur elle à Noël, s'empressa de déclarer Charlotte. Tout est arrangé avec maman, nous allons à la montagne.

Même s'il s'y attendait, il accusa le coup. D'un signe, il demanda l'addition puis il aida sa fille à remettre son manteau qu'il boutonna lui-même avec des gestes tendres. Elle glissa sa petite main dans la sienne pour aller jusqu'à la voiture.

Une fois à la villa, Charlotte s'occupa de coucher Juliette et Joël attendit seul, dans la cuisine, en faisant du café. Elle ne descendit qu'une demi-heure plus tard, emmitouflée dans la robe de chambre de son mari.

— Je te l'ai empruntée, il fait vraiment très froid chez toi !

Il avait préparé un plateau et il la précéda jusqu'au bureau de son père. Il se pencha vers la cheminée, frotta une allumette. En deux minutes, le petit bois commença de flamber. Il tendit une tasse à Charlotte qui s'était pelotonnée dans un profond fauteuil.

— Tu m'as beaucoup manqué…

— Vraiment ?

Avec un petit rire narquois, elle haussa les épaules puis enleva l'épingle de son chignon et passa sa main sur ses cheveux dans un geste très étudié. Il eut immédiatement envie d'elle et s'en voulut de cette faiblesse.

— Qu'allons-nous devenir, Charlie ? demanda-t-il lentement.

Au lieu de répondre, elle le regarda en silence. Elle l'avait beaucoup trop aimé pour lui pardonner.

— J'ai rencontré quelqu'un, annonça-t-elle.

Satisfaite, elle le vit pâlir et reculer d'un pas.

— En ce qui me concerne, dit-elle encore, j'ai fait une croix sur nous deux. Puisque c'est toi qui es parti, je considère que je suis libre.

Essayant de retrouver son sang-froid, il s'était détourné vers les flammes. Un sentiment de jalousie, de fureur, lui avait coupé le souffle. Pourtant il aurait dû prévoir qu'elle réagirait exactement de cette manière. Charlotte n'était pas une femme qu'on abandonnait, ni même qu'on pouvait faire attendre. Mais il n'était pas prêt à l'imaginer dans les bras d'un autre, encore moins à supporter qu'un autre veuille apprivoiser sa fille.

— Tu n'as pas perdu de temps, murmura-t-il.

— La vie est courte, non ? Et toi, tu nous as larguées en vingt-quatre heures ! Pour la rapidité d'exécution, tu as la palme.

Il lui fit face, la dévisagea avec attention. Elle se comportait en garce mais il l'aimait toujours, du moins il en avait l'impression.

— Prends ma chambre, comme ça tu seras à côté de Juliette, dit-il en se dirigeant vers la porte.

Déçue, elle le laissa partir. Elle aurait préféré qu'il se mette en colère parce qu'elle aurait pu lui répondre, lui jeter à la tête tout ce qu'elle avait préparé. Ils auraient pu se disputer puis se réconcilier sur l'oreiller. Il avait eu envie d'elle tout à l'heure, elle l'avait remarqué. Mais il avait préféré fuir, ravaler sa rage, parce qu'il n'avait strictement rien d'autre à lui proposer que cette existence dont elle ne voulait pas.

Agacée par ce demi-échec, elle s'absorba un long moment dans la contemplation des flammes. Elle s'était juré de prendre sa revanche, elle n'allait pas reculer maintenant. Même si, à certains moments de la soirée, elle avait failli s'attendrir devant ce regard bleu pâle et ce sourire désarmant qui la séduisaient encore.

Au bout d'un moment elle se leva et alla fureter sur le bureau. L'agenda de Joël était couvert de notes, de rendez-vous. À la date de Noël, il avait inscrit un simple point d'interrogation.

— Cours toujours…, dit-elle à mi-voix.

S'approchant du bow-window, elle regarda au-dehors mais la nuit était sombre.

— On doit mourir d'ennui, ici !

Que faisait-il donc de ses soirées ? Est-ce qu'il se réfugiait chez sa sœur ? Est-ce qu'il errait d'une pièce à l'autre à la recherche de son enfance ? Elle espéra qu'il pensait à elle et qu'il était malheureux, mais une idée la frappa soudain. Il pouvait très bien, lui aussi, rencontrer quelqu'un. Et, dans peu de temps, envisager de refaire sa vie. Il n'avait que trente ans et de quoi faire craquer n'importe quelle femme.

Elle se pencha vers une photo de Jaouën et de Liliane, posée sur un petit secrétaire. Elle détailla sans indulgence les traits de ce beau-père qu'elle n'avait jamais rencontré. Indiscutablement, c'était un très bel homme. Joël, malgré ses vingt ans de moins, lui ressemblait de façon saisissante.

— Et merde…

Une seconde, elle se demanda si elle avait raison de s'obstiner.

Elle essaya de s'imaginer dans cette ridicule villa, recevant les notables malouins, respectée comme la femme de l'armateur, et elle eut envie de rire. Non, décidément, il n'en était pas question.

— Mais je n'y laisserai pas de plumes, ça je le jure…

Bien que cette maison fût hideuse, elle devait valoir beaucoup d'argent. Quant à la société Carriban, il faudrait qu'elle se renseigne, un peu plus tard, lorsque Joël l'aurait fait prospérer. Ce dont il était parfaitement capable.

Après avoir ajouté une bûche, elle se rassit dans le fauteuil pour réfléchir.

Thierry avait tellement insisté que Joël avait fini par accepter d'aller voir son bateau et de le tester durant une petite sortie. Ils avaient profité d'une belle fin de matinée pour quitter le port de plaisance. Dès qu'ils l'avaient pu, ils avaient hissé les voiles pour filer dans le vent froid de décembre. Huit ans sans navigation n'avaient rien enlevé à Joël de sa dextérité, de la sûreté de ses gestes. Du coin de l'œil, Thierry le surveillait et riait de plaisir.

Après quelques visites de politesse au siège de la société Carriban où il avait trouvé Joël débordé de travail, Thierry s'était finalement présenté à la villa un soir, les bras chargés de victuailles. Leur dîner en tête à tête avait tourné à la veillée d'anciens combattants. Toujours passionné de voile, Thierry était devenu dentiste, avait ouvert un cabinet en ville et n'exerçait que l'après-midi. Comme il lui arrivait de s'absenter plusieurs semaines d'affilée pour des courses en solitaire, il n'avait qu'une petite clientèle de fidèles. Et ses revenus professionnels couvraient à peine les frais de son bateau. Avec beaucoup de pudeur, il avait évoqué le *Nadir* en passant, comme une erreur de jeunesse commise à deux et dont seul Joël avait supporté les conséquences. Après son départ, à l'époque, il avait attendu en vain des nouvelles. Mais chaque fois qu'il avait été question du fils Carriban devant lui, il avait pris sa défense. Il s'était même battu, un soir d'ivresse, avec des marins. Aujourd'hui l'histoire était oubliée et il souhaitait tout le bonheur du monde à son meilleur ami.

Amusé, Joël l'avait écouté en constatant que le temps n'avait eu aucune prise sur cet éternel gamin. Ils n'avaient probablement plus grand-chose à partager en dehors de leurs souvenirs. Mais l'idée d'une escapade en mer l'avait tenté et il avait cédé.

À présent, il goûtait pleinement la puissance du monocoque First 35 dont la carène ne demandait qu'à filer. Amélioré et modifié en permanence par Thierry, le dix-mètres était délicat à régler mais possédait de réelles qualités de course. Au bout de deux heures, fatigué, les paumes des mains écorchées parce qu'il avait oublié de mettre des gants, Joël avait demandé grâce et ils avaient mis le cap sur Saint-Malo pour effectuer une impeccable entrée dans le port.

— T'as pas perdu la main ! dit Thierry en sautant à terre.

Il amarra le bateau que Joël maintenait en ligne et revint sur le pont.

— Je t'engagerais volontiers, tu sais !

— Mais je…

— Oui, oui, tu n'as pas le temps ! Tu es devenu un respectable armateur.

— Respectable ? Demande à mon banquier ! Je suis couvert de dettes, dit Joël en riant.

— Moi aussi, rassure-toi, tu n'es pas tout seul.

Thierry ferma le rouf et empocha les clefs. Joël était en train de se débarrasser de son ciré tout poisseux d'eau de mer.

— Je file me changer à Dinard, je ne suis pas en avance.

Il était déjà sur le quai et Thierry l'apostropha :

— Je te revois quand ?

— Viens dîner demain ! lui lança Joël sans se retourner.

Contrarié d'avoir abandonné Mariannick toute la matinée, il regrettait déjà son escapade. D'autant plus qu'elle lui avait procuré un plaisir intense, à peine teinté d'amertume. Il ne voulait pas reprendre ce virus-là. Mais, en montant dans sa voiture, il avait encore le bruit du vent dans les oreilles, les grincements des haubans, les claquements secs des voiles.

Il ne s'arrêta que cinq minutes à la villa, le temps d'enfiler un pull, un pantalon de velours et un blazer. À deux heures, il poussait la lourde porte cochère de l'armement. Dans le hall, il rencontra Luc qui le salua froidement, selon son habitude, puis il gagna le bureau de Mariannick qui discutait avec Servane en buvant un café.

— Je suis navré de vous avoir fait attendre, s'excusa-t-il.

— C'était bon, l'air du large ?

Sa sœur lui souriait et il se détendit. Elle avait insisté pour qu'il reçoive Servane officiellement. Il avait eu beau affirmer qu'elle n'avait pas besoin de son accord pour engager quelqu'un, elle s'était obstinée. Elle ne voulait pas imposer son amie mais elle était persuadée que la jeune fille avait de réelles qualités et serait une très bonne recrue pour la société.

— Je vous ai apporté mon CV et des attestations d'employeurs, dit Servane sans le regarder.

— Les claviers et les ordinateurs ne vous posent pas de problème ? s'enquit-il en repoussant les papiers qu'elle lui tendait.

— Pas du tout. Au contraire.

— Alors c'est parfait. N'ayez pas peur, vous ne serez pas obligée de prendre le train en marche, nous recommençons tout de zéro. Mariannick vous a expliqué ? Mme Heulin est lente comme une tortue et Luc est têtu comme un âne. Vous êtes notre seul espoir !

Il plaisantait pour la mettre à l'aise mais elle ne riait pas. Ces vingt heures de travail par semaine, bien rémunérées, étaient inespérées, cependant elle se sentait réticente à l'idée de signer un contrat avec l'armement Carriban. Un nom qu'elle avait perdu l'habitude de prononcer tant son père le haïssait.

— Je vais la mettre au courant le plus vite possible, déclara Mariannick. Nous partagerons ce bureau.

D'un hochement de tête, il approuva et ne trouva rien d'autre à dire.

— Quand souhaitez-vous que je commence ? demanda la jeune fille.

— Tout de suite. Enfin, demain matin. J'aurai beaucoup de courrier à dicter. Vous prenez en sténo ?

— Bien sûr.

— Magnifique !

Il adressa un clin d'œil à sa sœur et sortit. Servane eut brusquement l'air soulagé.

— Tout s'arrange ! s'exclama Mariannick. C'est Benoît qui va être content ! La maison ressemble à un champ de bataille, il est temps que je la reprenne en main.

— Tu aurais dû me le dire, protesta Servane.

— Pourquoi ? Tu n'es pas femme de ménage, que je sache ? Je préfère que tu travailles ici avec nous. Joël a vraiment besoin d'aide et tu seras dans ton élément.

— Alors explique-moi tout, je ne veux pas passer pour une idiote.

Le jugement que Joël allait porter sur elle dans les prochains jours lui semblait décisif. Elle observa avec attention Mariannick qui s'était mise à taper sur le clavier et qui faisait apparaître des fenêtres successives sur l'écran de l'ordinateur.

— Si tu dois entrer des données nouvelles, le mot de passe est « Juliette ». Et, deux minutes plus tard, tu verras Luc débouler ici. C'est le vieux monsieur qui arbore toujours un nœud papillon et un air mécontent… Mon frère est rarement d'accord avec lui, autant te prévenir. Tous les codes d'accès sont sur cette feuille.

Attentive, Servane suivait les explications sans inquiétude. Elle avait travaillé pour tant de sociétés différentes qu'elle était familiarisée avec la plupart des programmes.

— Joël ne prend jamais la peine de…, commença Mariannick avant de s'interrompre tout net.

Avec un sourire d'excuse, elle secoua la tête.

— Je suis désolée, j'ai l'impression de n'avoir que ce mot à la bouche.

— Ton frère ?

— Oui. Je l'ai toujours adoré, je n'y peux rien. Je savais qu'un jour il prendrait la suite de papa, même après leur brouille. Seulement j'espère que je ne l'ai pas

86

influencé, que je ne lui ai pas forcé la main, parce qu'il en bave.

— Ici ?

— Non, ici il s'investit, il déborde de projets, il revit ! Mais il est tout seul là-bas, à Dinard. Et il n'est pas près d'oublier sa femme.

— C'est sa faute, affirma tranquillement Servane.

— Pourquoi ? Qu'est-ce qu'il pouvait faire d'autre ?

L'air soucieux, Mariannick se détourna de l'écran. Elle était la seule à deviner ce que son frère ressentait vraiment. Combien il avait souffert d'être tenu à l'écart et quel besoin il avait de se racheter aujourd'hui.

— Tu vois, dit-elle à mi-voix, il ne m'est jamais venu à l'idée d'aider Benoît. Alors qu'il aimerait peut-être que je tienne ses comptes ? Mais bon, l'ostréiculture... Alors que l'armement ! On a ça dans le sang, c'est de famille. Maman nous a dit qu'on pouvait vendre la société. C'est ridicule ! Comment veux-tu ? Nous sommes des Carriban, tous les deux. S'il le fallait, je travaillerais jour et nuit pour sauver la boîte. Et Joël est encore plus déterminé que moi parce que, lui, il est coupable.

— Tu lui as dit ce qui s'était passé ici, après son départ ?

— Oui. Et c'est pour ça qu'il a mis si longtemps à faire le premier pas. Les licenciements, la société au bord du gouffre... Il était persuadé que papa ne lui pardonnerait pas. Si nous avions déposé le bilan à ce moment-là, je crois que Joël n'aurait jamais remis les pieds à Saint-Malo, même pas pour l'enterrement.

— Mon père le déteste, reconnut Servane. Mais hélas il vous déteste tous et je ne peux pas lui faire entendre raison. D'ailleurs il boit beaucoup trop pour m'écouter.

Elle faisait preuve de la même franchise que Mariannick. Yvon Collinée était parfaitement capable de faire un scandale lorsqu'il apprendrait que sa fille était devenue secrétaire chez l'ennemi.

Le téléphone sonna et, après une petite hésitation, Servane décrocha.

— Armement Carriban, bonjour…, dit-elle d'un ton suave.

Mariannick, qui l'observait, faillit éclater de rire.

Le 23 décembre était un mardi. Il avait gelé toute la nuit et, quand Joël se leva, son premier soin fut de monter le chauffage. Malgré la solitude et le silence de la villa, il s'y plaisait beaucoup. Contrairement à son père, il préférait gagner Saint-Malo par la route du barrage, négligeant les deux hors-bords toujours amarrés au ponton.

Toute la semaine précédente, il s'était appliqué à ne pas regarder les vitrines de jouets ou les décorations de Noël dans les rues et les magasins. Il était convenu avec Charlotte qu'il irait chercher Juliette à Paris le 30. Il pourrait profiter d'elle les cinq derniers jours des vacances, et Charlotte viendrait la récupérer elle-même.

Mariannick avait finalement organisé le réveillon chez elle, invitant Thierry parce qu'il était seul et Servane car son père haïssait les fêtes. Il en profitait d'ailleurs chaque année pour ne pas dessaouler entre Noël et la Saint-Sylvestre.

Les quatre chalutiers achetés par Joël à un chantier de Saint-Nazaire étaient arrivés en grande pompe la veille, provoquant beaucoup d'émoi et de curiosité sur le port. Les unités étaient récentes, bien que de seconde main, et avaient hissé le pavillon de la Bretagne et celui de l'armement Carriban. Mariannick et Joël, épaule contre épaule, avaient assisté aux majestueux accostages en oubliant le froid mordant. Émus, ils étaient restés une heure debout face au vent du large, et la plupart des marins présents les avaient observés tous deux au moins autant que leurs bateaux. La jeunesse des héritiers de Jaouën était aussi séduisante qu'effrayante. Et personne n'osait imaginer à combien s'élevaient désormais les emprunts de la société Carriban.

Le frère et la sœur franchirent la passerelle du premier bâtiment avec l'impression de se jeter dans le vide. Si la rentabilité des chalutiers n'était pas à la hauteur des prévisions, ils pourraient dire adieu à leurs rêves. De sa voiture, bien au chaud, Luc avait guetté les allées et venues en caressant son sempiternel nœud papillon. Il était certain que la folie de Joël les conduisait droit à la faillite. L'intérêt évident des équipages qui se pressaient le long du quai porta sa rage à son comble.

Servane avait tenu compagnie à son père, à une centaine de mètres des navires. Yvon avait maugréé des imprécations, pris son chien à témoin, puis il était allé se réfugier dans un bar. Une fois seule, la jeune fille s'était un peu approchée et s'était mêlée aux curieux. Elle connaissait presque tous les marins et les appelait par leurs prénoms depuis toujours. Elle avait écouté les commentaires en frissonnant, transie dans son blouson trop léger, puis était rentrée au bureau pour permettre à Mme Heulin de venir admirer à son tour les bateaux.

En se rasant, Joël repensa avec plaisir aux chalutiers géants, aux capitaines et aux hommes qui, d'abord médusés, n'avaient pas pu dissimuler entièrement leur excitation. Il descendit à la cuisine et mit de l'eau à bouillir. Le gel était plutôt rare au bord de la mer. Il ne se souvenait pas d'un seul Noël sous la neige. Il scruta le ciel qui restait obstinément plombé. Par habitude, il regarda ensuite la mer qui avait elle aussi une teinte sombre. Brusquement, il fronça les sourcils et s'approcha de la vitre. Pour être certain de ce qu'il voyait, il alla décrocher les jumelles, dans l'office, et revint près de la baie. Il ne rêvait pas, ses deux hors-bord étaient en train de dériver au large ! Poussant un juron sonore, il se précipita au premier pour s'habiller puis il sortit de la villa en courant et descendit la longue volée de marches jusqu'au ponton. Les amarres des deux embarcations avaient été sectionnées de façon très nette, probablement avec une lame bien affûtée. Impuissant, Joël se sentit fou de rage. Mais comment lutter contre un ennemi anonyme et invisible ? Car, il n'en doutait pas, celui qui avait largué les hors-bords était aussi celui qui avait déposé les abeilles sur le perron quelques jours plus tôt. Lorsque Armelle avait découvert les insectes dans le gravier où il les avait négligemment balayés, il avait regretté de ne pas les avoir mis à la poubelle parce qu'elle avait ensuite jugé indispensable de disposer du buis à travers toute la villa, y compris derrière les cadres ou sous les meubles, pour conjurer le mauvais sort !

Pâle de fureur, frissonnant dans le vent glacé, il retourna chez lui et téléphona à la capitainerie du port de Dinard. Il expliqua son problème, promit un dédommagement, assura qu'il passerait déposer les clefs des deux bateaux.

Quand il arriva enfin au bureau, à Saint-Malo, les rues étaient encore blanches de givre et le ciel toujours menaçant. Il s'installa d'abord dans la salle des ordinateurs, à la place de Luc qui s'éloigna aussitôt, pour essayer de constituer des équipes homogènes destinées aux nouveaux chalutiers. Ensuite il demanda qu'on lui prépare des feuilles de route et qu'on les lui descende dès qu'elles seraient prêtes.

Vers onze heures, Servane frappa un coup bref à sa porte et entra pour lui faire signer du courrier. Il relut machinalement les documents, sans trouver la moindre faute, et les parapha.

— Est-ce que vous êtes libre cet après-midi ? demanda-t-il en remettant le capuchon de son stylo.

Comme elle hésitait à répondre, il se hâta de préciser :

— J'ai un petit problème personnel. Avec l'arrivée des chalutiers, je ne me suis occupé de rien et demain c'est Noël. J'ai des idées pour mes neveux mais, en ce qui concerne ma fille et ma sœur, je suis un peu... Enfin, j'aurais besoin d'un avis euh... féminin.

Même si elle avait voulu refuser, elle ne l'aurait pas pu. Il paraissait soudain si désemparé qu'il en était irrésistible.

— Bien sûr ! Je vous accompagne volontiers.

Le sourire qu'il lui adressa était vraiment reconnaissant.

— On y va maintenant ? proposa-t-il. On mangera un petit quelque chose entre deux boutiques.

— Il y aura moins de monde à l'heure du déjeuner, profitons-en.

Avant de partir, il prit le temps d'appeler Dinard où on lui certifia que ses bateaux avaient été récupérés sans problème et qu'ils étaient de nouveau amarrés à leur ponton. En raccrochant, il se crut obligé d'expliquer :

— Il y a un petit malin qui me fait plein d'ennuis en ce moment, mais c'est sans importance. Dépêchons-nous de filer...

Ils commencèrent par les jouets. Joël tomba en arrêt devant une table à repasser puis une cuisine miniature mais elle l'en dissuada en le traitant de misogyne. Elle l'orienta vers une adorable coiffeuse avec tabouret assorti et miroir musical. Ce serait une façon pour Juliette de se sentir chez elle dans sa chambre de la villa. Joël y ajouta une petite machine à écrire électrique et un énorme éléphant en peluche. Ensuite ils eurent une longue discussion au sujet des trois neveux qui n'avaient pas les mêmes goûts. Servane se débarrassa d'un vendeur trop empressé et se montra un guide parfait car les fils de Mariannick n'avaient pas de secret pour elle. Deux heures plus tard, ils quittaient le magasin, suivis par le vendeur ravalé au rang de simple porteur. Une fois les cartons rangés dans le coffre de l'Audi, Joël déclara qu'il était temps de déjeuner.

Assis face à face à la brasserie de l'Univers, ils découvrirent qu'ils étaient morts de faim. Ils dévorèrent un gigantesque plateau de fruits de mer en essayant de trouver ce qui pourrait plaire à Mariannick. Joël avait oublié le nom de ce parfum qui sentait la vanille et qu'elle affectionnait mais Servane lui fit remarquer qu'il valait mieux laisser Benoît s'occuper de ce genre de cadeau.

— Un bijou, alors ?

— Non, c'est trop personnel aussi.

— Mais c'est ma sœur !

— Oui, pas votre femme.

Elle rougit d'avoir proféré une bêtise pareille mais il enchaîna :

— Une montre ?

— Pour lui rappeler d'être à l'heure au bureau ?

— Un vêtement ?

— Pourquoi pas… Elle adore les cachemires et elle est frileuse.

— Vous savez où on peut en trouver ?

Cette fois ce fut lui qui se sentit gêné. Il avait eu l'air de supposer qu'elle ne pouvait pas fréquenter les boutiques de luxe. Charitable, elle répondit très vite :

— À deux rues d'ici, je connais un magasin anglais qui a des merveilles.

Connaître était un grand mot car elle n'y était jamais entrée. Il but une gorgée de vin et posa un regard attentif sur Servane. Il avait déjà eu l'occasion de remarquer qu'elle était jolie mais, lorsqu'elle s'animait, elle était carrément très belle. Son long cou mettait en valeur ses traits fins, dignes d'un Botticelli. Quelques taches de rousseur encadraient un petit nez adorable. Quand elle souriait, elle montrait son seul défaut, un léger écartement des incisives qui accentuait son air juvénile. Il était sur le point de lui adresser un compliment lorsqu'une voix familière l'apostropha :

— Alors, on déjeune en amoureux ?

Joël eut le temps de noter la gêne de Servane avant que Thierry ne lui envoie une grande bourrade.

— Comment va, vieux frère ? Permets-moi de te présenter Patricia, un skipper comme on en fait peu ! Elle nous rend des points, crois-moi sur parole.

Derrière lui se tenait une grande jeune femme blonde emmitouflée dans un manteau sombre.

— Je suis ravie de vous connaître, dit-elle en serrant vigoureusement la main de Joël.

— Pat arrive de Lorient, précisa Thierry. Elle va passer quelques jours chez moi car nous avons des projets. Marins, les projets !

Il éclata d'un rire joyeux, communicatif, et Joël sourit.

— Crois-tu que je puisse l'emmener chez ta sœur, demain soir ? Ce serait dur de la laisser seule à la maison, il n'y a rien à manger !

— Bien sûr.

— Vous êtes trop gentil, dit Patricia qui regardait Joël avec intérêt. À demain, alors. On vous laisse finir votre repas…

Elle adressa un signe de tête à Servane et tourna les talons, suivie de Thierry. Il y eut un petit silence embarrassé, puis le serveur vint leur porter les mousses au chocolat qu'ils avaient commandées.

— Où en étions-nous ? s'enquit gentiment Joël.

L'interruption avait troublé Servane. Et l'idée de réveillonner le lendemain avec cette blonde arrogante l'exaspérait.

— Venez, lui dit-il en se levant.

En sortant de la brasserie, ils constatèrent que la température avait encore baissé. Joël la prit par le bras pour l'entraîner, d'un bon pas, jusqu'à la boutique anglaise. Devant les piles de gilets et de cols roulés, de toutes les couleurs, il lui demanda de choisir.

— C'est difficile, tout lui va ! Avec ses yeux bleus et ses cheveux blonds, elle peut porter du noir, des teintes pastel, n'importe quoi !

— Merci du compliment, dit Joël. À moi aussi, donc, tout me va ?

Elle lui adressa un sourire mitigé, ne sachant pas s'il plaisantait ou non.

— Turquoise, décida-t-elle.

— D'accord. Je prends les deux modèles, elle pourra les superposer. Maintenant, venez par ici…

Il la poussait vers le rayon des hommes.

— J'ai encore besoin de vos lumières. Je n'ai plus rien à me mettre. On s'habille moins chaudement à Paris où les appartements et les bureaux sont surchauffés.

L'atmosphère luxueuse du magasin et la qualité des articles proposés justifiaient des prix exorbitants. Derrière son comptoir de pitchpin, une vendeuse leur sourit d'un air avenant.

— Puis-je vous aider ? offrit-elle.

— Merci non, répondit Joël.

D'un geste, il désigna à Servane des chemises à grands carreaux qui évoquaient celles des bûcherons canadiens.

— Qu'est-ce que vous en dites ?

— Rien. Pas pour vous, en tout cas. Ce n'est pas votre style. Mais ça, en revanche…

Elle s'était approchée d'une pile de chemises en velours finement côtelé et il hocha la tête, ravi. Comme il l'avait supposé, elle avait bon goût.

— Je m'en remets à vous pour les couleurs…

— Oui mais, quelle taille ?

Il l'ignorait et il se pencha vers elle pour qu'elle puisse regarder l'étiquette de la chemise qu'il portait. Elle marqua une hésitation avant de tendre la main, effleurant les cheveux de Joël.

— Quarante, dit-elle en bafouillant.

Docile, la vendeuse qui s'était postée en retrait attendit le choix de Servane.

— Bleu marine et… noir.

— Ensuite ? demanda Joël qui s'amusait beaucoup.

Servane lui proposa d'autres vêtements qu'il accepta, chaque fois, sans même discuter. Quand elle s'arrêta enfin, il murmura seulement :

— Me voilà habillé pour l'hiver…

Tandis qu'il attendait à la caisse, il la vit qui s'attardait devant un portant. Il fit un signe à la vendeuse qui s'interrompit dans son addition.

— Qu'est-ce qu'elle vient de toucher, là ? chuchota-t-il.

Ensemble, ils observèrent Servane le plus discrètement possible. Une nouvelle fois, Joël fut frappé par le charme et l'éclat qui émanaient d'elle. Ses cheveux auburn brillaient particulièrement sous les spots de la boutique et il eut envie de les toucher. Comme il faisait chaud, elle avait enlevé son blouson qu'elle gardait sur un bras. Elle était très mince, avec un buste menu, de longues jambes, et quelque chose de très sensuel dont elle n'avait sûrement pas conscience.

— C'est un manteau merveilleux, articula la vendeuse dans un souffle. Le mélange de poil de chameau et de cachemire en fait un article léger mais très chaud.

La jeune fille s'éloignait déjà vers un autre rayon et Joël la rejoignit.

— Nous avons oublié Benoît. Et vous !

Elle était en train de caresser une écharpe et il suggéra :

— Est-ce que mon beau-frère porterait ça ?

— Sûrement. Elles sont absolument magnifiques.

— Vous trouvez ? Alors j'en prends une rouge pour lui, et une verte pour vous. D'accord ?

— C'est très gentil à vous.

Elle souriait parce qu'elle devinait qu'il en avait assez du shopping. Avant de retourner à la caisse, il fit encore une halte devant les casquettes.

— Très bien pour Thierry, ça…

Il en essaya une et la mit de côté.

— Et pour sa blonde, à votre avis ? Prêtez-moi votre tête une seconde… Mais la sienne est plus grosse… au propre et au figuré…

Le rire clair de la jeune fille lui fit plaisir. Avec les écharpes et les casquettes, il rejoignit enfin la vendeuse qui patientait, sa calculatrice à la main.

— Voilà ! Eh bien je crois qu'il ne reste plus que ce que vous savez, dans la bonne taille si possible…

Avec une mimique complice l'employée quitta son comptoir et alla décrocher l'un des manteaux beiges.

— Mademoiselle, s'il vous plaît ?

Servane la regardait sans comprendre mais le geste était si professionnel qu'elle tendit machinalement les bras pour enfiler le vêtement.

— Il vous va à ravir ! s'exclama la vendeuse.

— Mais je ne…

Joël s'était approché et il prit le col du manteau qu'il releva contre la chevelure auburn de Servane.

— Pour vous remercier de m'avoir consacré cette journée.

— Non, il n'en est pas question. Je regrette…

— J'insiste. Même si c'est un peu goujat de ma part.

— Très !

D'un geste vif, elle retourna l'étiquette qui pendait d'une des manches et la lui mit sous le nez.

— Vous ne pensez pas que je peux accepter ça, quand même ?

La vendeuse se détournait et Joël se sentit vexé par le ton de Servane.

— Votre petit ami le prendrait mal ?

— Je crois que ça ne vous regarde pas.

D'un mouvement d'épaule, elle voulut se débarrasser du vêtement mais il protesta, à voix basse.

— Non, s'il vous plaît… Je suis en train de me ridiculiser. La vendeuse va s'empresser de raconter cette histoire à toute la ville ! En ce moment, elle a du mal à ne pas rire, mais dès que nous serons sortis… Je n'aurais jamais dû agir comme ça, d'accord, mais maintenant c'est trop tard. Si vous ne voulez pas que je vous l'offre, on pourra s'arranger après, vous et moi ?

Inquiet, il attendait une réponse mais elle se contenta de baisser la tête. Elle extirpa d'une poche une ceinture assortie qu'elle noua puis elle se tourna vers une glace en pied et murmura :

— Comment voulez-vous que je résiste ? Je n'en ai jamais eu d'aussi beau ! Je vous rembourserai cinq cents francs par mois, ça ira ? De toute manière, il fallait que j'en achète un cette année…

Sa façon d'arranger les choses était si naturelle, si dénuée d'hypocrisie, que Joël en resta muet. Dans la même circonstance, d'autres femmes auraient minaudé sans fin.

La vendeuse fit disparaître le blouson trop léger de Servane dans un sac. Joël régla ses achats et ils quittèrent le magasin chargés de paquets. Ils marchèrent en silence jusqu'à l'Audi.

— Je vais rentrer chez moi à pied, décida Servane. Pour l'étrenner. À demain !

Avant d'avoir pu répondre, il la vit s'éloigner au milieu de la foule qui encombrait le trottoir. Il la suivit des yeux un moment car elle était identifiable de loin grâce à ses cheveux roux. Il s'aperçut qu'il l'avait perdue de vue lorsqu'il prit conscience du froid glacial.

Thierry et Patricia mirent beaucoup d'ambiance dans un réveillon qui, sans eux, aurait probablement sombré dans la mélancolie. Comme tous les habitants de Saint-Malo, Thierry avait été voir les chalutiers Carriban arrimés à leurs quais. Il porta donc quatre toasts, un par bâtiment, en leur souhaitant un avenir prospère.

Malgré toute sa bonne volonté, Liliane ne parvint pas à s'intéresser à la conversation. De ses trois petits-fils, seul l'aîné, Jacques, réussissait à lui arracher des sourires. Lorsqu'il grimpait sur ses genoux, elle allait jusqu'à l'écouter. Mais quand Mariannick et Benoît parlèrent avec enthousiasme du charmant appartement qu'ils avaient déniché pour elle à deux maisons de là, elle ne sembla même pas entendre.

Dénuée de complexes, exubérante, Patricia accapara Joël une grande partie du dîner, voulant absolument lui faire raconter ses souvenirs de navigation. Assise à côté de lui, elle ne lui laissa aucun répit, riant très haut dès qu'il plaisantait et n'hésitant pas à poser sa main sur la sienne.

Au moment du café, alors que les enfants s'impatientaient devant le sapin, Benoît réclama leur aide dans la cuisine. Dès qu'ils eurent quitté le salon, Joël et Mariannick se précipitèrent pour aller chercher les cadeaux et les disposer près de la cheminée. Puis ils se mirent à crier :

— Venez vite ! Venez vite dire bonsoir au père Noël ! Vite !

Un bruit de galopade précéda l'irruption des trois garçons.

— Vous l'avez raté ! reprocha Joël. Quelle idée de vous absenter, aussi ! Mais il a laissé tout ça…

— Il était pressé, ajouta Mariannick, il a encore une longue tournée…

Elle n'avait pas eu besoin de se concerter avec son frère. Le rituel datait de leur enfance et Jaouën avait réussi à les piéger ainsi jusqu'à sept ans. Ils échangèrent un regard au-dessus des enfants qui déchiraient les papiers d'emballage en hurlant de joie. L'absence de leur père leur parut soudain odieuse. Ce Noël aurait dû se dérouler dans la villa de Dinard, chez eux. Et voir enfin tous les Carriban réunis. Mais Jaouën n'était pas là, Juliette et Charlotte non plus. Benoît alla prendre sa femme par les épaules, tendrement, comme s'il avait compris son émotion.

— Accorde-moi une seconde, dit Thierry à Joël.

Il l'attira à l'écart et lui chuchota :

— Tu as un sacré ticket avec Pat ! Ne te gêne pas, surtout, je ne suis plus sur les rangs…

Ponctuant sa déclaration d'un clin d'œil complice, il s'éloigna pour déboucher du champagne. Joël observa de loin ses neveux que Servane aidait, à genoux sur le tapis. Il pensa à sa fille, se demandant si elle était en train d'ouvrir des paquets elle aussi.

— Vous êtes bien songeur, monsieur l'armateur !

Patricia tenait deux coupes et elle lui en tendit une.

— On boit celle-ci et ensuite vous nous en offrez une chez vous, pour finir la soirée, d'accord ? Thierry m'a assuré que votre maison était digne de Walt Disney, c'est vrai ?

Le culot de la jeune femme avait quelque chose d'agaçant.

— Je n'ai pas de champagne dans mon Frigidaire.

— Eh bien, on s'arrêtera en acheter ! À la vôtre…

Sans le quitter des yeux, elle but une gorgée d'un air gourmand. Sa robe de velours noir la moulait à l'extrême.

Elle était bien faite, provocante, et quelque chose en elle rappelait Charlotte.

— Vous avez assez joué les bons tontons pour ce soir, venez, dit-elle en lui prenant la main.

Il se laissa conduire jusqu'au vestibule où elle ramassa son manteau. Thierry passa la tête à la porte du salon et elle lui lança :

— On file à l'anglaise, mon chéri !

Avec un sourire, il leur fit signe de partir. Depuis la veille, Patricia lui chantait les louanges de Joël et, bien entendu, elle était arrivée à ses fins. Comme il la connaissait intimement, depuis des années, il en déduisit que Joël allait passer une excellente nuit. C'était ce qui pouvait lui arriver de mieux puisque sa femme, la seule fois où elle avait accepté de venir à Dinard, avait préféré faire chambre à part.

Lorsqu'il rejoignit les autres, Thierry se dépêcha d'aller porter une coupe à Servane. Il la trouvait ravissante et avait l'intention de le lui dire sans tarder. Mais les grands yeux gris que la jeune fille leva sur lui exprimaient beaucoup plus de colère que de sympathie.

5

Dans son appentis, malgré le froid, Yvon avait réparé la vieille Mobylette. Il n'en avait rien dit à Servane, persuadé d'avance qu'elle s'y opposerait. Elle se ferait du souci, lui prédirait une chute dans le port un soir d'ivresse et sans doute prétendrait même que c'était cruel pour le Clebs. Mais, lorsqu'il enfourchait sa bécane hors d'âge, Yvon prenait toujours bien garde à rouler doucement et le Clebs était ravi de ces balades.

— Hein que t'aime ça ? demanda-t-il au grand chien noir.

Après tout, les occasions de se divertir étaient assez rares. Quand il avait trop tiré sur sa pipe, trop bu et trop parlé avec les copains, il allait regarder les bateaux et la mer.

— Seulement toi, tu t'ennuies pendant ce temps-là ! Si, si, je te connais... Tu aimes courir, comme tous les clebs.

Avec ce prétexte de faire galoper l'animal, Yvon tenait un alibi si jamais sa fille l'apercevait sur les routes. Sa fille... Engagée comme grouillotte chez ce Carriban de malheur !

— Pas croyable, c'est pas croyable...

Est-ce que les Collinée allaient continuer longtemps à dépendre des Carriban ?

Rageusement, Yvon recouvrit la Mobylette d'une bâche. Pour le moment, il avait soif et il n'y avait plus rien à boire à la maison.

— On va aller s'en jeter un, ça nous donnera des idées.

Il sortit, referma l'appentis, glissa la clef dans sa poche, puis il prit le chemin des quais, le chien noir le suivant comme son ombre. Ils mirent dix minutes pour atteindre le premier bistrot de leur circuit quotidien. À l'intérieur, il faisait chaud et il y avait déjà beaucoup de consommateurs. L'odeur de fumée et de vêtements mouillés prenait à la gorge mais Yvon n'y prêta pas attention. Il regarda à droite et à gauche avant de choisir sa table. Il connaissait la plupart des marins qui étaient là mais il préféra s'installer seul dans un coin pour écouter d'abord. Il avait perçu, en entrant, une excitation inhabituelle dans les conversations. Évidemment, il était beaucoup question des chalutiers Carriban, que presque tout le monde avait visités à présent. Deux fois plus gros que les bateaux utilisés en général par les armateurs malouins, leurs équipements sophistiqués en avaient ébahi plus d'un.

— Il est fou, le gosse ! déclara le patron du bar qui participait à une discussion animée au comptoir.

Yvon songea que Joël Carriban n'était plus un enfant depuis longtemps, sinon un enfant gâté.

— Jaouën est mort trop tôt, il n'avait rien prévu pour la suite, dit une voix familière.

Au-dessus de la flamme du briquet avec lequel il allumait sa pipe, Yvon reconnut Luc. Il avait travaillé assez longtemps là-bas pour se souvenir de l'homme au nœud papillon, au cheveu rare et aux intonations nasillardes. Il devait regretter son ancien patron, qu'Yvon tenait pour un beau salaud mais qui était peut-être un peu moins nuisible que son vaurien de fils.

— Quand il se sera cassé la gueule, combien d'entre vous resteront sur le carreau ? demanda le patron.

Il y eut des murmures et Yvon ne put réprimer un sourire. Il n'était pas le seul à détester l'engeance Carriban mais, lui, il avait des armes.

— Paraît que ta fille travaille pour lui ?

La question le fit sursauter, puis il se recroquevilla sur lui-même en ronchonnant :

— Elle fait ce qu'elle veut, elle est grande ! Et puis s'il y a du pognon à prendre, elle aurait tort de se gêner !

— Moi j'embarque après-demain, dit un marin qui arrivait du fond de la salle, et ça ne me fait pas peur, le changement ! Avec les réductions qu'on leur impose, si les patrons ne trouvent pas des idées, on sera tous au chômage, c'est pourtant pas compliqué à comprendre.

Une douzaine de têtes se tournèrent vers celui qui osait prendre position pour l'armateur.

— Personne n'est jamais content, ajouta le marin en jetant des pièces sur le comptoir.

Après un bref silence, les autres matelots se remirent à parler tous ensemble. Dans le chahut, Yvon parvint quand même à commander une nouvelle bière. La journée ne faisait que commencer. Il vérifia qu'il lui restait bien deux billets dans sa poche.

Le lendemain matin, à sept heures et demie, Joël fut brutalement tiré du sommeil par des cris perçants. Il alluma la lampe de chevet, jeta un coup d'œil à Patricia qui dormait toujours et quitta son lit en hâte.

En bas, devant la porte d'entrée grande ouverte, Armelle se tordait les mains, bouleversée. Dès qu'elle aperçut Joël, elle lui désigna le cadavre du chat noir étalé sur le perron.

— Quelle horreur ! Non mais, quelle horreur ! répéta-t-elle plusieurs fois en multipliant des signes de croix.

Il s'approcha, voulut tendre la main mais elle s'interposa.

— Vous n'allez pas toucher ça ?

— On ne peut pas le laisser là.

D'un geste vif, il ramassa l'animal et fit le tour de la villa pour aller le jeter dans le container des poubelles. Il rabattit le couvercle avec violence, puis revint vers Armelle.

— Qui peut bien vous en vouloir ? s'étonna-t-elle en le suivant à l'intérieur de la maison.

— N'importe qui. Le monde est peuplé d'abrutis, Saint-Malo et Dinard aussi.

Dans la cuisine, elle s'était laissée tomber sur une chaise tant ses jambes tremblaient encore. Il se lava les mains avant de préparer du café. Lorsqu'il posa une tasse fumante sous son nez, la gêne envahit la pauvre femme qui se leva et alla boire près de l'évier.

— J'espère que toutes ces bêtises ne vous font pas peur ? demanda-t-il d'un ton calme.

— Vous devriez acheter des chiens. Et un fusil ! Si un jeteur de sorts rôde par ici…

L'idée lui était si désagréable qu'elle n'acheva pas.

— Mais enfin, Armelle, vous êtes catholique, oui ou non ?

Il aurait même pu dire qu'elle était bigote mais il était trop adroit pour commettre un pareil impair.

— On ne peut pas à la fois croire en Dieu et aux âneries des prétendus jeteurs de sort ?

— Si Dieu existe, alors le diable aussi ! répondit-elle en faisant un nouveau signe de croix. Pour conjurer tout ça, appelez donc un exorciste et faites bénir la maison.

Navré, il fut obligé de constater qu'elle parlait sérieusement. Il se demanda si elle serait capable de quitter son service mais il fut rassuré en la voyant fouiller dans un placard dont elle extirpa une boîte de gros sel.

— Vous serez gentil d'en racheter, on va en avoir besoin !

Sa boîte sous le bras, elle quitta la cuisine et il put enfin se permettre un rire silencieux. Armelle avait décidé de faire front et ne déserterait sans doute pas un emploi qu'elle occupait depuis si longtemps. Elle avait connu Joël petit garçon et elle devait se sentir obligée de veiller sur lui ainsi que sur la villa.

Ce ne fut que devant la porte de sa chambre qu'il se souvint de Patricia. Entrant sur la pointe des pieds, il constata qu'elle était encore endormie et ressortit aussitôt pour s'enfermer dans la salle de bains. La présence de la jeune femme blonde, dans son lit, l'avait vaguement contrarié. C'était la deuxième fois qu'elle insistait pour passer la nuit ici. Elle possédait la même arrogance que Charlotte, le même culot, mais la ressemblance s'arrêtait là. D'un tempérament plutôt volcanique, Patricia était aussi imaginative qu'insatiable. Avec elle l'amour devenait un véritable marathon. La première fois, Joël avait été comblé, mais la seconde ne fut que la répétition d'un cérémonial compliqué et épuisant. Comme il ne ressentait aucune tendresse à son égard, il ne tenait pas à la laisser prendre une quelconque place dans sa vie. Hélas, elle était probablement très envahissante. Il s'était bien gardé de lui parler d'avenir, même pas immédiat, commençant à chercher des prétextes pour lui échapper.

Alors qu'il était sous sa douche, il l'entendit entrer. Une seconde plus tard, elle ouvrait la porte de verre et le rejoignait.

— Bonjour mon amour ! Oh, c'est beaucoup trop froid, mets vite de l'eau chaude !

Agacé par sa familiarité, il fit semblant de se tromper et elle hurla sous le jet glacé. Avec un sourire d'excuse, il rectifia la température mais elle en profita aussitôt pour se plaquer contre lui. Elle était superbement faite, grande, solide, musclée. Et tellement dénuée de pudeur qu'il finit par sortir de la douche pour fuir ses avances, et s'enveloppa dans une grande serviette.

— Tu es pressé ? cria-t-elle, vexée.

— Très ! Nous partirons dès que tu seras prête. Je te déposerai chez Thierry.

Il avait pris un ton chaleureux mais il n'y eut pas de réponse. Il était en train de se raser lorsqu'elle émergea, ruisselante.

— J'aimerais bien aller faire un tour à ton bureau, annonça-t-elle en se séchant énergiquement. Que tu m'expliques un peu…

— Je suis navré, j'ai plein de rendez-vous ce matin. Une autre fois.

— D'accord. On passera te dire un petit bonjour en fin d'après-midi avec Thierry, alors. Tu te souviens qu'on dîne ensemble, ce soir ? Nous avons un projet dont nous voulons te parler. Un truc de bateau, évidemment !

Son rire, bruyant, résonna dans la salle de bains.

— J'avais oublié. Je vous retrouverai à vingt heures. Au Beaufort, c'est ça ?

— Oui, mais tu ne…

— J'ai une journée chargée, Patricia.

Malgré lui, il avait parlé cette fois de manière autoritaire. Elle le toisa, contrariée, mais n'ajouta rien. Un quart d'heure plus tard, lorsqu'il arriva à Saint-Malo, il était toujours de mauvaise humeur. Une pile de courrier l'attendait et il s'absorba dans son travail. Au bout d'un long moment il se leva, s'étira, fit quelques pas. Près de la porte qui communiquait avec le bureau de Mariannick, il s'arrêta pour écouter. Quelqu'un fredonnait une chanson, une très vieille chanson bretonne qu'il avait entendue mille fois dans son enfance. Il ouvrit et aperçut Servane qui classait des dossiers, debout devant les casiers de rangement.

— Comment connaissez-vous ça ? demanda-t-il en souriant.

— Je suis née ici !

Elle portait un jean noir et un pull blanc, ses cheveux roux tombant sur ses épaules. Elle lui parut fragile, trop menue, un peu triste.

— Le travail vous plaît ? Tout va bien ?

— Oui. Pourquoi ?

Elle le défiait du regard, mais sans agressivité, seulement pour se défendre.

— Est-ce que j'ai fait quelque chose qui vous a…

— Non, pas du tout ! J'ai trois lettres à dicter, vous voulez bien ?

Après avoir ramassé son bloc et son stylo, elle le suivit.

— C'est à l'en-tête des Affaires maritimes, commença-t-il.

À travers la fenêtre, il voyait, au-delà des quais, une partie du port marchand. Par habitude, il scruta le ciel une seconde. Le temps s'était radouci mais restait sombre. Il se retourna, s'adossa à la vitre et prononça quelques phrases. Servane avait croisé les jambes et appuyé le bloc contre son genou. Elle avait des gestes incroyablement légers, des attitudes toujours gracieuses. Elle releva sur lui son regard gris, attendant la suite. Le téléphone sonna et il lui fit signe de répondre.

— Secrétariat de Joël Carriban, bonjour… de la part ? Un instant, s'il vous plaît.

Elle mit sa main sur le combiné pour annoncer :

— Patricia Le Goar.

Embarrassé, Joël secoua la tête sans bouger de sa place.

— M. Carriban n'est pas dans son bureau, dit tranquillement Servane. Si vous voulez bien rappeler un peu plus tard ?

Même s'il n'avait pas été attentif, Joël aurait perçu la note d'irritation dans la voix claire de Servane. Elle raccrocha, saisit son stylo. Stupidement, il chercha quelque chose à dire pour se justifier mais le téléphone sonna de nouveau. Cette fois, c'était Charlotte et il prit la communication tandis que la jeune fille s'éclipsait par discrétion. Sa femme avait décidé, contrairement à ce qui était prévu, de conduire Juliette elle-même jusqu'à Saint-Malo. Elle ajouta qu'elle en profitait pour prendre deux jours de vacances avec « un copain » au Mont-Saint-Michel. Ils devraient pouvoir déposer la petite en fin d'après-midi.

— À ton bureau ou dans ton plum-pudding ? demanda Charlotte en riant.

— Je suis ici jusqu'à dix-neuf heures, répondit-il sans relever l'allusion ironique à la villa. Et de toute façon, je l'attendrai.

— Très bien, mon chéri, à ce soir !

Elle avait déjà raccroché et il haussa les épaules. Charlotte n'avait rien perdu de son agressivité, ni de ses idées de revanche. Elle était capable de lui présenter gaiement le « copain » qui devait être l'homme auquel elle avait déjà fait allusion. Il n'aurait pas dû ressentir de jalousie mais, hélas, c'était le cas. Pourtant il avait lui-même trompé Charlotte avec Patricia, avait admis que le divorce suivrait forcément la séparation et qu'il ne restait rien à sauver entre eux. Malgré tout, il était furieux, vexé, blessé.

— Excusez-moi…, murmura Servane qu'il n'avait pas entendue revenir.

Elle hésitait, consciente d'être importune, désolée de l'avoir surpris. L'expression de Joël était facile à déchiffrer, il était malheureux.

— Ma fille arrive ce soir, annonça-t-il.

— Vous avez besoin de quelqu'un pour s'occuper d'elle ?

D'abord surpris, il finit quand même par sourire.

— Vous êtes très, très gentille. Mais tout va bien. C'est l'enfant la plus facile et la plus adorable qui soit.

Toute trace de tristesse disparut dès qu'il se mit à parler de Juliette.

— C'est ce qui m'a semblé quand j'ai passé un moment avec elle le jour de… du… quand votre père a été…

— Oui.

— Et pour le courrier ?

— On verra demain, ce n'est pas urgent. Il est déjà midi, sauvez-vous.

Avec un petit hochement de tête, elle se dirigea vers la porte mais elle s'arrêta en chemin et, après une légère hésitation, ajouta :

— Il y a quelque chose que j'ai envie de vous dire, seulement je ne sais pas comment m'y prendre. Je ne voudrais pas que vous pensiez que je me mêle de ce qui ne me regarde pas…

Intrigué, il attendit qu'elle se décide à poursuivre.

— Sur les listes des équipages, j'ai vu le nom de Staub.

Affreusement gênée, elle espérait un encouragement mais il gardait le silence.

— Je le connais, précisa-t-elle.

— Oui, dit enfin Joël. Vous les connaissez tous. Et alors ?

— Ce n'est pas quelqu'un de fiable. Il boit comme un trou, il parle à tort et à travers, il se monte la tête et met une très mauvaise ambiance à bord. Mon père a effectué plusieurs campagnes avec lui, à l'époque…

— Quelle époque ?

— Mon père est au chômage depuis huit ans.

Joël eut l'impression qu'on venait de le gifler. Huit ans, le moment où il avait quitté Saint-Malo en laissant Jaouën dans les difficultés financières qui l'avaient conduit à licencier certains employés de l'armement.

— Votre père travaillait pour le mien ? demanda-t-il carrément.

Elle acquiesça d'un battement de cils et il comprit pourquoi cet homme avait craché dans sa direction, sur le quai.

111

— Pour en revenir à Staub, je crois qu'il serait plus à sa place sur l'une des petites unités. Mais en ce qui concerne les nouveaux chalutiers, les hommes vont déjà avoir du mal à s'habituer, et ce type-là fera tout pour que ça aille mal.

— J'ai pourtant soumis cette liste au capitaine, fit remarquer Joël.

— Et il n'a pas protesté ? C'est normal, Staub est son beau-père. Il a épousé sa fille l'année dernière. Il se tait mais il ne l'apprécie pas.

Ahuri, Joël mit quelques instants à réagir.

— Vous êtes au courant de tout ! C'est très utile… Je suis parti depuis trop longtemps, je les ai un peu perdus de vue.

Il s'excusait presque de ne pas en savoir aussi long qu'elle sur ses propres employés.

— Je ne veux pas lui faire de tort, insista Servane.

— Bien sûr. Je vais le programmer sur l'*An Heol*. C'est un bateau qu'il aime.

Soulagée, Servane fit de nouveau un pas vers la porte mais il la rappela.

— Vous avez très bien fait de me parler. N'hésitez jamais plus à m'empêcher de commettre des erreurs.

Il lui souriait avec tant de gentillesse qu'elle se sentit rassurée. C'était un drôle de patron, parfois rigide et parfois vulnérable. En tout cas, il avait perdu son air triste, il devait avoir oublié le coup de téléphone de sa femme.

Elle décrocha son manteau de la patère. Ce vêtement était vraiment superbe, douillet, élégant. Elle le mettait chaque jour avec plaisir, nouant négligemment l'écharpe verte par-dessus. Mais elle n'avait pas osé avouer à Mariannick qu'il s'agissait d'un cadeau de son frère, et c'était bien la première fois qu'elle lui cachait quelque chose. Elle décida de ne lui en parler que lorsqu'elle aurait remboursé sa dette.

Dès qu'elle fut dehors, elle songea à son père qui devait l'attendre à l'appartement et pressa le pas. Elle s'arrêta un instant chez l'épicier pour acheter des œufs et des haricots. Elle aurait volontiers travaillé toute la journée à l'armement. Elle espérait même qu'elle saurait se rendre indispensable. C'était son premier emploi vraiment intéressant. Et, bien sûr, la personnalité de Joël y était pour beaucoup.

Le jour de l'enterrement de Jaouën — un mot qu'elle n'avait pas pu prononcer tout à l'heure —, lorsqu'elle avait croisé le regard de son fils pour la première fois, elle avait reçu un choc. Elle refusait de se l'avouer, depuis, mais elle restait éblouie, ce qui ne faisait qu'augmenter encore sa timidité quand elle lui adressait la parole. Elle essayait de résister de son mieux à une attirance qui ne lui vaudrait que des désillusions. Joël était le frère de Mariannick, il appartenait au monde des armateurs, il était marié et sans aucun doute encore très épris de sa femme. Il suffisait de voir sa tête devant le téléphone. Et même s'il finissait par divorcer, il y aurait toujours des Patricia pour lui sauter au cou.

Une fois dans son immeuble, elle regarda le hall comme si elle ne l'avait jamais vu. C'était sale, sinistre. Et pourtant le loyer était presque au-dessus de ses moyens. Elle commença de gravir les marches, perdue dans ses pensées. Il ne fallait surtout pas qu'elle se mette à mépriser son environnement. Quand elle avait déniché cet appartement, elle avait été folle de joie. Il signifiait alors l'indépendance, la liberté. Peu importait la cage d'escalier en béton et les pavés de verre dépoli qui l'éclairaient à peine. Elle n'y avait jamais pris garde. L'essentiel, c'était ces deux pièces du second qu'elle avait rendues confortables, chaleureuses. Même quand elle allait chez Mariannick, dans sa maison si agréable et spacieuse, elle n'éprouvait ni envie ni amertume. En revanche, dans la villa de Dinard, le jour où elle avait gardé les enfants, elle s'était sentie déplacée. Entre elle et tous ces gens, il y avait un abîme qu'elle n'avait aucune envie de franchir.

— Voilà la plus belle ! claironna Yvon au moment où elle pénétrait dans la cuisine.

Lorgnant sur les œufs, il ajouta :

— Tu nous fais une omelette ? Bien baveuse ?

Il n'était pas difficile à contenter et elle fut immédiatement attendrie.

— Bonjour, le Clebs…, dit-elle en s'agenouillant près du chien.

Appuyant son front contre les longs poils noirs, elle poussa un soupir de satisfaction. Sa gaieté naturelle reprit le dessus et elle adressa un clin d'œil à son père.

— On mange dans cinq minutes, promis !

Tandis qu'elle s'affairait, il risqua une question anodine.

— Ton travail, ça va ?

Le beurre fondait déjà dans la poêle, répandant une odeur agréable.

— Il est comment, le fils Carriban ?

La curiosité d'Yvon était compréhensible mais elle fut agacée.

— Il est normal. Pas désagréable.

— Je peux te dire qu'on parle de lui sur le port !

— Sur le port ou dans les bars ?

— Partout, répondit-il sans relever l'allusion. Personne ne l'aime. On l'attend au tournant. Enfin, tu as vu ses chalutiers ? De vrais destroyers ! Vont pas se marrer là-dessus, les gars. Oh, non !

Elle posa devant lui une omelette à peine dorée, juste comme il les aimait.

— Papa… Sers-toi.

C'était une façon de lui faire comprendre qu'elle voulait changer de sujet. Il lui avait rebattu les oreilles avec les Carriban durant trop d'années.

— Faut pas m'en vouloir, ma fille. Mais ce type-là a une dette envers moi. Et il la paiera, foi de Collinée !

Un peu inquiète, elle l'observa tandis qu'il commençait à manger. Ses mains tremblaient, mais pas plus que d'habitude. Il s'arrangeait toujours pour rester lucide jusqu'à l'heure du déjeuner. Ce qui arrivait ensuite ne regardait que lui. C'était sans doute le brave Clebs qui le ramenait à son pavillon en fin de journée. Ce chien était son ange gardien mais il était aussi une providence pour Servane. Elle aimait profondément son père et elle ne le jugeait pas. Ils avaient partagé beaucoup de petites misères, de solitude, de coups durs. Seulement, le jour de ses dix-huit ans, elle s'était juré d'échapper à la médiocrité de leur vie quotidienne, aux histoires ressassées, aux petits verres de trop. Elle était partie pour pouvoir continuer à l'aimer et à l'aider. Mais de loin. D'un peu plus loin que les murs de ce pavillon sans âme, que la haie du jardinet en friche. Il avait eu sa part de malheurs, elle le comprenait mais il fallait qu'elle s'en aille. Depuis son départ, Yvon s'était tenu tranquille. Peut-être était-il soulagé de n'avoir plus de témoin les soirs où il passait les bornes ? Dans un moment de lucidité, il lui avait déclaré un jour qu'elle était trop belle, trop jeune et trop gaie pour lui servir de bâton de vieillesse. Mais il n'était pas vieux ! Comme toujours, elle avait préféré en rire.

Après avoir emménagé ici, ivre de sa liberté toute neuve, elle avait adhéré à un club d'athlétisme, puis elle s'était inscrite à l'association présidée par Mariannick Quillivic. Elles avaient sympathisé tout de suite. Servane était fascinée par les calvaires, ces manifestations d'une foi fondée sur le granit et qui défiaient le temps. Dans son enfance, sa mère l'emmenait souvent à des pardons ou à des processions. Après sa mort, elle avait cessé de fréquenter les églises mais elle en gardait un vague remords. La restauration des statues et la sauvegarde des sites étaient une cause qui l'avait séduite d'emblée. Mariannick était intarissable sur ce sujet. Sa grande cave voûtée s'encombrait de morceaux de Christ mutilés. Elle ne cessait de demander des arrêtés préfectoraux, des subventions, des aides. Conquise par tant d'énergie, Servane l'avait aidée de son mieux. Elles avaient pris l'habitude de sillonner la région dans la petite voiture rouge de Mariannick. Cette amitié faisait du bien à Servane, l'aidait à garder son optimisme. Et le fait que Mariannick soit la fille de Jaouën Carriban ne la gênait nullement. Les rancœurs d'Yvon appartenaient au passé. C'est du moins ce qu'elle avait cru jusqu'ici, mais il venait de parler de dette, de vengeance, comme si toute sa haine était ravivée depuis que sa fille travaillait là-bas.

— Pourquoi tu me regardes comme ça ?

Sortant de sa rêverie, elle lui sourit gentiment.

— Pour rien, papa. Je me demandais si tu aimerais que je t'achète de la lotte, demain ?

C'était son poisson favori mais il n'eut pas l'air d'apprécier la proposition.

— Te voilà bien riche, murmura-t-il d'un air dégoûté.

Elle se contenta de hausser les épaules. Elle avait donc vu juste, aujourd'hui encore la rancune étouffait son père. Elle espéra qu'il n'en profiterait pas pour boire davantage et pour raconter n'importe quoi dans les troquets du port.

Joël avait décommandé son rendez-vous au Beaufort malgré les protestations outrées de Patricia. Il avait dû promettre de venir déjeuner le lendemain, avec ou sans sa fille.

À six heures, les bureaux s'étaient vidés. Toujours le dernier à partir, Luc l'avait salué froidement, depuis le couloir. Joël s'était ensuite rendu dans la salle des ordinateurs où il était resté longtemps à travailler devant les écrans. Tous les chiffres des derniers retours de pêche étaient là, détaillés avec soin, indiquant clairement qu'il était temps de trouver une solution. Vers sept heures et quart, il était redescendu jusqu'à son bureau. Il était impatient de voir Juliette, de la tenir dans ses bras. Bien entendu, ils dîneraient chez Mariannick qui s'était montrée intraitable, affirmant que la petite fille serait mieux en famille, parmi ses cousins, que seule en tête à tête avec son père dans la grande villa. Il décida de profiter de ces quelques jours pour prendre des photos de Juliette car il n'en avait aucune.

Un peu avant huit heures, il entendit enfin le grincement de la porte cochère. Il avait laissé toutes les lumières du grand hall allumées et Charlotte y entra d'un pas décidé, tenant sa fille par la main. Elles étaient suivies d'un homme d'une quarantaine d'années, grand et massif. Juliette se rua vers son père et lui sauta au cou tandis que Charlotte s'arrêtait à deux pas. Elle était aussi élégante que d'habitude, ses cheveux coiffés en chignon, ses chaussures assorties à son sac, terriblement parisienne.

— Quelle route ! C'est vraiment le bout du monde, chez toi… Je te présente Francis, un ami.

Ignorant la main tendue, Joël fit un signe de tête. Il y eut un petit silence gêné puis Charlotte enchaîna :

— Est-ce que tu aurais quelque chose à boire ? À moins qu'il n'y ait un bar correct près d'ici ? Nous mourons de soif !

— Qu'est-ce que tu entends par « correct » ?

— Eh bien, pas un bar à matelot !

Elle rit toute seule de sa plaisanterie. Joël posa alors sur Francis un regard assez glacial pour être éloquent. Cet homme lui était violemment antipathique et il avait envie de le lui faire savoir.

— Nous allons partir, il nous reste un bout de chemin à faire, dit celui-ci.

— Cinquante kilomètres, précisa Joël. Bonsoir, alors.

Il dut se forcer pour ajouter, du bout des dents :

— Et merci.

Se tournant vers sa femme, il parvint à sourire.

— Appelle-moi demain, nous nous mettrons d'accord pour le retour de Juliette.

Elle le connaissait suffisamment pour savourer ce qu'elle voyait. Il n'était pas loin d'exploser de rage. Elle se mit sur la pointe des pieds, lui déposa un baiser léger sur la joue et en fit autant avec Juliette qu'il tenait toujours dans ses bras.

— Au revoir, ma chérie, minauda-t-elle Amuse-toi bien et n'embête pas papa, il a beaucoup de travail.

— J'ai tout mon temps pour elle ! riposta Joël.

Il avait vraiment hâte de les voir sortir. Francis fut le premier à franchir la porte mais Charlotte s'attarda un instant pour chuchoter :

— Je ne pouvais pas le laisser dehors, quand même ! Il est très gentil, tu verras… N'est-ce pas, Juliette ?

La petite fille hocha la tête d'un air ravi et Joël se crispa davantage. Si on lui avait dit, trois mois plus tôt, qu'il verrait partir sa femme au bras d'un autre homme sans faire un geste pour la retenir…

— Bon week-end ! lui lança-t-il avec une ironie mordante tandis qu'elle s'éloignait.

Il déposa Juliette au sol et elle se précipita vers les cartes marines dont les reliefs l'intriguaient. Elle se mit à caresser les rochers de ses petits doigts tout en demandant :

— On mange quand ?

— Maintenant ! On va chez ma sœur. Enfin, ta tante.

— Chez les cousins ?

— C'est ça.

— Chouette !

— Et quand on rentrera chez nous, après le dîner, tu auras une surprise.

— Quoi, quoi ?

— Le père Noël passe aussi à Dinard. Il croyait que tu étais là, alors il a laissé des choses.

— Mais quoi, papa ?

— Ah, je ne sais pas ! C'est emballé… Bon, viens, on va tout éteindre. Je te montre mon bureau d'abord ?

Il la prit par la main tout en espérant que rien de désagréable ne les attendrait à la villa. Si quoi que ce soit devait effrayer sa fille, il finirait effectivement par acheter un fusil.

Bien entendu, Thierry l'avait fait exprès. Mais il était assez malin pour ne pas s'en vanter. Depuis le réveillon de Noël chez Mariannick, il avait essayé en vain de rencontrer Servane « par hasard ». C'était vraiment une jolie fille et il était prêt à se donner du mal pour la conquérir.

La première fois qu'il l'avait vue, dans cette brasserie où elle déjeunait avec Joël, il avait été séduit. Et très soulagé, par la suite, de constater que, grâce à Patricia, il avait le champ libre.

Ce fut donc avec beaucoup de naturel qu'il l'aborda, ce soir-là, alors qu'elle sortait de la maison de la presse où elle venait d'acheter son journal. Il l'embrassa sur les deux joues, comme s'ils étaient de vieux amis, et lui offrit de boire quelque chose dans le plus proche bistrot. Sa bonne humeur, communicative, eut raison des réticences de Servane. Elle commanda un thé tandis qu'il prenait une bière, puis il orienta la conversation sur l'association de défense des calvaires que présidait Mariannick. Elle lui parla avec conviction du patrimoine breton, de l'inconséquence des pouvoirs publics, de la difficulté d'obtenir des subventions et des efforts qu'elles devaient déployer pour sauver des merveilles à l'abandon.

— J'ai une grande sympathie pour Mariannick, affirma-t-il. Elle a des idées bien arrêtées depuis qu'elle est haute comme ça !

— C'est quelqu'un de formidable, approuva Servane. Disponible, inventive, acharnée…

— Quand elle était gamine, elle faisait du bateau avec nous. Joël adorait lui faire peur mais ce n'était pas facile !

— Pourquoi ?

— Parce qu'elle avait une aveugle confiance en lui ! J'ai rarement vu un frère et une sœur s'entendre aussi bien.

Il espérait la mettre à l'aise en lui parlant de gens qu'elle appréciait mais elle l'écoutait avec un sourire indéchiffrable.

— Est-ce qu'il n'est pas trop exigeant, comme patron ? s'enquit-il.

— Non, il est très gentil.

— Tant mieux pour vous. Mais méfiez-vous quand même de ses colères. Il a le caractère de Jaouën, c'est tout dire…

Ponctuant sa déclaration d'un petit rire, il tenta une première approche.

— De toute façon, ce doit être difficile d'être désagréable avec vous…

Le sourire disparut, laissant place à une expression lointaine. Elle regarda sa montre et il comprit son erreur.

— En tant que fille de marin, vous devez aimer la mer ? Si l'envie vous prend de faire un tour, n'hésitez pas à me le dire ! Je sors mon bateau tous les week-ends et par n'importe quel temps.

— Pourquoi pas ?

C'était une formule de politesse, pas une réponse. Il se leva à regret, devinant qu'il ne pourrait pas la retenir.

— J'ai été ravi de bavarder avec vous, déclara-t-il en sortant de la monnaie de sa poche.

— Moi aussi.

Elle venait enfin de lui accorder un vrai regard et il se sentit tout bête. Elle n'était pas seulement jolie, avec son allure d'Irlandaise, elle avait aussi un charme fou. Il l'aida à remettre son manteau tout en cherchant ce qu'il pourrait ajouter.

— Est-ce que vous accepteriez une invitation à déjeuner, un de ces jours ? demanda-t-il platement.

— Eh bien…, je préfère le tour en bateau d'abord ! À bientôt…

De sa démarche légère mais décidée, elle s'éloignait déjà dans la rue. Il resta quelques instants immobile au bord du trottoir, indécis. Ce ne serait pas facile de la séduire, il allait falloir qu'il s'arme de patience. Mais cette idée ne le décourageait pas, ce qui était plutôt inhabituel.

Pour la troisième fois, Joël alla jeter un coup d'œil sur Juliette qui dormait, sa girafe dans une main et son éléphant dans l'autre. La soirée s'était bien passée. Jacques, Florent et Gilles avaient été adorables avec leur cousine. Comme d'habitude, Liliane avait manifesté peu d'intérêt et s'était contentée de caresser les cheveux de sa petite-fille d'une main distraite. En revanche, Mariannick et Benoît avaient tout fait pour la mettre en confiance et la faire rire.

Ils étaient partis assez tard et, sur le seuil, Joël avait longuement remercié sa sœur. C'était une femme tellement merveilleuse qu'il se demandait sincèrement ce qu'il serait devenu sans elle ces derniers mois. En respirant son parfum de vanille, il s'était senti très ému et très bête de l'être.

Parvenus à la villa, le père et la fille avaient d'abord fait un petit tour du parc, au clair de lune, malgré le froid. Sur les marches du perron puis dans le grand hall, Joël n'avait rien remarqué d'anormal. Mais dans la cuisine, devant un carreau cassé, il dut inventer sur-le-champ une histoire de vitrier qui n'était pas encore venu. Il trouva un carton qu'il scotcha contre la fenêtre pendant que Juliette buvait un verre de lait. Ensuite il la conduisit au premier étage. Il avait mis ses cadeaux dans l'ancienne chambre de Mariannick, juste à côté de la sienne. Dès qu'elle fut occupée à déchirer les papiers, à pousser des cris de joie et à battre des mains, il jeta un coup d'œil dans sa propre chambre. Sur la table basse, devant le bow-window, il aperçut immédiatement trois petites chandelles qui achevaient de se consumer. Alors qu'il s'apprêtait à les souffler, Juliette entra en trombe, brandissant l'éléphant de peluche qu'elle venait de déballer. Elle demanda aussitôt pourquoi son père laissait des bougies allumées.

— En signe de bienvenue ! répondit-il gaiement.

Il ne pouvait évidemment pas lui donner l'interprétation exacte des trois flammes. Mais il se souvenait très bien qu'elles désignaient en principe la chambre du mort. Tout un symbole ! Au comble de l'exaspération, il les éteignit et alla les jeter dans la poubelle de la salle de bains. Ensuite il se mit en devoir d'assembler la coiffeuse et le miroir que Juliette, ravie, avait sortis de leurs boîtes.

L'abruti qui multipliait les signes cabalistiques pour l'effrayer aurait très bien pu mettre le feu à toute la villa. Il décida qu'il signalerait le carreau cassé à la gendarmerie, dès le lendemain, et qu'il en profiterait pour leur suggérer de faire des rondes de surveillance. Tant que sa fille serait là, il ne voulait pas le moindre incident. Patiemment, il attendit qu'elle ait épuisé les joies de ses nouveaux jouets. Lorsqu'elle étouffa un premier bâillement, il lui fit prendre un bain, l'aida à enfiler son pyjama et la coucha. Il demeura assis au pied du lit jusqu'à ce qu'elle soit endormie. Ensuite il put enfin aller faire le tour de la villa, pièce par pièce, mais il ne découvrit rien d'autre. Dans la cuisine, il balaya les morceaux de verre et resta un moment songeur, sa pelle à la main. Le plus simple serait sans doute de guetter son mystérieux visiteur. Partir ostensiblement avec l'Audi le matin, revenir par la mer sans se faire voir, s'embusquer toute une journée, toute une nuit au besoin. Mais il fallait attendre le départ de Juliette. Pour le moment, de toute façon, il n'avait pas le temps. Il s'occuperait du plaisantin plus tard. En espérant que, d'ici là, personne ne remarque rien d'anormal. Surtout pas Armelle.

Au moment de se coucher, il vit que la table basse était constellée de gouttes de cire. Un vrai travail de cochon. Des abeilles, un chat noir, des chandelles… Et quoi, encore ? Bientôt une chauve-souris clouée sur la porte ? C'était d'autant plus grotesque qu'il n'avait jamais été superstitieux. Ce qui n'était sans doute pas le cas de l'autre. Qui n'était donc pas quelqu'un de jeune… Brusquement il songea à la phrase du vieux marin, sur le quai, quelques semaines plus tôt. « Le mauvais œil est sur toi. » Même les pêcheurs croyaient à ce genre de sornettes ?

Au moment où il tendait la main vers sa lampe de chevet, pour éteindre, il aperçut une broche posée sur un papier, près du cendrier. Se redressant d'un bond, il se pencha pour déchiffrer l'écriture.

« Je vous la prête mais j'y tiens… L'améthyste protège de tout… Mettez-la sous votre oreiller… Armelle. »

Secoué par un irrésistible fou rire, il se laissa aller en arrière. Pour ne pas réveiller Juliette, il se mordit les lèvres sans parvenir à vaincre son hilarité. Il était pris entre le marteau et l'enclume. Armelle défendait son territoire avec les mêmes armes que l'agresseur et, si les choses s'envenimaient, il y aurait bientôt un véritable sabbat dans la villa !

Lorsqu'il fut un peu calmé, il s'allongea confortablement. Le fait qu'il parvienne à s'amuser au milieu de tous ses soucis était plutôt une bonne chose. Il avait cru que l'absence de Charlotte lui serait insupportable mais il n'avait pas pensé à elle une seule fois ce soir, ni à l'homme qui devait partager son lit au Mont-Saint-Michel. Il éloigna cette idée désagréable et essaya de se concentrer sur son programme du lendemain. Il fallait qu'il trouve un avion et un pilote de confiance pour amener et ramener ses équipages de leurs lieux de pêche. Avant le départ des nouveaux chalutiers, toute la logistique devait être au point. Les capitaines mettaient à profit les derniers jours à terre pour se familiariser avec les équipements et faire répéter certaines manœuvres à leurs matelots. Le transbordement des caisses de poisson frais sur le cargo de ramassage serait un moment délicat et il faudrait un certain temps avant que les hommes soient rodés. Luc prétendait que le plus petit incident, le moindre grain de sable, enrayerait l'organisation prévue par Joël et précipiterait l'armement Carriban dans la faillite. À sa manière, il était lui aussi un oiseau de mauvais augure. Cette idée fit sourire Joël qui s'endormit presque tout de suite. Rien ne le détournerait plus de sa route, et surtout pas d'imbéciles superstitions.

6

Comme chaque jour ou presque, Mariannick avait expédié le déjeuner, sans laisser à Benoît le temps de souffler entre les plats. Au moment où elle lui servait son café, il la prit par la taille et la fit asseoir sur ses genoux.

— Tu es toujours pressée…, reprocha-t-il en l'embrassant au coin des lèvres.

— Nous avons tellement de travail, si tu savais !

Il caressa les petites mèches blondes qui tombaient sur le front de sa femme. Confusément, il en voulait un peu à Joël. Avec ses idées de grandeur, l'armement Carriban était devenu une vraie ruche dont Mariannick n'émergeait que le soir, épuisée.

— Je croyais qu'en faisant engager Servane tu serais moins débordée.

— Oui, bien sûr ! J'ai toutes mes matinées pour faire des courses, m'occuper de la maison…

— Mais pas de moi. Ni des enfants. Est-ce que tu ne pourrais pas rentrer un peu plus tôt, le soir ? Ton frère a du personnel, quand même !

Devant l'expression boudeuse de Benoît, elle eut un sourire.

— Il faut bien qu'il puisse discuter avec quelqu'un d'autre ! Le personnel, comme tu dis, il vaut mieux ne pas l'effrayer. Or Joël a vraiment entrepris une partie de poker…

— À sa place, oui, j'aurais la trouille ! D'ailleurs j'en entends de toutes les couleurs sur son compte et les gens ne sont pas tendres. Tu sais, ma chérie, si ton frangin échoue, il n'y aura que toi pour le plaindre.

— Que moi ? Pas toi ?

Il hésita un peu mais préféra dire ce qu'il avait sur le cœur.

— Moi, j'aimerais bien retrouver une vie plus tranquille. Avec ma femme à la maison et des soirées en famille. Même ton père l'avait compris et, quand on s'est mariés, il t'a laissée quitter la société. En plus, lui c'était différent, il te payait…

— Benoît ! Mais qu'est-ce qui te prend ? La femme à la maison…

Son expression scandalisée obligea Benoît à battre en retraite et il se dépêcha d'ajouter :

— À la maison ou bien sur les routes, en train de chercher toutes les croix en perdition et les christs rouillés. Ou même avec les garçons sur un terrain de foot. Ou encore avec moi, pourquoi pas, j'ai plein de comptabilité en retard, à Cancale… Enfin, comme avant, quoi !

Soulagé d'avoir parlé, il guettait avec anxiété la réaction de sa femme. Elle prit le temps d'aller ranger les tasses dans le lave-vaisselle avant de lui répondre.

— L'armement représente beaucoup de choses pour nous. Ce n'est pas pour mon frère que je travaille, c'est pour moi, pour toute la famille, parce que c'est notre héritage, Benoît ! Maman l'aurait vendu pour un franc symbolique si on l'avait écoutée. Joël n'a pas à me verser de salaire car nous sommes associés dans cette aventure. Tu comprends ? Maintenant, si tu as besoin d'aide, je trouverai bien le temps de…

— Mais tu n'as plus de temps ! Plus du tout !

Il vint la rejoindre, lui enleva le torchon des mains.

— Ne nous disputons pas, supplia-t-il en la serrant contre lui. J'essaierai d'être patient. Peut-être que je suis un peu jaloux.

— De Joël ? C'est ridicule !

— Pas de lui directement mais de ce que tu vis sans moi. De cette énergie que tu dépenses à chaque instant pour tout le monde et qui fait que tu t'endors dès que ta tête touche l'oreiller, en me tournant le dos…

— C'est pour ça ? s'étonna-t-elle. Oh, mon chéri…

Discrètement, elle effleura du regard l'horloge murale. Benoît se montrait puéril, mais il devenait impératif de lui consacrer un moment qui ne soit rien qu'à lui.

— Tu es pressé, là ? murmura-t-elle d'une voix câline. Parce que, moi, j'ai un petit creux dans mon emploi du temps…

— Vrai ? Alors, madame, si tes bateaux peuvent attendre, mes huîtres aussi ! répondit-il joyeusement en la soulevant dans ses bras.

Thierry habitait, au-dessus de son cabinet dentaire, un appartement amusant qu'il avait décoré comme un paquebot. Il y menait une vie de célibataire endurci, à la fois coureur de filles et solitaire. Dans la salle de séjour régnait un gentil désordre et Joël avait dû déplacer une pile de revues nautiques pour s'asseoir sur un canapé en forme de couchette. À la cuisine, Patricia s'affairait en plaisantant avec Juliette qu'elle avait réquisitionnée comme marmiton.

— Tu l'as complètement subjuguée, dit Thierry à voix basse.

Sceptique, Joël se contenta d'esquisser un sourire.

— Si, crois-moi ! Je la connais depuis longtemps, c'est une chic fille. Un peu voyante, d'accord… Mais un coup exceptionnel, non ? Elle fait tout avec le même entrain, l'amour, la voile…

— Et la cuisine ?

— Bon, pour ça, ne t'attends pas à des merveilles.

Ils échangèrent un regard amusé puis Joël demanda :

— Mais vous deux, est-ce que…

— Affaire classée, vieille histoire. Elle me trouvait « sympa » et « marrant ». Alors je ne me suis pas entêté ! Aujourd'hui nous sommes vraiment des copains. Nous avons navigué ensemble deux fois. Un régal ! On s'est même demandé si on ne devrait pas acheter un bateau en copropriété…

— À table ! cria Patricia depuis la cuisine.

Juliette arriva la première, tenant avec précaution un plat d'avocats aux crevettes. Son père l'en débarrassa, mit un coussin sur l'une des chaises et l'aida à s'asseoir. Il s'installa en face d'elle et Patricia vint prendre place à côté de lui. Elle avança sa jambe jusqu'à toucher celle de Joël.

— Pat voulait te parler de son projet de trimaran, commença Thierry.

La jeune femme se lança aussitôt dans une description enthousiaste puis elle détailla la liste des sponsors qu'elle avait déjà contactés. Joël l'écoutait d'une oreille distraite, observant sa fille avec plaisir. Malgré tout ce qu'il pouvait reprocher à Charlotte, elle élevait bien leur enfant. Silencieuse, appliquée, Juliette mangeait sagement et souriait à son père entre chaque bouchée.

— En tant qu'armateur, conclut Patricia, est-ce que je peux te compter parmi les gens qui me soutiennent ?

— Un soutien purement moral, alors !

Un peu déçue, elle eut un geste désinvolte.

— Je t'avais prévenue, dit Thierry en riant. Il est couvert de dettes !

— Avant de me lancer dans le mécénat, j'ai quelques millions à rembourser, confirma Joël. Avec des conditions bancaires draconiennes, bien entendu ! Mais si un jour l'armement réalise trop de bénéfices et se met à financer des sportifs ou des artistes pour échapper à la pression fiscale, je penserai à toi, promis !

Il s'amusait de sa déconvenue mais elle ne voulut pas s'avouer battue.

— Même sans parler d'argent pour le moment, t'avoir dans mes partenaires serait un gage de sérieux, une référence.

— Tu as fait un dossier là-dessus ?

— En béton ! Veux-tu le voir ?

Elle esquissa un mouvement pour se lever mais Joël l'en empêcha.

— Pas maintenant, non. Pour être sincère, la course est le dernier de mes soucis en ce moment. Plus tard, peut-être, mais là tu ne frappes pas à la bonne porte, je ne peux rien pour toi.

Haussant les épaules, elle tendit son verre pour qu'il lui serve du vin. Malgré les mises en garde de Thierry, elle n'avait pas prévu un refus sans appel. Elle espéra que c'était la présence de la petite fille qui le rendait si catégorique et si distant.

— Parlons d'autre chose, alors, dit-elle d'une voix acide.

— Le sujet du jour, enchaîna Thierry, c'est Guernesey ! Tu as lu les journaux ?

— Ah, ne me parle pas des Anglais ! Les Affaires maritimes font patrouiller leur vedette près de l'Étac, au cas où les Guernesiais chercheraient à arraisonner les bateaux français. C'est scandaleux, ils n'ont aucun droit de nous interdire cette zone. À moins de revenir sur les accords de Granville passés il y a cent cinquante ans et revus depuis ! En tout cas, je fais partie de ceux qui ne céderont jamais.

Patricia enregistra le changement de ton. Quand il était question de ses bateaux, de son métier, Joël était différent. Elle se demanda si elle l'avait bien jugé, si elle n'était pas en train de faire fausse route, s'il n'était pas hors de sa portée. Habituée à exercer aisément son ascendant sur les hommes, elle n'avait pas prévu une telle résistance.

— En cas de gros problème, les autorités françaises traiteront directement avec les Britanniques, le ministre de l'Agriculture l'a promis, ajouta-t-il. Mais tu les connais...

Thierry partageait son opinion et ils discutèrent des techniques de pêche parfaitement incompatibles — casiers pour les Anglais et filets pour les Français — qui compliquaient encore le problème.

Sous la table, Patricia posa sa main sur le genou de Joël. Il se tourna carrément vers elle, sourit, puis annonça d'un air désolé :

— Il va falloir que je parte, j'ai un rendez-vous important à deux heures.

Son regard bleu pâle n'exprimait aucune complicité, aucun regret. Il se leva, aida sa fille à descendre de son siège. La jeune femme ressentit un petit pincement de jalousie en le voyant s'agenouiller devant Juliette pour lui mettre son blouson fourré.

— Elle peut rester avec nous, suggéra-t-elle. Nous irons nous promener…

— Merci, mais je la vois trop peu pour m'en séparer !

La petite fille avait glissé sa main dans celle de son père qui plaisanta.

— D'ailleurs il faut qu'elle commence d'apprendre le métier ! N'est-ce pas, mademoiselle J. Carriban ?

Entrant dans son jeu, Thierry demanda :

— Mais ce n'est pas Jacques, l'aîné de tes neveux, qui est l'héritier en titre ?

— Impossible, il s'appelle Quillivic ! Et puis c'est sans importance, ma sœur et moi nous léguerons tellement de navires à nos enfants qu'ils ne seront pas trop de quatre pour s'en occuper !

Il donna une petite tape amicale sur l'épaule de Thierry et se contenta d'adresser un signe de tête à Patricia.

— C'était un très bon déjeuner. À bientôt.

Dès qu'il eut fermé la porte, elle se mit en colère.

— Tu parles d'un papa-gâteau ! Il en fait beaucoup, non ? C'est pour ne pas traumatiser la chère enfant qu'il m'ignore ?

Navré pour elle, Thierry eut un geste d'impuissance. En huit ans, Joël avait beaucoup changé. Les épreuves l'avaient mûri, ce qui était sans doute une bonne chose. Mais Patricia était vexée et elle continuait de ronchonner.

— Dans un lit, il ne m'ignore pas, je te le garantis !

132

Avant de rentrer à Lorient, elle avait décidé de passer encore une nuit avec lui. Elle refusait de le laisser prendre ses distances et il fallait qu'elle réagisse vite.

— Elle est là pour longtemps, la gamine ?

— Aucune idée. Mais les vacances scolaires sont presque finies.

— Est-ce que ça t'ennuie si je reste encore quelques jours chez toi ?

— Bien sûr que non !

Il ne voulait pas la décourager, pourtant il était certain qu'elle s'entêtait pour rien. Joël n'avait pas le temps de tomber amoureux en ce moment. Et même si c'était possible, ce ne serait sans doute pas d'une femme comme Patricia, il l'aurait parié. Il avait toujours manifesté un goût prononcé pour les filles féminines, gracieuses, élégantes. Et si Pat était un excellent skipper, c'était aussi un vrai hussard.

— J'ai entendu sonner, lui dit-elle. Ton premier patient doit être dans la salle d'attente.

— Déjà ?

À regret, il se leva et but son café debout. L'idée d'enfiler une blouse blanche et de se pencher sur une mâchoire le déprimait d'avance.

— Si tu veux, proposa-t-il, je décommande mes rendez-vous de demain matin et on se fait une petite virée en mer !

— Volontiers. Descends vite, je vais ranger.

Il s'éclipsa et elle se mit à empiler les assiettes tout en se demandant ce qu'elle pourrait bien trouver pour intéresser Joël. Comment retenait-on un homme comme lui ? Il était probablement plus facile de lui faire oublier sa femme que ses affaires… Mais il n'était pas question pour elle de rater une pareille occasion. Un armateur de trente ans, séduisant comme il l'était, ne resterait pas seul très longtemps. Elle décida de changer de tactique. À la séduction, elle allait ajouter les grands sentiments. Il suffisait d'avoir un peu d'imagination. Pour mieux réfléchir, elle alla s'asseoir sur la couchette, négligeant la vaisselle.

— Je viens juste d'avoir le communiqué par radio ! s'écria Mariannick.

L'excitation était à son comble dans les bureaux de l'armement. Servane était toujours là et personne n'était parti déjeuner. Dans les eaux de l'Étac, les Français et les Anglais continuaient de se livrer bataille. La *Coriandre*, vedette des Affaires maritimes de Cherbourg, avait dû escorter les chalutiers français par un vent de force 10 tandis qu'un Zodiac britannique leur tournait autour comme une mouche, debout sur les vagues, pour relever leurs immatriculations. Même si les Carriban n'avaient pas de bateaux là-bas, ils se sentaient pleinement concernés.

Pendant que Joël et sa sœur commentaient l'événement avec Luc, Servane installa Juliette devant un ordinateur et lui ouvrit un programme de jeux dont elle lui expliqua le fonctionnement. Un peu plus tard, Mariannick vint les rejoindre.

— Je t'enlève ! dit-elle à la petite fille. Tes cousins veulent t'emmener voir le grand aquarium. Il y a des milliers de poissons et même un vaisseau englouti…

Tournant la tête vers Servane, elle demanda :

— Est-ce que tu peux rester un peu ici cet après-midi ?

Le départ des chalutiers était prévu pour la fin de la semaine et il y avait encore beaucoup de travail en perspective.

— On finira par avoir besoin de toi à plein temps, ajouta Mariannick. Tu serais d'accord ?

— Bien sûr !

— Formidable ! Nous ne serons pas trop de deux avec tout ce qui se prépare. En plus, je dois m'occuper du déménagement de maman.

— Elle s'est décidée ?

— Oui. Je crois même qu'elle a hâte de se retrouver seule !

— C'est vrai ? s'étonna Joël qui se tenait sur le seuil du bureau, un fax à la main.

— Je crois que c'est normal. On lui répète tout le temps de ne pas ressasser des idées noires, et ça l'agace.

Elle prit Juliette dans ses bras.

— Allez hop, la puce ! Ton papa nous rejoindra pour dîner.

Ravie, la petite fille se laissa emmener sans difficulté.

— Qu'est-ce que je deviendrais si ma sœur n'existait pas ? dit Joël d'une voix songeuse.

Il se dirigea vers la baie vitrée pour les regarder partir tout en ajoutant :

— Et vous aussi ! J'ai entendu que vous acceptiez de travailler ici toute la journée, me voilà rassuré. Nous allons vivre des mois laborieux…

En bas, sur le quai, la silhouette de sa fille lui parut minuscule, terriblement vulnérable. D'ici peu, Charlotte la ramènerait à Paris et il serait de nouveau seul.

— Voulez-vous du café ? s'enquit Servane.

Faisant volte-face, il la dévisagea.

135

— Eh bien…, si vous en avez, je serais heureux d'en boire une tasse, mais ne vous croyez surtout pas obligée de…

— Non ! répondit-elle gaiement. Ne comptez pas sur moi pour vous en proposer tous les jours, ce n'est pas dans mon contrat !

Son comportement était si dénué d'artifice qu'elle le prit au dépourvu une fois de plus.

— À propos de contrat, je vais vous en faire établir un autre.

— Merci.

Il s'approcha de l'écran de l'ordinateur et considéra les petits bonshommes qui s'agitaient sans fin au milieu d'un labyrinthe.

— C'est quoi, ça ? Mes marins ?

— Non ! Des « Lemmings »… Votre fille s'est très bien débrouillée, regardez son score.

Le téléphone sonna au moment où elle lui expliquait les règles du jeu et il alla répondre lui-même. Elle le vit froncer les sourcils :

— Les dégâts sont importants ? Essayez de rétablir une liaison radio, je monte.

À son air inquiet, elle supposa qu'il s'agissait d'une mauvaise nouvelle.

— Prenez le bulletin de la météo maritime et rejoignez-moi là-haut ! lança-t-il en quittant le bureau.

Il se précipita au premier étage où Luc l'attendait.

— C'est incompréhensible ! s'exclama celui-ci. L'*Adarre* a subi un contrôle technique en juin…

— Donnez-moi le message du capitaine, demanda Joël d'un ton impatient.

La feuille ne comportait que quelques phrases laconiques.

— C'est tout ?

— La communication était très mauvaise.

— La mer aussi, ajouta Servane en entrant.

Joël jeta un rapide regard au papier qu'elle lui tendait. Le temps se détériorait à toute allure en mer d'Irlande. À l'autre bout de la salle, le radio tentait de rétablir le contact avec le chalutier endommagé. Son casque sur les oreilles, il répétait inlassablement le même message dans son micro.

— Le Gall est un excellent marin, dit Luc à mi-voix.

— Mais l'*Adarre* est un vieux bateau ! Je n'aurais pas dû le laisser repartir.

Il s'approcha de l'employé, lui tapa sur l'épaule et lui demanda de joindre les unités qui pêchaient dans les mêmes eaux.

— Qu'est-ce qui s'est passé ? chuchota Servane à Luc.

— Une explosion dans les machines et puis le moteur a pris feu.

— Pas de blessé ?

— Non, mais un trou dans la coque…

— Le *Pegeit* en ligne, annonça le radio.

Joël s'adressa directement au capitaine du chalutier, lui donna la dernière position connue de l'*Adarre* et un ordre de route immédiat. Ensuite, il alerta les autorités côtières les plus proches, s'exaspérant de la lenteur des réponses. Comme il parlait très vite, en anglais, personne ne parvenait à suivre la discussion.

— Est-ce qu'on a un moyen de savoir quels sont les bâtiments qui croisent dans les parages ? questionna Joël en raccrochant.

— Le Gall a dû lancer un appel radio, fit remarquer Luc.

— Sa radio ne me paraît pas en état de fonctionner ! J'espère surtout qu'il a envoyé des fusées de détresse et qu'il n'est pas seul sur cette zone. Demandez au *Pegeit* de prévenir tout ce qui flotte aux environs.

— Que disent les Irlandais ?

— Qu'il n'est pas question de faire décoller un appareil de reconnaissance pour le moment. Plafond trop bas, mer trop agitée…

La tête baissée, il parut réfléchir quelques instants, puis il prit une soudaine décision.

— Comment s'appelle le pilote qui doit travailler pour nous ? Antoine quelque chose…

— Antoine Girard, répondit Servane.

— Très bien, mettez la main dessus et passez-le-moi dès que vous l'avez.

Servane s'empara aussitôt d'un téléphone tandis que Luc prenait l'air ébahi.

— Vous allez fréter un avion ?

— Oui.

— Et vous croyez que ce Girard acceptera de…

— C'est l'occasion ou jamais de savoir s'il a de l'estomac !

— Mais qu'est-ce que vous voulez qu'il fasse ?

— Qu'il localise l'*Adarre*, qu'il puisse guider un navire sur lui.

— Dans deux heures au plus, il fera nuit là-bas.

— C'est bien pour ça qu'il doit partir maintenant !

Incapable de se contenir davantage, Luc haussa les épaules. Jamais Jaouën n'aurait utilisé de tels moyens pour un incident de ce genre. L'addition risquait d'être salée et tout ce déploiement ne servirait sans doute à rien.

— Vous avez l'aérodrome, annonça Servane.

Tandis que Joël parlait avec véhémence, au téléphone, Luc continuait de l'observer sans indulgence. Il le trouvait chaque jour plus détestable, arrogant, imprévisible, et surtout beaucoup trop jeune pour diriger l'armement.

— Il est d'accord ! annonça Joël triomphalement. Envoyez tout de suite un fax pour confirmer le fret. Toujours rien du *Pegeit* ?

— Ils font route vers l'*Adarre* mais ils sont loin et ils ne vont pas vite. Pour le moment ils n'ont pas déniché de grosses unités dans les parages. L'*Adarre* ne répond toujours pas.

Marchant de long en large devant les consoles des liaisons radio, Joël essayait d'imaginer le sort de son chalutier. Dans son unique appel au secours, Le Gall avait parlé de grand-frais. L'*Adarre* n'était pas équipé de panneaux étanches et Le Gall faisait sûrement marcher les pompes sans relâche pour maîtriser la pénétration de l'eau dans la cale. S'il jugeait le moment venu, il donnerait l'ordre d'utiliser le radeau de survie. À la grâce de Dieu ! Dès lors, le chalutier serait condamné à sombrer. Et ensuite...

Il fouilla dans ses poches, trouva ses cigarettes et en alluma une. Ne rien savoir de ce qui se passait vraiment était le plus difficile à supporter. Il regarda autour de lui et aperçut Luc qui conservait un air ridiculement pincé. Servane s'était assise dans un coin de la grande salle. Elle était pâle, aussi anxieuse que Joël, et attendait qu'on ait besoin d'elle.

— Vous faites prendre beaucoup de risques aux hommes du *Pegeit*, dit soudain Luc. Et à votre pilote aussi. Par ce temps, l'équipage aurait pu rallier un port et...

— Bouclez-la !

Saisi, Luc fit un pas en arrière. La brutalité de la réponse le laissait sans voix.

— De quel droit…

— Du plus fort ! le coupa Joël. C'est moi qui décide ! La seule chose qui compte est de sortir les hommes de là. Que le bateau coule, je m'en fous, nous sommes assurés !

Il refusait d'envisager le pire. Sa carrière d'armateur ne pouvait pas commencer par un drame d'une telle ampleur. Il avait vécu la même chose, dans cette même salle, quinze ans plus tôt. Un naufrage consécutif à une explosion à bord. Il n'avait jamais oublié le regard de Jaouën au moment où il avait appris que son chalutier était perdu corps et biens. Les sept marins avaient été portés disparus et son père était resté anéanti durant des semaines. Aujourd'hui, il comprenait parfaitement ce qu'il avait dû ressentir parce que c'était son tour d'être responsable de sept hommes. L'histoire se répétait et Joël se jura qu'il allait forcer le destin.

Le radio lui fit un signe et il se précipita.

— Le *Pegeit* a trouvé un cargo qui accepte de se dérouter mais qui est à une vingtaine de milles. Ils lui ont donné la position que nous leur avions transmise tout à l'heure.

— Espérons que l'*Adarre* n'ait pas trop dérivé…

— Le problème, c'est que la nuit tombe.

— Entrez en contact avec le commandant du cargo pour qu'il nous tienne informés et rappelez la tour de contrôle de Saint-Servan, je veux le plan de vol du Cessna. Ensuite voyez du côté des Irlandais…

Il s'éloigna de nouveau et se remit à arpenter la pièce. L'attente risquait d'être longue mais il ne pouvait rien faire de plus. Son regard effleura le nœud papillon de Luc et il eut une brusque envie de le lui arracher. Il rejoignit

Servane qui lui demanda, à voix basse, si elle devait avertir Mariannick.

— Pas tout de suite. Je voudrais savoir quoi lui dire… Faites-le dès que nous aurons quelques détails…

D'un geste las, il désigna le radio qui continuait de parler dans son micro.

— J'ai oublié son prénom.

— Rémi.

Luc était retourné derrière son bureau mais il ne travaillait pas, gardant ses bras croisés devant lui. L'attitude de Joël le révoltait et il était décidé à ne plus lui adresser la parole.

— Je vais refaire du café pour tout le monde, décida Servane en se levant.

Durant son absence, Joël essaya de calculer combien il faudrait de temps au Cessna avant de survoler la zone et qui arriverait le premier, de lui ou du cargo. À moins que le *Pegeit* ne soit le plus rapide puisqu'il était le plus proche. D'après le bulletin météo, l'avion bénéficiait de vents portants. Mais lorsqu'il allait baisser son altitude, ces mêmes vents deviendraient dangereux.

« Et si l'*Adarre* n'a plus de batterie, il ne peut même pas mettre ses feux. D'ailleurs ils ont peut-être déjà évacué… »

— Un sucre ou deux ?

Il leva les yeux sur Servane qui lui souriait gentiment.

— C'est tellement pénible d'être ici, impuissants, aveugles…, murmura-t-il en lui prenant la tasse des mains.

Après avoir servi Luc et Rémi, elle revint vers lui.

— Le Gall est un bon capitaine, dit-elle d'une voix douce.

Il n'avait pas oublié qu'elle connaissait presque tous les marins de la région et que, depuis qu'elle était née, elle entendait parler de bateaux, de pêche, de tempêtes. Son père avait dû lui décrire en détail les coups de chien qu'il avait essuyés durant sa carrière. Il fut un peu réconforté à l'idée qu'elle le comprenait forcément, qu'elle partageait son angoisse. Et, comme si elle avait deviné ses pensées, elle alla lui chercher une carte marine qu'elle étala devant lui.

— Où sont-ils ?

Avec un feutre, il traça un cercle.

— Ils étaient à environ cent milles de la côte. Comme ils n'ont plus de moteur, ils dérivent sans doute dans cette direction. Quant au cargo, il doit être quelque part par là...

Elle s'était penchée au-dessus de lui et il respira un parfum frais, espiègle, très agréable, qu'il fut incapable d'identifier. Il s'étonna de songer à des choses aussi futiles dans un moment pareil mais, indiscutablement, la présence de la jeune fille avait quelque chose d'apaisant.

— Le *Pegeit* a de grosses difficultés à garder le cap, annonça Rémi. Ils sont vent debout avec une très mauvaise visibilité.

Joël fut parcouru d'un frisson. Il aurait donné n'importe quoi pour être sur place. Il savait que la solidarité en mer n'est pas un vain mot et que l'équipage du *Pegeit* ferait l'impossible pour secourir le chalutier en détresse. Cependant, une fois la nuit venue, le cargo aurait plus de chances d'apercevoir quelque chose avec ses puissants projecteurs. À condition d'être au bon endroit, à condition que l'*Adarre* soit toujours à flot, à condition...

— Si les hommes du *Pegeit* ont des problèmes avec la cargaison, qu'ils n'hésitent pas à la balancer par-dessus bord !

Luc considéra que cette phrase de Joël était une pure provocation, indigne d'un armateur. Il se sentit visé mais garda les yeux rivés sur la nuque de Rémi, attendant des nouvelles sans manifester de nervosité. En fait, la cargaison assurait du lest, ce qui était appréciable par gros temps. À moins que les marins n'aient pas eu le temps d'arrimer les caisses de poisson. C'était probablement à cette hypothèse que Joël avait fait allusion. Mais Luc était vexé, atteint dans sa dignité. Comment garder son autorité sur Rémi, par exemple, alors que le patron usait d'un tel ton avec lui ? Du temps de Jaouën, il avait dû subir des engueulades mais au moins ils avaient le même âge. Tandis que la jeunesse de Joël rendait inexcusables ses accès de fureur. Si l'ambiance continuait de se dégrader, il donnerait sa démission et on verrait alors si le fils Carriban s'en sortait ! À la rigueur, la petite Mariannick n'était pas désagréable. Têtue, bien sûr, mais au moins elle mettait des formes dont son frère se dispensait. Pourquoi ce garçon s'acharnait-il sur lui ? En tout cas il allait lui donner une leçon de patience en restant tranquillement assis au lieu de s'agiter en pure perte.

Il s'écoula presque une heure avant qu'un nouveau message ne leur parvienne. Le Cessna, à son troisième passage sur la zone, avait fini par déceler une balise du radeau de survie. Le pilote avait immédiatement donné l'emplacement exact au commandant du cargo qui n'était plus qu'à quelques milles.

Surexcités, Joël et Servane s'installèrent aussitôt de part et d'autre de Rémi. L'histoire ne se reconstituait que par bribes car certaines fréquences radio étaient brouillées. À huit heures moins le quart, le cargo confirma le sauvetage difficile mais réussi. Joël relut trois fois la liste des rescapés pour être certain que personne ne manquait à l'appel. Quand il n'eut plus le moindre doute, il poussa un hurlement de joie. Luc le laissa exulter quelques instants avant de demander :

— Et le chalutier ?

Joël se retourna, considéra Luc sans animosité. Rien ne pouvait altérer sa bonne humeur.

— Je vous laisse vous en occuper. Demain, il fera jour... Mais si Le Gall a fait évacuer, c'est probablement fini pour l'*Adarre*. Dans le cas contraire, vous trouverez bien un remorqueur. Je contacterai la compagnie d'assurances dès l'ouverture des bureaux. Le cargo fait route vers l'Angleterre, il faudra rapatrier l'équipage par avion. À vous de voir si c'est plus avantageux sur une ligne régulière, sinon nous leur enverrons Girard, ils seront sûrement contents de le voir, ils lui doivent une fière chandelle !

Avant de quitter la salle, il alla serrer vigoureusement la main de Rémi, puis il regagna son bureau où Servane l'attendait.

— Mariannick est très, très en colère, annonça-t-elle. Je crois que vous allez avoir des ennuis. Il aurait mieux valu la tenir au courant... Elle me charge de vous dire qu'elle vous attend de pied ferme chez elle.

— Oh, là, là... Quand ma sœur se met en boule, c'est un véritable oursin ! Je ne voulais pas l'inquiéter...

— Vous allez le lui expliquer vous-même.

Servane souriait et il la prit par la main, d'un geste spontané.

— Alors vous me servirez de bouclier, d'accord ?
À vous, elle ne dira rien, elle vous adore. Venez avec
moi, je ne veux pas l'affronter tout seul.

— Mais je ne suis pas invitée, protesta la jeune fille.

— Si, maintenant vous l'êtes. Il faut bien qu'on fête
ça !

Sans lui laisser le loisir de protester, il la poussa vers la
porte. De toute façon, il n'avait pas envie de la quitter.

Deux jours plus tard, Charlotte vint récupérer Juliette
à la villa. Comme lors de leur première rencontre, Joël
n'adressa pas la parole à Francis. L'idée de confier sa
fille à cet homme lui était franchement désagréable,
d'autant plus qu'elle s'était mise à pleurer, navrée de
quitter son père, ses cousins et cette maison de conte de
fées. Joël promit qu'il irait la chercher lui-même à Paris
aux prochaines vacances. Le dernier regard qu'il
échangea avec Charlotte, au moment où la voiture
démarrait, était chargé d'une immense nostalgie.

Lorsqu'il se retrouva seul sur le perron, il décida de
faire le tour du parc avant d'aller travailler. Chaque année,
au mois de novembre, Jaouën faisait venir un jardinier et
passait en revue tous les grands arbres. Un jour il avait
fallu abattre deux ormes tués par la maladie du scolyte.
Joël et Mariannick, qui avaient une dizaine d'années,
s'étaient enfuis en entendant les tronçonneuses.

Il suivit la grande allée circulaire, bordée de chênes, de
hêtres, de frênes, et s'arrêta devant un énorme massif
d'hortensias entièrement desséchés. Sa mère prétendait
qu'il ne fallait jamais les couper. Elle pilait de l'ardoise
dans un mortier et la mélangeait au terreau d'engrais pour
que les pétales restent bleus. Elle adorait les fleurs, en

particulier celles d'un mimosa qui embaumaient au début de l'été.

Près du mur d'enceinte, Joël s'engagea dans un petit sentier qui serpentait au milieu des châtaigniers puis des ifs. Juliette pourrait s'amuser ici avec ses cousins, investir ce parc et jouer à s'y faire peur, mais ce ne serait jamais pour elle qu'un lieu de vacances. Charlotte en avait décidé ainsi.

Débouchant sur la gauche de la villa, Joël prit le temps de l'étudier telle qu'elle se présentait avec sa silhouette follement découpée à contre-jour sur la mer. Il ne pourrait plus jamais quitter cet endroit, il en eut la certitude. Sauf s'il conduisait l'armement à la ruine. Il se promit de consulter le notaire de la famille, dès que sa mère irait un peu mieux, afin de mettre les affaires des Carriban en ordre. Si la société sombrait, autant sauver la maison. Son regard erra sur la rangée de pins maritimes qui marquait la fin de la végétation avant la falaise. Vingt mètres plus bas, les hors-bords devaient danser doucement devant leur appontement. Sauf si leurs amarres avaient été de nouveau sectionnées par le mystérieux vandale. Machinalement, sans réelle inquiétude, il s'approcha pour jeter un coup d'œil aux bateaux. Jaouën les utilisait toujours pour gagner Saint-Malo. C'était sans doute plus rapide que la route du barrage sur la Rance lorsque les touristes affluaient en été et bloquaient le trafic.

Assis en haut de la volée de marches creusées dans le roc, il contempla la mer un long moment, se demandant avec stupeur comment il avait pu s'en passer durant huit ans. Il s'était menti et il avait abusé Charlotte. Il ne lui avait pas avoué que tout ce qu'il entreprenait alors n'était que précaire, que la seule chose qu'il attendait était un signe de son père, que sa meilleure raison de vivre serait toujours les bateaux, que son unique foyer était au bord de l'océan. Seulement la sanction était là, dans l'absence de sa femme et de sa fille. Il se retrouvait exclu une fois de plus, comme s'il lui était impossible de tout réunir en une seule vie. Il continuait de payer cette malheureuse signature dont l'imitation ne lui avait pris que trois secondes. Il n'en finissait pas d'assumer les arriérés de cette dette. Et si, aujourd'hui, il mettait l'armement en faillite, on prétendrait sans doute qu'il ne faisait qu'achever l'œuvre de destruction commencée dix ans plus tôt avec le *Nadir*. Maudit voilier…

Un bruit lointain de Mobylette le tira de sa rêverie mais il ne bougea pas. Même s'il avait un peu froid, c'était la première véritable pause qu'il s'accordait depuis l'enterrement de son père et il n'avait pas envie d'y mettre fin.

La pétarade amplifia, puis s'éteignit brusquement. Quelques minutes plus tard, il entendit des pas sur le gravier de l'allée. Silencieusement, il glissa deux marches plus bas pour se dissimuler tout à fait. Armelle habitait Dinard et venait à pied. Le facteur utilisait une voiture. Et en général, à cette heure-ci, Joël était à son bureau. Avec un peu de chance, celui qui approchait était le mauvais plaisant qui s'acharnait sur la villa. Le pseudo-jeteur de sorts. À cette idée il réprima un sourire mais conserva une totale immobilité. Les pas se dirigeaient maintenant vers la cuisine dont le carreau avait été remplacé. Il y eut comme des hésitations puis des allées et venues sur la terrasse, suivies d'un ricanement étouffé. Joël choisit cet instant pour se redresser et il courut jusqu'à un homme agenouillé, de dos, près d'une porte-fenêtre. Surpris, celui-ci se retourna et vit Joël au moment où il arrivait sur lui. Mais, à la même seconde, un grand chien noir se jeta entre eux, les dents relevées sur des crocs impressionnants.

Stupéfait, Joël reconnut Yvon, le marin du quai, le père de Servane. Il n'eut pas le temps d'esquiver l'attaque du chien et tomba en arrière sous le choc. Il se protégea le visage mais sentit immédiatement la violente douleur d'une morsure au poignet.

— Arrête, le Clebs ! dit Yvon d'une voix traînante.

L'animal ouvrit les mâchoires et, sans le quitter des yeux, lâcha Joël qui se releva lentement. Il fit face au marin qui l'observait sans la moindre gêne.

— Qu'est-ce que vous faites chez moi ?

Écartant la manche de son blouson, il constata qu'il saignait.

— Je voulais voir à quoi ça ressemble, la maison d'un nanti ! C'est pas un crime…

— Et ça ? demanda Joël en désignant un hibou mort que l'autre tenait dans sa main.

— Quoi, ça ? L'oiseau ? C'est mon déjeuner. Je l'ai trouvé par terre au bout de l'allée. Tu m'accuses de braconnage ?

Il y avait une telle dérision, une provocation si délibérée dans sa manière de s'exprimer, que Joël eut la conviction qu'il devait rester prudent. Sans bouger, il demanda :

— Vous êtes Yvon Collinée, n'est-ce pas ? Je suis Joël Carriban, mais je suppose que vous le savez. Voulez-vous entrer un moment ?

Décontenancé par cette offre inattendue, le vieux marin secoua la tête.

— Pas la peine.

— S'il vous plaît…, insista Joël.

— Non !

— Vous avez peur ?

— De qui, mon gars ? J'ai jamais peur. Le Clebs non plus, t'as vu.

— J'ai aussi vu un chat, des abeilles, des bougies, et mes bateaux se promener seuls. Et je n'ai pas peur non plus. Mais je voudrais bien que tout ce cirque s'arrête. J'ai une petite fille de six ans.

— Je suis pas venu tant qu'elle était là ! fit remarquer Yvon.

Il était tellement sûr de lui et de son bon droit que Joël resta saisi une ou deux secondes.

— Oh…, dit-il enfin. Merci pour elle.

À présent il avait envie de rire mais il ne voulait pas envenimer la situation.

— Qu'est-ce que je vous ai fait ? interrogea-t-il d'une voix calme.

— Tu m'as foutu au chômage, petit con, et c'est bien la pire chose qui puisse arriver à un homme. La mer, à cause de toi, je la vois plus que du port. Et ça fait sept ans, huit mois et dix jours que ça dure !

La haine d'Yvon était entre eux, presque palpable soudain, ne demandant qu'à jaillir.

— Votre fille travaille chez moi, plaida Joël.

— Ma fille…

Penchant la tête de côté, le marin parut réfléchir à quelque chose mais ses idées n'étaient pas claires. Il releva les yeux, avança d'un pas et vint se planter sous le nez de Joël. Il sentait l'alcool et respirait vite.

— Tu vois, ma fille, elle est si belle que vous bavez tous comme des crapauds devant elle. Alors tu lui donnes sa paye à la fin du mois mais tu ne la regardes pas. Jamais. Sinon j'arrête de rigoler et je te mouche pour de bon. J'en ai envie, t'as pas idée ! Moi, j'ai plus rien à perdre. Mais toi, mon gars…

Il planta son index dans le blouson de Joël qui resta impassible.

— Fais un seul faux pas et t'es mort. Rentre bien ça dans ta tête de vermine.

Son autre main tenait toujours le hibou mort. Il parut s'en souvenir et l'agita au bout de son bras.

— Tu veux pas que je le laisse pour Armelle ? Non ? Dommage, ça l'aurait fait piailler un bon coup !

Il se détourna trop vite, tituba un peu mais réussit à partir en direction de l'allée. Son chien lui emboîta le pas. Joël les suivit des yeux un long moment avant de se décider à rentrer pour désinfecter la morsure. Au-dessus de l'évier, il lava la plaie du poignet avec de l'eau de Javel. Ensuite il alla se changer, puis prit soin de verrouiller toutes les portes de la maison, mais il était à peu près certain qu'Yvon ne reviendrait plus. Ce qui n'excluait pas qu'un jour il puisse le guetter pour lui planter un couteau dans le dos.

Une fois installé au volant, il attendit un peu avant de démarrer. Qu'allait-il raconter à Servane ? S'il mentionnait l'incident du chien et toutes les démences qui l'avaient précédé, il la mettrait dans une situation impossible. Elle se sentirait forcément humiliée. Mieux valait se taire. Si Yvon bavardait, s'il se vantait — il en était capable ! — d'être venu insulter Joël chez lui, de l'avoir fait attaquer par son chien, il serait toujours temps d'en parler avec elle.

Il prit la route du barrage et constata que, depuis un bon moment, il ne pensait qu'à la jeune fille. C'est pour elle qu'il était ennuyé, agacé, contrarié. Avoir été bousculé et mordu lui importait peu, au moins il en avait fini avec les animaux morts déposés devant son seuil. Armelle allait pouvoir retrouver la paix, c'était déjà ça. Quant à Yvon Collinée…

À la sortie d'un virage, il aperçut la Mobylette qui roulait lentement sur le bas-côté. Le chien galopait derrière, faisant parfois des écarts sur la route quand son maître zigzaguait. Leurs silhouettes avaient quelque chose de misérable et de poignant. Comment Servane pouvait-elle être aussi gaie, aussi rayonnante avec cet homme pour toute famille ?

Joël se déporta largement sur la gauche pour les dépasser. Dans son rétroviseur, il regarda une dernière fois le caban bleu, la casquette, les oreilles noires du chien. Puis il accéléra en direction de Saint-Malo.

7

Les grands chalutiers hauturiers [1] de l'armement Carriban prirent la mer un jeudi. La logistique sans faille souhaitée par Joël était en place. Les capitaines feraient savoir par VHF à quel moment le tonnage de poisson pêché serait suffisamment rentable pour déplacer le cargo et effectuer le transbordement des cabillauds, merlus, lieus, sabres et autres lottes. Le planning semblait parfaitement au point, en tout cas sur le papier. Mais Luc, toujours pessimiste, n'avait pas caché ses doutes. Au moindre incident, à la plus petite défaillance, ce serait la catastrophe. Faisant la sourde oreille, Joël et Mariannick comptaient sur leur bonne étoile. Si la principale difficulté, pour les équipages, était de travailler huit jours d'affilée sans un seul instant de repos et par tous les temps, le sort de l'armateur n'était guère plus enviable. Afin de ne pas se retrouver pris à la gorge par ses

1. La pêche hauturière est une pêche au chalut, en mer d'Irlande et jusqu'au large de l'Islande, qui concerne les poissons frais de grande consommation. Il existe également la pêche côtière, pratiquée le long du littoral ; ou encore la grande pêche ou pêche à la morue qui fit autrefois la célébrité de Saint-Malo.

créanciers ou ses commanditaires, Joël avait équilibré ses emprunts entre la banque et l'hypermarché avec lequel il avait passé un contrat de courte durée. Il avait refusé de céder des parts de la société Carriban, ce qui lui avait fait perdre certains avantages mais lui avait laissé son indépendance. Une liberté d'action qu'il risquait de payer très cher, il en était conscient.

Au début de la semaine, il avait organisé une ultime réunion avec les capitaines et les seconds. L'ambiance avait été nettement plus détendue que la première fois. Les marins n'oubliaient pas de quelle manière leur nouvel armateur avait organisé le sauvetage des hommes de l'*Adarre*. Ils avaient brocardé sans pitié les autorités irlandaises et réservé une ovation au pilote de l'avion frété par Joël. Même si la jeunesse de ce dernier les gênait encore, au moins la confiance était établie en ce qui concernait leur sécurité. Le fils Carriban n'avait pas seulement utilisé les grands moyens sans regarder à la dépense, il avait surtout fait preuve d'une rapidité de décision peu commune.

Ils écoutèrent donc attentivement les dernières consignes et embarquèrent avec la ferme intention de se montrer à la hauteur de ce qu'on attendait d'eux. Joël avait su leur rappeler qu'un emploi en mer garantissait environ trois emplois à terre. Qu'en conséquence, ils étaient tous aussi concernés que lui par cette aventure et responsables des espoirs de beaucoup de gens.

Mariannick, naturellement présente lors de ce discours, avait été frappée par le calme de Joël, son assurance et son autorité. Il lui évoquait leur père de façon incroyable, même si ses ambitions ou ses méthodes différaient.

Une fois les chalutiers hors de vue, une certaine tension s'installa dans les bureaux de l'armement. Le transbordement des caisses de poisson étant difficile à effectuer en pleine mer au mois de janvier, des eaux plus calmes, sur la côte de l'Écosse, avaient été choisies comme point de ralliement. Dès que les cales seraient pleines, le cargo ferait route et la première manœuvre pourrait avoir lieu. D'ici là, il fallait attendre les communiqués, rester patient, gérer les autres bateaux.

Sans même s'en rendre compte, Joël avait pris l'habitude de laisser ouverte la porte de communication entre son bureau et celui de Mariannick qui était principalement occupé par Servane. Il trouvait la présence de la jeune fille rassurante, c'était un antidote aux sombres prédictions de Luc. Avec elle, il pouvait parler de n'importe quoi, discuter d'un marin, énoncer des idées folles ou envisager l'avenir. Non seulement elle était efficace dans son travail de secrétariat mais, au-delà, elle était en mesure de lui apporter une aide véritable. Elle était un peu sa mémoire pour ces huit années d'absence car elle semblait tout connaître du monde de la pêche avec une vision de l'intérieur, du bas de la pyramide, que Joël ne pouvait pas posséder, quelle que soit sa bonne volonté.

De temps à autre, il l'invitait à déjeuner mais elle refusait presque toujours, tenue de s'occuper de son père. Elle n'avait jamais fait allusion à leur altercation et devait encore l'ignorer. Quand elle avait remarqué le pansement sur le poignet de Joël, il avait parlé d'une coupure, de sa maladresse pour ouvrir les boîtes de conserve. Yvon Collinée n'avait pas reparu à la villa et Armelle triomphait avec son gros sel et son améthyste.

Le soir, Joël était souvent seul. Il ne voulait pas s'imposer continuellement chez sa sœur et n'y dînait qu'une ou deux fois par semaine, de plus en plus apprécié de ses neveux mais toujours ignoré de sa mère qui ne s'intéressait d'ailleurs à personne.

Dans la grande cuisine de Dinard, il essayait quelques recettes pour accommoder les plats qu'Armelle laissait à son intention. Puis il finissait la soirée dans le bureau de Jaouën auquel il n'avait pas touché. Il y faisait du feu, écoutait le grondement de la mer à marée haute, s'absorbait dans la contemplation d'une photo de Charlotte et de Juliette. Parfois Thierry venait le surprendre et ils parlaient alors jusqu'au milieu de la nuit. Joël n'avait rien perdu de son amour de la voile mais c'était pour lui un domaine interdit, tabou, dans lequel il ne voulait plus s'égarer. D'un commun accord, ils évitaient les souvenirs liés au *Nadir*. S'ils avaient trop bu, lors de ces veillées, Thierry dormait dans une des chambres d'amis comme au temps de leur jeunesse. Et le petit déjeuner du lendemain était toujours très gai. Ensuite l'un partait la mort dans l'âme vers son cabinet dentaire tandis que l'autre fonçait joyeusement à Saint-Malo. Car, même s'il ne le savait pas encore, l'un des plaisirs de Joël était de retrouver Servane le matin.

Charlotte signa son article et le relut. Satisfaite, elle alla le donner au rédacteur en chef qui en prit connaissance et la félicita chaleureusement. Si elle continuait d'avoir d'aussi bonnes idées, une promotion ne serait pas impossible. Elle songeait depuis un moment à faire ouvrir une nouvelle rubrique dans le mensuel et elle peaufinait son projet en secret. Depuis le temps qu'elle affichait sa volonté de responsabiliser les femmes, de ne pas offrir que des futilités aux lectrices, l'heure était venue de saisir sa chance.

Avant de quitter le journal, elle fit un détour par les toilettes pour se remaquiller. Elle avait rendez-vous avec Francis dans un restaurant tout proche mais elle n'éprouvait aucune excitation particulière. Bien sûr, elle avait planifié la soirée de Juliette, comme chaque fois qu'elle sortait, pourtant elle se sentait vaguement coupable de la négliger. Même si la petite adorait ses grands-parents et se plaisait chez eux, cela ne suffisait pas à combler l'absence de son père. Elle parlait tout le temps de Dinard, rêvait d'y retourner et dessinait des bateaux partout.

Laissant sa voiture au parking, Charlotte gagna la brasserie à pied. Francis, déjà installé à une table du fond, lui adressa un grand signe de la main. Dès qu'elle fut assise, il lui commanda du champagne et se mit à raconter sa journée. Souriant poliment sans l'écouter, elle continuait de réfléchir à ses propres soucis. Les histoires de Francis étaient sans intérêt pour elle. C'est par dépit qu'elle l'avait choisi comme amant et elle ne le trouvait pas très doué, peut-être même un peu rustre. Mais il avait rempli son rôle en Bretagne, lui avait permis de bouleverser Joël, de constater qu'elle pouvait encore le rendre jaloux. Cependant cette vengeance était bien mince, il faudrait qu'elle trouve mieux. Sa rancune à l'égard de son mari augmentait de jour en jour. D'abord il lui manquait, ce qui la rendait furieuse. À côté de Francis, Joël était un authentique expert en amour. Et son regard clair, comme son sourire, étaient vraiment difficiles à oublier. Malgré son goût de l'indépendance, malgré ses nombreuses expériences passées, elle avait trouvé avec Joël quelque chose de rare, de précieux, qu'il avait eu la cruauté de lui retirer sans préavis. Son exil à Dinard était pire qu'un abandon car il donnait l'apparence trompeuse d'un choix possible. Or il n'y en avait pas, jamais Charlotte n'irait s'enterrer là-bas ! C'est à Rennes, où elle réalisait une enquête pour son journal, qu'elle l'avait rencontré, sept ans plus tôt. Il était encore étudiant et déjà tellement séduisant qu'elle avait craqué tout de suite. Il était venu régulièrement la rejoindre à Paris, prenant parfois le train sans billet tant il manquait d'argent. Ils étaient fous l'un de l'autre, insouciants et très heureux. Lorsqu'elle lui avait annoncé qu'elle était enceinte, il l'avait entourée d'attentions. C'est lui le premier qui avait parlé mariage. Ils avaient décidé d'attendre la fin de ses études pour régulariser. La situation qu'il avait alors décrochée à Paris arrangeait tout. Pourtant il lui avait fallu l'été entier pour se décider à quitter Rennes car il attendait toujours un signe de son père. Elle aurait dû s'inquiéter de cet attachement excessif à la Bretagne, l'interroger. Peut-être se serait-il confié, à ce moment-là. Mais c'était trop tard, Juliette était née.

— On rentre ? proposa Francis avec un regard appuyé.

Dans sa rêverie, elle l'avait presque oublié.

— Prenons ma voiture, je te ramènerai au journal demain matin, décida-t-il.

Il allait donc dormir chez elle, comme si c'était normal, comme s'il pouvait se dispenser de demander l'autorisation. Mais au moins il lui servirait à quelque chose puisqu'elle avait demandé à Joël de l'appeler vers dix heures. Il prenait régulièrement des nouvelles de Juliette, en profitait pour glisser une ou deux phrases tendres. Ce soir, il allait pouvoir s'étrangler avec, ce serait une leçon supplémentaire.

Dès qu'ils furent dans l'appartement, elle entraîna Francis vers sa chambre. Ils achevaient de se déshabiller quand la sonnerie retentit.

— Décroche, lança-t-elle.

Elle l'écouta répondre, le sentit un peu gêné.

— Je vous la passe...

Sans aucune pudeur, elle vint s'asseoir nue au bord du lit et prit le téléphone.

— Oui ? dit-elle d'une manière presque lascive.

— Il est déjà installé chez nous ? interrogea rageusement Joël.

— Chez moi, corrigea-t-elle. Comment vas-tu ?

— Comme tu l'imagines quand c'est ton mec que j'entends. Juliette est là ?

— Non, elle dort chez maman.

— J'espère que tu ne t'en débarrasses pas tous les soirs !

— Mon chéri, ça ne te regarde plus.

— C'est ma fille !

— C'est la nôtre...

— Si elle t'encombre, confie-la-moi.

— Pour que tu en fasses une petite provinciale étriquée ? Jamais.

Il y eut un court silence, puis Joël murmura :

— Charlotte... Charlie, tu me manques. Mais je choisis mal mon moment pour te le dire ?

— Plutôt, oui !

Elle ponctua sa réponse d'un petit rire de gorge. Elle savait qu'il connaissait toutes ses intonations et elle utilisait sciemment une voix basse, proche de l'abandon.

— Je te dérange ? La grosse brute fait la gueule, c'est ça ? Tu préfères que je rappelle demain ?

— Ce sera peut-être pareil… Ou pire !

Après un nouveau silence, il reprit :

— Tu dois m'entendre grincer des dents, je suppose !

C'était une déclaration sincère, plutôt humble, et elle se sentit émue malgré tout.

— Quand je viendrai chercher Juliette à Paris, le mois prochain, est-ce que tu m'accorderas une soirée ?

— Pourquoi ?

— S'il te plaît.

— On verra… Mais, maintenant…

— Je te laisse, oui. Tu es vraiment une garce.

Il coupa la communication et elle fut déçue de ne pas pouvoir l'exaspérer davantage. Francis la prit dans ses bras et au même instant, à Dinard, Joël jeta violemment le téléphone contre le mur de sa chambre. Essoufflé, furieux, il se retint de le piétiner. Au bout d'un moment, résigné, il alla pourtant le ramasser. Il fallait qu'il cesse de penser à Charlotte, de se la représenter avec cet homme, ou alors il devait accepter leur situation une fois pour toutes. Il était parti, elle lui avait trouvé un successeur, personne n'était irremplaçable et lui autant qu'un autre. D'ailleurs il était responsable de leur séparation, inutile de se leurrer. Quant à sa colère, était-ce encore de l'amour, des regrets, de la souffrance, ou seulement une blessure d'orgueil ?

Haussant les épaules, il reposa le téléphone sur le grand bureau sculpté et décida de prendre un bain. Demander une soirée à Charlotte était une idée stupide. Il n'en sortirait rien de bon, personne ne voulant céder. Ce n'était pas sa femme qu'il tenait à récupérer, c'était sa fille. C'est de Juliette qu'il était jaloux, des sourires qu'elle pourrait adresser à ce Francis.

— Tu l'as voulu..., se répéta-t-il en ouvrant les robinets.

Parce que tout de même il ne pouvait pas feindre de l'ignorer plus longtemps, ce n'était pas à Charlotte qu'il songeait en s'endormant le soir, mais plutôt à ses chalutiers, ou à ses comptes. Ou encore à une ravissante jeune fille rousse.

Le lendemain était un samedi et Joël en profita pour rendre visite à sa mère. L'appartement que lui avait déniché Mariannick était petit mais, situé au troisième étage, ses fenêtres se trouvaient au-dessus des remparts et donnaient sur la mer. C'était le seul souvenir de Jaouën qu'elle avait consenti à garder : une vue sur l'océan. Pour le reste, elle s'était montrée formelle, elle ne voulait rien qui lui rappelle l'existence heureuse qu'elle avait menée durant trente ans près de son mari. Aucun meuble, aucun bibelot en provenance de la villa. Elle avait signé le bail de location pour trois ans sans même le lire, puis Benoît et Mariannick s'étaient chargés de rendre les pièces confortables. La cuisine était déjà équipée et ils avaient acheté l'indispensable en espérant qu'un jour prochain Liliane aurait le courage d'arranger un décor à son goût.

Régulièrement, Mariannick lui amenait les trois petits garçons que cette visite obligatoire assommait. Seul l'aîné, Jacques, avait droit à un regard plus attentif. Sur son visage d'enfant, Liliane croyait deviner une réelle compassion. Alors elle lui parlait de son grand-père, essayant de le faire vivre encore un peu.

Lorsqu'elle ouvrit à Joël, elle eut son habituel mouvement de recul avant de lui tendre les bras. Sa ressemblance avec Jaouën était toujours une torture pour la pauvre femme. Elle adorait son fils, avait pleuré son absence pendant des années, mais chaque fois qu'elle le voyait, elle se sentait encore plus triste.

— Tu vas bien, mon grand ? demanda-t-elle de sa voix devenue un peu rauque à force de pleurer. Tu te plais à la maison ? Pourquoi ne viens-tu jamais avec ta jolie femme ?

Il le lui avait déjà expliqué mais elle paraissait oublier d'un jour à l'autre.

— Je n'ai rien à t'offrir, mon chéri. Il n'y a que du Coca pour les petits et tu n'as jamais aimé ça…

Au moins elle ne perdait pas la mémoire. Il la fit asseoir et s'installa près d'elle.

— Comment te sens-tu, maman ? Un peu moins mal ?

La manière dont elle s'efforça de lui sourire constituait une réponse.

— Parce qu'il faudrait que nous ayons une conversation, enchaîna-t-il. J'ai fait contracter beaucoup de dettes à la société Carriban.

— Des dettes ? Mon Dieu, Joël, il faut s'en débarrasser !

— Non, tu me comprends mal, disons des emprunts.

— À la banque ? Ton père n'aimait pas les banquiers.

Il soupira et elle lui tapota affectueusement la main.

— Je suis sûre que tu fais pour le mieux. Ta sœur me dit que tu as même acheté des bateaux… Ce n'est pas la peine de m'en parler, je n'y connais rien. Je n'écoutais pas ton père non plus.

Dans chaque phrase, elle faisait référence à Jaouën, et vouloir discuter avec elle était prématuré.

— J'aimerais bien voir le notaire de la famille, ajouta-t-il quand même.

— Oh oui, si tu as besoin de conseils, il est très gentil, très raisonnable.

— Maman… Je dois seulement mettre nos affaires en ordre. Te protéger en cas de pépin…

— Allons, mon chéri ! Ne sois pas défaitiste, tu ne vas pas torpiller toute la flotte de ton père, n'est-ce pas ? Je te fais confiance. Et surtout je m'en moque, si tu savais !

Une larme roulait sur sa joue et Joël eut le cœur serré. Il passa son bras autour de ses épaules pour qu'elle se laisse aller contre lui.

— Cinquante-six ans, mon chéri, ce n'est pas un âge pour mourir. Ni pour être seule, crois-moi !

Ses cheveux blancs semblaient plus nombreux, ses rides plus marquées, et elle ne se maquillait plus. Pourtant elle aurait pu être encore très belle. Lorsqu'il était enfant, il était toujours fier qu'elle l'attende devant la grille de l'école.

— Je sens bien que tu voulais quelque chose mais je ne peux rien pour toi, c'est au-dessus de mes forces, reprit-elle.

Puis, toujours blottie contre lui, elle ajouta, encore plus bas :

— Ton père avait exactement tes yeux et ton regard me donne le frisson, je suis désolée…

Il la serra davantage, luttant pour ne pas pleurer avec elle.

— J'ai une idée, mon grand. Je vais t'établir une procuration ! Comme ça tu pourras faire ce que tu veux et ta sœur aussi. Vous ne serez pas obligés de me harceler. D'accord ? Parce que j'en ai assez de vous signer des papiers à tout bout de champ !

Navré de la voir si fragile, presque incohérente, il ne savait plus quoi lui dire.

— Il t'aimait tellement, murmura-t-elle soudain. Tu n'imagines pas comme il regrettait… Il croyait que tu lui en voulais ! Oh, pas pour le voilier, non, tu n'es pas si bête, mais parce qu'il avait failli te tuer. Oui, c'était sur sa conscience… Tu sais, il est allé consulter un psychiatre, une fois, tellement ça l'obsédait. Il se croyait sujet aux crises de folie. Il pensait que tu ne pourrais pas lui pardonner d'avoir voulu t'étrangler. Il disait qu'il avait tenté d'assassiner son fils et je ne pouvais pas prétendre le contraire puisque je l'avais vu ! Combien de temps as-tu gardé les marques ? Dis ?

Il ne voulait pas s'en souvenir et il espérait qu'elle allait se taire mais elle poursuivit, impitoyable :

— Il ressassait tout ça en permanence. Comment en était-il arrivé là, à vouloir t'empêcher de respirer, alors que tu étais celui qu'il aimait le plus au monde ? Après moi, d'accord… Oh, ça vous faisait rire parce qu'il m'adorait, n'empêche, s'il m'avait moins aimée, je n'aurais pas pu l'arrêter ce jour-là. Et alors… Que serions-nous devenus, mon Dieu !

Elle dut reprendre son souffle. Il s'écarta d'elle, incapable de supporter ce qu'il entendait mais elle le retint.

— Attends ! Il faut quand même que tu saches… Parce que bien sûr, ça me rendait malade aussi de le voir si inquiet… Et comme j'étais la seule à avoir de l'influence sur lui, j'ai réussi à lui faire croire que tu n'avais pas de rancune. Est-ce que j'ai eu raison ?

Il ne pouvait pas lui répondre et elle continua :

— C'est à peine croyable tout ce qu'il faisait, en cachette… Il pensait que je ne voyais rien, et ta sœur non plus ! Tiens, il connaissait le doyen de la faculté de

Rennes et il a réussi à avoir tes résultats en détail. Il était fier de toi mais il n'arrivait même pas prononcer ton prénom. Parfois, quand il se tenait sur la terrasse, il jetait un regard de chien battu vers ta fenêtre et puis il soupirait… Vous vous êtes punis pour rien, l'un et l'autre. Quel gâchis ! Mais réponds-moi maintenant, est-ce que j'ai eu raison ?

— Je n'en voulais qu'à moi, parvint-il à articuler d'une voix sourde. Mais tu aurais dû…

— Non, Joël. C'était votre querelle. J'aurais dû quoi ? Te rappeler ? Non, pas moi. Mais peut-être que toi, tu… Je n'en sais rien !

Elle ne mesurait pas les ravages de cet aveu qui venait trop tard. Il restait immobile, accablé, et lorsqu'elle voulut lui effleurer les cheveux, il esquiva sa main. Le silence se prolongea plusieurs minutes, jusqu'à ce qu'elle se sente obligée de le rompre.

— Tu es venu pour me parler d'affaires et je t'ennuie avec mes vieilles histoires ! Il était question de banquier, tout à l'heure ? Vraiment, ton père n'aimait pas ces gens-là. C'est pour ça qu'il a enterré des lingots dans la cave. Ne vendez pas la villa sans les enlever de là, ta sœur et toi. En principe, c'était réservé aux coups durs. Mais tu sais ce que c'est, le coup n'est jamais assez dur pour faire sortir l'or. Enfin bon, c'est à vous comme le reste. Alors, si tu as des dettes, n'hésite pas. De mon temps, on disait qu'il fallait les payer pour s'enrichir mais vous avez sûrement d'autres idées à présent…

Très lentement, il se mit debout, enfonça ses mains dans les poches de son pantalon, prit une profonde inspiration. Ensuite il se tourna vers elle et la considéra d'un air grave. Elle ne jouait aucune comédie et perdait peu à peu la notion de la réalité. D'un geste las, elle tourna la tête vers la fenêtre. Des oiseaux criaient au-dehors. Sans doute des cormorans. Avec ce qu'il venait de subir, il n'arrivait plus à la plaindre et pourtant il n'avait pas encore entendu le pire.

— Mon chéri, c'est effrayant ce que tu lui ressembles. C'est troublant pour moi. Est-ce que tu… Ne le prends pas en mauvaise part mais, sois gentil, ne viens pas trop souvent, tu ne peux pas savoir l'effet que ça me fait…

D'un battement de cils il acquiesça, fit un pas en arrière, et au même instant elle bondit du canapé, se jeta sur lui.

— Oh, mon grand, pardon ! Oublie tout ça !

Elle sanglotait contre lui mais il était au-delà de toute douleur. Il la fit rasseoir, alla lui chercher un verre d'eau. Quand elle sembla un peu apaisée, il trouva le courage de partir.

Dès qu'il fut dehors, il essaya de se débarrasser de ce cauchemar. Il faisait très beau, avec un petit vent froid et sec en provenance de la terre. Avant tout, il fallait que sa mère voie un médecin, sinon elle sombrerait bientôt dans une totale dépression. Il se promit d'en discuter avec Mariannick. L'heure du déjeuner était déjà loin mais il n'avait pas faim, il préférait marcher. Sans l'avoir vraiment décidé, il alla jusqu'au cimetière. La tombe de Jaouën se voyait de loin avec sa lourde dalle de granit noir qui semblait trop neuve. Liliane avait fait refaire le caveau sans consulter personne.

Debout face au vent, Joël décida qu'il ne pouvait pas porter seul ce dont sa mère venait de le charger. Il avait passé trop d'années à se sentir coupable, il fallait qu'il se libère. Qu'il cesse d'en vouloir à ce jeune homme qu'il n'était plus, à ce petit con qui avait imité cette fichue signature. Maudit voilier !

Mentalement, il adressa à son père les excuses qu'il avait préparées, tout ce qu'il aurait pu lui dire sans cette mort absurde. Mais aujourd'hui il avait pris la succession, il avait la charge de la famille et il ne pouvait pas avancer dans l'existence plié en deux sous les remords ou les regrets. Ce n'était pas ce que Jaouën aurait voulu. Et ça, au moins, il en avait la certitude.

Les yeux rivés sur les lettres dorées qui formaient le nom de Carriban, Joël rassembla la force nécessaire pour formuler une prière muette qui ne demandait pas seulement le pardon mais qui, surtout, l'accordait. Si son père avait besoin d'une absolution pour reposer en paix, il était assez grand aujourd'hui pour la lui donner.

Thierry avait tellement insisté que Servane avait fini par accepter sa proposition. Ils s'étaient rencontrés par hasard sur le port mais il n'avait pas laissé passer sa chance. Puisqu'elle était venue voir les voiliers, autant faire une petite promenade, profiter du soleil franc qui brillait sur la mer.

Elle avait souvent eu l'occasion de naviguer à bord des bateaux de pêche mais jamais sur une bête de course comme le First. Après s'être engagé à rentrer avant la nuit, Thierry l'installa dans le cockpit et commença ses manœuvres d'appareillage.

Dès qu'ils eurent gagné le large, il se mit à louvoyer, tirant des bords au plus près. Quand il la vit frissonner malgré son manteau, il lui confia la barre quelques instants pour aller lui chercher un ciré. Ensuite il prit une allure plus sage afin de lui donner toutes les explications qu'elle demandait. Ils riaient beaucoup, aussi gais l'un que l'autre, mais il passait plus de temps à observer la jeune fille qu'à contempler la ligne d'horizon. Depuis Noël, il continuait de chercher un moyen pour se retrouver en tête à tête avec elle. Le malheureux quart d'heure au fond d'un bistrot n'avait fait qu'attiser son désir.

À la lumière du jour, elle lui semblait encore plus ravissante que dans son souvenir. Avec quelque chose d'ingénu qui l'empêchait d'aller trop vite. Une fille comme elle ne devait pas se conquérir en deux heures et il décida que, pour une fois, il prendrait son temps.

À plusieurs reprises, il s'amusa à faire gîter outrageusement le voilier, ravi de l'effrayer et de pouvoir la rassurer. Mais il se remit sagement dans la direction du port quand le ciel commença à s'assombrir. Après avoir réalisé un accostage parfait, il vérifia en hâte toutes les amarres et les défenses du bateau, récupéra le ciré qu'elle lui tendait et proposa d'aller se réchauffer devant un verre. Elle déclina son invitation avec autant de gentillesse que de fermeté. Il eut beau plaisanter, supplier, elle se contenta de secouer la tête en souriant, puis elle sauta sur le quai et s'éloigna. Il la rattrapa en trois enjambées.

— Au moins, je vous raccompagne !

— Non, c'est inutile. Merci pour la balade.

— On en fera d'autres si ça vous plaît.

Elle s'arrêta une seconde, posa sur lui ses grands yeux gris.

— Mais oui, pourquoi pas ?

— Samedi prochain ? On peut partir toute la journée et déjeuner en mer.

— Eh bien…

Son hésitation était sincère, désarmante.

— Vous ne travaillez pas le samedi ? s'obstina-t-il.

— Non.

— Alors c'est d'accord !

Pour conserver son avantage, il repartit tout de suite vers son bateau en agitant la main. Songeuse, elle se remit en marche. Peut-être Joël aurait-il envie de venir lui aussi ? Après tout, il adorait la voile et Thierry était son meilleur ami. Si l'escapade le séduisait, elle était prête à claquer des dents toute la journée.

Relevant le col de son manteau, elle dissimula un sourire. Ces deux heures sur les vagues avaient été vraiment agréables. Les occasions de s'amuser étaient plutôt rares et elle n'avait que peu de copains. Elle se tenait volontairement à l'écart des autres. Entre ceux qui la plaignaient d'avoir pour toute famille un père alcoolique qu'elle traînait comme un boulet, et ceux qui ne voyaient en elle qu'une jolie fille, elle avait fait le choix de l'isolement. Seule Mariannick, parce qu'elle était sans préjugés, avait pu forcer sa réserve. Avec elle, Servane était à l'aise, en confiance, sans complexe. Mariannick représentait la mère partie trop tôt, la sœur qu'elle n'avait pas eue, les amies qu'elle avait fuies. Et surtout une porte ouverte sur un autre monde, sans aucune contrepartie.

De sa démarche légère, presque aérienne, elle s'enfonça dans les rues étroites de Saint-Malo. Thierry était un homme agréable, chaleureux, sympathique. Elle espéra qu'il n'avait pas d'idées de séduction en tête. Regardant sa montre, elle se mit à courir. Elle avait promis de garder les trois garçons car, pour une fois, Benoît avait exigé de sa femme un dîner en amoureux. Tant mieux pour eux !

Joël était dans la cave de la villa lorsqu'il entendit claquer la grande porte du hall. Comme il avait négligé de la fermer à clef, il supposa qu'il avait un visiteur, sans doute Thierry qui entrait toujours sans sonner. Il abandonna la grande salle voûtée dont les murs étaient tapissés de casiers à bouteilles. Il n'y avait rien remarqué de particulier et le sol de terre battue était tellement tassé qu'il ressemblait à du ciment. Si Jaouën avait jamais creusé là, c'était sûrement de nombreuses années auparavant. Ce qui signifiait qu'il avait préféré licencier des employés que déterrer son or.

« Non, il n'aurait pas pu justifier d'un apport providentiel en plein contrôle fiscal… », songea Joël en remontant l'escalier de pierre.

Émergeant dans l'office, il entendit la voix de Patricia qui résonnait dans la cuisine.

— Il y a quelqu'un ? Tu es là ? criait-elle.

— Oui, oui.

Elle fit volte-face et lui tomba dans les bras alors qu'il n'en demandait pas tant.

— Ah, tout de même ! Ta voiture était devant le perron et je suis entrée.

Il ne voyait pas le rapport entre son Audi et la liberté qu'elle prenait.

— Regarde ce que je t'ai apporté ! dit-elle en désignant les paquets qu'elle avait posés sur la longue table de marbre. Un petit souper pour deux ! Je pars demain, je dois rentrer à Lorient. J'ai un rendez-vous au conseil général et il faut absolument que j'arrive à les convaincre de sponsoriser ce trimaran ! En attendant, la soirée est à nous.

Habituée à subjuguer les hommes par son assurance, elle s'étonna du peu d'enthousiasme de Joël.

— Ne fais pas cette tête-là, c'est vexant pour moi ! Je te dérange tant que ça ?

— Non.

— Alors, dis-moi bonsoir.

Elle enleva sa parka, secoua ses cheveux blonds. Elle était sculpturale et il se la représenta en train de hisser des voiles, ce qui le fit sourire malgré lui.

— Eh bien, voilà qui est mieux !

Avec une fougue un peu encombrante, elle vint l'embrasser goulûment sur la bouche.

— Tu m'as beaucoup négligée, reprocha-t-elle.

— J'ai du travail… Des tas de soucis…

— Et un chalutier par le fond, Thierry m'a raconté ! Mais justement, tu dois te distraire un peu, penser à autre chose…

Comme elle s'attaquait déjà au premier bouton de sa chemise, il lui saisit le poignet.

— On mange d'abord ? proposa-t-il d'une voix crispée.

— Qu'est-ce que tu as ? s'écria-t-elle. Tu n'es pas en forme ?

— Pas vraiment.

— D'accord ! Débouche donc cette bouteille et trinquons.

C'était exactement ce que lui avait dit Charlotte dans leur appartement de Paris quelques semaines plus tôt. Semaines ou mois, il ne savait plus. Il ouvrit le champagne en prenant son temps. Aucun prétexte ne lui venait à l'esprit pour se débarrasser d'elle. Et peut-être finalement valait-il mieux boire avec elle, faire l'amour avec elle et s'endormir contre elle plutôt que rester seul après une journée pareille. Au moins il n'aurait pas le loisir de ressasser les phrases de sa mère, c'était préférable.

— À la tienne, dit-il en lui tendant un verre.

De l'autre main, il la prit par la nuque et l'attira contre lui. Mais il n'aimait pas son odeur de vétiver. Elle était trop grande et trop musclée, presque masculine dans ses attitudes, et il n'avait décidément pas envie d'elle. Même pas un petit début d'envie. Rien. Il comprit qu'il n'allait pas tarder à se ridiculiser.

— Viens, on dînera après, décida-t-elle en l'entraînant vers le hall.

Incapable de trouver une parade, il la suivit à contre-cœur. C'était une situation stupide, risible. Hélas ! elle connaissait le chemin de sa chambre et, dès qu'ils y entrèrent, elle se mit à l'embrasser tout en finissant de déboutonner sa chemise. Au bord de la panique, il essaya d'évoquer Charlotte, sa peau qu'il adorait, ses formes pleines. Mais il n'éprouva rien d'autre qu'une brusque exaspération. Penser à Charlotte nue, c'était aussi imaginer ce Francis à côté d'elle et le remède était pire que le mal.

Avec des gestes qui manquaient de tendresse comme d'inspiration, il entreprit quand même de déshabiller Patricia. Il n'avait jamais connu ce problème jusque-là. Il avait trente ans, il aimait l'amour, les femmes, et celle-ci était quand même très attirante. Pour masquer sa défaillance, il la souleva, la déposa sur le lit, commença de la caresser. Il avait encore son jean, il pouvait retarder le moment de l'échec pour lui et de l'humiliation pour elle. Il ferma les yeux, chercha désespérément une idée agréable à laquelle se raccrocher. À la place de Patricia, quelle femme aurait-il donc aimé toucher, respirer, posséder ? Dans l'urgence, il ne refusa pas l'évidence, et ce furent les cheveux, la silhouette, les yeux de Servane qui s'imposèrent d'eux-mêmes. Le moindre de ses gestes était sensuel, elle portait un parfum qu'il ne pouvait pas nommer mais qu'il aurait reconnu entre mille, ses cils étaient si longs qu'ils faisaient une ombre sur ses joues. À longueur de journée, il mourait d'envie de la frôler, même s'il s'obligeait à détourner son regard des pulls moulants qu'elle portait et qu'il rêvait de faire glisser sur elle.

— Mon amour..., chuchota Patricia contre son oreille.

Le moment difficile était dépassé, remplacé par la vague de désir qui venait de le submerger. Il s'acharna sur Patricia, ravie, tandis que Servane continuait de le hanter.

Lorsqu'ils descendirent enfin manger, deux heures plus tard, Joël jubilait encore de sa découverte. Il était tombé amoureux sans le savoir, sans l'avoir souhaité, sans même y penser. Obnubilé par sa séparation avec Charlotte, par la dureté dont elle faisait preuve, il n'avait pas eu conscience d'être capable d'aimer ailleurs.

— Je n'ai pas envie de retourner à Lorient, s'écria Patricia en souriant. Nous sommes tellement bien, tous les deux !

Sa déclaration, qu'elle avait préparée, tombait vraiment mal.

— Les grands sentiments ne sont pas mon fort, ajouta-t-elle avec une douceur forcée, artificielle. Mais toi, je crois que je ne vais plus te quitter...

C'était la deuxième fois de la soirée qu'elle le mettait dans une situation impossible et il protesta.

— Attends ! N'exagère pas. Tu n'es pas une gamine et moi non plus. Il n'est pas question que j'établisse une relation durable en ce moment. Tu n'y es pour rien, je te trouve formidable, mais je suis encore marié et...

— Et tu vis seul. Seul ici pendant que ta femme s'envoie en l'air au Mont-Saint-Michel ! Ne me fais pas rire !

Son visage s'était fermé. Furieuse, elle gardait les lèvres pincées.

— Je ne t'ai pas menti et je ne suis pas allé te chercher, répondit-il. Je ne sais pas ce que Thierry t'a raconté ou ce que tu as pu supposer, mais je ne suis pas disponible. Ni pour une liaison, ni même pour une histoire d'amour. Je suis navré si tu as cru autre chose…

— Tu veux que je m'en aille ? cria-t-elle, hors d'elle.

— Non…

Elle jeta le morceau de pain qu'elle tenait à travers la table et croisa les bras dans une attitude indignée. Il en profita pour allumer une cigarette qu'il lui tendit.

— Je t'ai mise en colère, excuse-moi. Mais c'est ridicule de mentir. Je ne suis pas prêt à laisser entrer qui que ce soit dans ma vie en ce moment.

Après quelques secondes de réflexion elle laissa tomber, d'une voix radoucie :

— Dommage…

Se fâcher avec lui serait une erreur, elle en avait conscience. Elle s'était fixé un but et elle s'y tiendrait quoi qu'il en coûte à son orgueil. Jamais un homme ne lui avait paru aussi difficile à conquérir. Elle avait très bien senti, quelques heures plus tôt, qu'il essayait de se dérober et qu'il ne la désirait pas. Mais c'était sans importance car elle se sentait capable de réveiller son ardeur s'il le fallait. Or il s'était montré un merveilleux amant, contrairement à ce qu'elle avait pu craindre un moment. Alors elle avait imaginé la partie gagnée, comptant sur la tendresse et l'abandon qui suivent le plaisir pour pouvoir enfin lui parler d'amour. Et voilà que c'était un fiasco complet. Ou il avait peur de s'engager ou, effectivement, il pensait toujours à sa femme. Le temps arrangerait ce problème. Dans quelques jours il souffrirait de la solitude, elle en était persuadée. Elle n'avait qu'à rentrer à Lorient, s'y attarder, se faire prier, c'était la meilleure stratégie.

— Très bien, dit-elle. Je serai patiente.

Même si elle lui annonçait ainsi qu'elle ne renonçait pas, il se sentit soulagé. Malheureusement elle ajouta aussitôt, d'un air très équivoque :

— Et si nous allions dormir, maintenant ?

Pour éviter que la nuit ne se transforme en parcours du combattant, il choisit une réponse appropriée.

— Oui, dépêchons-nous, il est très tard et tu as une longue route à faire demain, tu as besoin de sommeil.

Après Saint-Coulomb, Joël avait pris une route étroite en direction de la côte. Les indications de Benoît étaient précises et il ne tarda pas à apercevoir la petite voiture rouge de sa sœur garée sur le bas-côté. Deux silhouettes emmitouflées se tenaient immobiles au pied d'un calvaire à l'abandon. Il rangea l'Audi, descendit et franchit les quelques mètres de friches qui les séparaient.

— Oh, la jolie cause perdue ! plaisanta-t-il. Comment comptes-tu le rafistoler, celui-là ?

Il adressa un clin d'œil à Servane et, d'un geste familier, ébouriffa les cheveux de sa sœur.

— Tu me décoiffes tout le temps ! protesta-t-elle pour la forme.

De sa main gantée, elle toucha la croix de pierre qui s'effritait.

— Regarde-moi ça… Ce sont les plus fragiles, les plus vulnérables… Regarde !

Mais c'était Servane qu'il regardait, Mariannick s'en aperçut et n'insista pas.

— Qui t'a dit où nous étions ?

— Ton mari. Je suis allé chez vous pour vous inviter à dîner. Et pas au restaurant, à la maison ! J'ai passé la matinée à faire des courses. Mais j'ai oublié de déjeuner et je n'attendrai jamais jusqu'à ce soir. Alors si vous étiez assez gentilles pour me tenir compagnie, j'ai repéré une crêperie tout près d'ici…

— Chez Jeanne ? Elles sont très bonnes. On te suit volontiers !

Avec Mariannick, tout était toujours simple. Quelques minutes plus tard, ils s'attablaient dans le minuscule établissement qui sentait bon le beurre fondu et le sucre chaud. Après avoir commandé, Joël s'adressa à Servane.

— Vous êtes des nôtres, ce soir ? Pour une fois que je fais la cuisine !

Dès le départ de Patricia, à neuf heures, il avait cherché un moyen de voir la jeune fille le jour même sans attendre le lendemain. Il n'avait pas beaucoup de chance de la rencontrer par hasard un dimanche, sauf chez Mariannick où il avait fini par se rendre. Impatient comme un gamin, il voulait savoir s'il n'avait pas rêvé, si son imagination ne l'avait pas trahi et s'il était vraiment tombé amoureux.

Il profita du moment où on leur servait les crêpes et le cidre pour l'observer. Il était en train de se dire qu'il la trouvait incroyablement belle quand elle leva la tête et déclara :

— J'ai fait une petite promenade en mer avec Thierry, hier. J'ai adoré !

— Avec Thierry ? Sur son voilier ?

S'il lui restait le moindre doute, il fut balayé dans la seconde. L'idée qu'elle ait passé un moment à bord du First lui était carrément odieuse.

— Je n'étais jamais montée sur un bateau de ce genre, c'est très impressionnant.

— Tu ne peux pas avoir un meilleur barreur que lui, déclara Mariannick. À part Joël, bien entendu.

Cette allusion à l'ancienne passion de son frère resta sans écho. Il essaya de dominer son mouvement d'humeur mais posa quand même une question insidieuse.

— Vous n'étiez que tous les deux ?

— Oui... Je vous assure qu'il n'a besoin de personne pour manœuvrer ! dit-elle en riant.

« Et encore moins pour draguer ! » pensa rageusement Joël.

— En tout cas, si tu veux apprendre, tu as déniché le bon prof.

— Apprendre, je ne sais pas. Mais c'est grisant, c'est vrai. Peut-être qu'on pourra recommencer samedi prochain. Ce serait bien si vous veniez...

Elle avait pris son courage à deux mains pour le dire mais il ne répondit rien et ce fut Mariannick qui plaisanta.

— Deux skippers de cette catégorie pour toi toute seule ! Tu veux devenir Florence Arthaud ou quoi ?

— J'irai très volontiers, déclara Joël un peu trop brusquement. Pas question de vous laisser en tête à tête avec le grand méchant loup !

C'était ironique mais elle riposta tout de suite.

— Oh, si c'est pour ça, rassurez-vous, je n'ai pas besoin de chaperon.

Il eut l'impression qu'elle le narguait, qu'elle l'empêchait d'aller plus loin.

— En fait, j'aime tellement la voile que je déteste monter sur le bateau d'un autre, avoua-t-il avec un sourire désarmant. Qui veut encore une crêpe ?

— Moi ! dirent-elles ensemble.

— D'accord, mais gardez une place pour ce soir, j'ai vraiment mis les petits plats dans les grands.

— Tu n'as jamais su faire la cuisine, lui rappela sa sœur.

— On verra bien !

— Est-ce que vous avez besoin d'aide ? s'enquit Servane gentiment.

Comme il attendait qu'elle le lui propose, il approuva son offre sans réserve.

— Tu triches ! protesta Mariannick.

— Non, non, dit-il en riant, c'est mon joker ! Allez, je te l'enlève. Viens quand tu veux, je suppose que tes fils ne doivent pas veiller trop tard ?

— Pour leur oncle, tout est permis ! On sera là vers sept heures.

Il aida sa sœur à enfiler son blouson et elle lui glissa, très bas :

— Ne fais pas le con avec elle !

Un peu surpris d'avoir été si vite deviné, il se contenta de hocher la tête. Mariannick le connaissait trop bien.

— Je monte avec vous ? demanda Servane devant les voitures.

Ils mirent peu de temps à gagner Dinard et, dès qu'ils furent dans la cuisine, il lui exposa le menu. Alors qu'il avait l'habitude de sa compagnie, au bureau, il était soudain intimidé de la voir aller et venir chez lui. Il avait trop pensé à elle, depuis la veille au soir, pour rester indifférent à sa présence. Dès qu'elle lui tournait le dos, il la détaillait des pieds à la tête et, chaque fois qu'elle passait près de lui, il s'arrangeait pour la frôler. Il se traita mentalement de gamin une bonne douzaine de fois avant de se décider à faire quelque chose. Il était sur le point de risquer un geste au moment où elle souleva le couvercle de la poubelle pour y jeter un emballage.

— Mais vous faites toujours la fête ! s'exclama-t-elle en désignant la bouteille de champagne.

Elle souriait et il en profita pour la prendre par les épaules.

— Servane, il faut que je vous dise... Je vous trouve très jolie.

Imperceptiblement, elle se raidit sous ses doigts mais il ne comprit pas l'avertissement.

— J'aimerais beaucoup que nous dînions ensemble, juste tous les deux, un de ces soirs.

— Pourquoi ?

— Eh bien, pour... Pour quelque chose qui ne regarde que nous. Vous et moi.

Il eut l'impression que ses yeux gris s'assombrissaient et il la lâcha.

— Vous n'allez pas me faire le coup du prince charmant et de la bergère ? lui demanda-t-elle d'un ton froid. Celui du patron et de la secrétaire ? C'est très désagréable ! Je suis censée répondre quoi, d'après vous ?

Son manteau était resté sur le dossier d'une chaise et elle s'en empara d'un mouvement rageur. Elle eut le temps de traverser le hall et de dégringoler les marches du perron avant qu'il la rattrape.

— Où allez-vous ?

— Chez moi !

— À pied ? Oh, écoutez, je suis désolé...

178

Comme elle continuait de s'éloigner dans l'allée, il la suivit, lui prit des mains le manteau qu'il l'obligea à l'enfiler.

— Si vous voulez partir, je vais vous raccompagner.

Elle était presque arrivée au portail quand il la saisit par le coude.

— Attendez-moi là, je vais chercher la voiture ! dit-il d'un ton sans réplique.

Mais quand il revint, deux minutes plus tard, elle était déjà en train de marcher sur la route. Il ouvrit la portière et elle accepta de monter. Assise très droite, elle ne lui accorda pas un regard mais se mit à frissonner et il brancha la ventilation. Avant de redémarrer, il se tourna vers elle.

— Je ne vous imaginais pas coléreuse. J'ai dû me montrer très maladroit, d'accord, mais je ne vous ai rien dit de blessant ? Plaire, ce n'est pas une tare ! Vous devez plaire à des tas de gens !

Elle prit une profonde inspiration et articula :

— Je ne suis pas coléreuse. Et je ne veux pas gâcher votre soirée.

Désignant l'horloge du tableau de bord, elle secoua la tête.

— Mariannick va arriver.

Cette constatation parut la désespérer.

— Je déteste ça, dit-elle à mi-voix. Ce sera difficile de travailler avec vous, à présent.

— Mais non ! s'écria-t-il. Oubliez ce que j'ai dit, vous ne me plaisez pas, je ne vous vois pas, on n'en parlera plus ! Si je vous harcèle, dénoncez-moi aux prud'hommes !

Le petit sourire qui apparut au coin de ses lèvres émut profondément Joël.

— Je ne vous ai pas engagée parce que vous êtes jolie mais parce que ma sœur savait que vous êtes sérieuse, efficace. Vous faites du bon travail, je ne vous apprends rien. Maintenant, je passe la première ou la marche arrière ? Comment voulez-vous que j'explique votre absence à Mariannick ? Si je lui avoue que je vous ai fait une stupide déclaration, elle va m'arracher les yeux.

— Stupide, c'est le mot, souligna-t-elle. Faites vite demi-tour, je crois qu'on a laissé une casserole sur le feu...

Très soulagé, il se garda bien de prononcer un mot de plus. Mais lorsqu'il coupa le contact, devant le perron de la villa, il découvrit qu'elle riait en silence. Sa gaieté lui donnait l'air d'une gamine et il se souvint qu'il avait dix ans de plus qu'elle.

8

Dans les bars, au moins, Luc pouvait laisser éclater son amertume, ses ressentiments, ses frustrations. Aux yeux des marins qui traînaient là, il passait pour un personnage important. Il n'hésitait d'ailleurs pas à laisser entendre que l'héritier Carriban multipliait les erreurs mais qu'heureusement il était toujours présent, lui, pour maintenir l'armement dans la tradition. Il faisait volontiers référence à Jaouën, affirmait que celui-ci aurait désavoué les méthodes trop parisiennes de son fils et qu'il devait se retourner dans sa tombe.

Deux clans s'étaient formés au fil des semaines. Le récit des rescapés de l'*Adarre* avait donné des partisans à Joël. Les jeunes étaient tentés de lui accorder leur confiance et attendaient les résultats de la première campagne des chalutiers. Les moins jeunes, les chômeurs, les piliers de comptoir rejetaient en bloc les initiatives du nouvel armateur et lui prédisaient la faillite à court terme. Dans l'atmosphère enfumée et humide des bistrots à matelots, Luc poursuivait son travail de sape en cherchant des alliés.

Yvon Collinée était l'un de ses auditeurs les plus attentifs. L'alcool ne l'empêchait pas d'entendre et de maugréer, mais en général il ne quittait pas sa table isolée où il tirait sur sa pipe, le grand chien noir à ses côtés. Un soir, pourtant, il sortit de sa réserve en entendant le nom de sa fille. Luc l'avait citée, au passage, pour souligner le mépris de Joël en ce qui concernait les vieux employés. Mme Heulin, secrétaire depuis vingt ans chez les Carriban, ne lui avait pas suffi et il avait engagé une petite mignonne pour mieux parader. Tout n'était qu'esbroufe chez l'héritier !

À la table voisine, un homme se retourna vers Yvon pour l'interpeller.

— C'est de ta fille qu'on parle, non ?

— Elle est sérieuse, grommela Collinée qui était vexé.

— Avec le physique de play-boy de son patron, elle le restera pas longtemps, tu vas voir ! railla quelqu'un dans la salle.

Des rires éclatèrent tandis qu'Yvon devenait rouge de colère. Sa pire angoisse était bien là et il se leva brusquement, bousculant le chien.

— Qu'il s'y frotte, tiens ! Qu'il essaie !

Luc, qui était toujours appuyé au comptoir, enregistra avec intérêt la réaction du vieux marin.

— Ben quoi, sa femme est à Paris, faut bien qu'il se console…, ricana un consommateur. Elle est gironde, ta gosse, et lui c'est un vrai Viking !

Mettre Yvon en colère était si facile que la tentation était trop forte pour ces malheureux qui ne savaient pas comment tromper leur désœuvrement. Dans l'hilarité générale, tout le monde se poussait du coude.

— Vos gueules…, grogna le patron du bar.

Il surveillait Collinée qui semblait sur le point de faire un esclandre.

— Il a pas intérêt à se trouver devant moi, ce fumier ! S'il louche sur ma fille, il aura sa trempe, foi de Malouin…

Prononcée à mi-voix, la menace était plus réelle que s'il avait hurlé. Sa main ne tremblait pas en ramassant la blague à tabac, ni en comptant la monnaie. À présent, il était pâle à faire peur. Il traversa le bistrot dans un silence complet, le chien sur ses talons. Une fois dehors, il longea le quai d'une démarche plus rapide que d'habitude. À quelques mètres des locaux de l'armement, il s'immobilisa et leva les yeux vers les fenêtres des bureaux. Une lumière brillait encore à l'étage. Yvon demeura longtemps sans bouger. Seuls ses poings se crispaient dans les poches du caban usé. Servane n'avait pas besoin de lui pour se protéger, elle était effectivement très sérieuse. Mais serait-ce suffisant pour résister à ce monde de riches où l'argent coulait à flots ? Il lui poserait la question sans détour, dès le lendemain. Bien sûr, elle devait gagner sa vie, leurs deux vies même ! Seulement elle aurait pu travailler ailleurs ! Pourquoi fallait-il que ce soit toujours aux Carriban d'employer les Collinée ? Pour, et c'était le pire, les rejeter ensuite selon leur bon vouloir.

— Je t'ai prévenu, mon gars. Touche-la et je te démolis pour le compte !

Ce n'était plus une parole en l'air puisqu'il s'y était engagé publiquement, *foi de Malouin*. Car s'il ne pouvait plus pousser la porte d'un bar sans devenir la cible des plaisanteries, il n'avait plus qu'à mourir. Il baissa les yeux vers son chien.

— Pas vrai, le Clebs ?

Dans le silence de la nuit, il s'éloigna enfin. Appuyé à la fenêtre de son bureau, Joël le suivit longtemps du regard. Il avait tout de suite reconnu les silhouettes de l'homme et du chien. Yvon continuait de l'épier, ce qui était une constatation assez inquiétante. Il fallait absolument qu'il trouve le moyen de s'expliquer avec lui. Peut-être aussi de faire quelque chose pour lui.

Ruisselant de sueur, Benoît s'arrêta un instant et s'appuya sur sa bêche.

— On en a pour tout l'hiver à creuser des trous au hasard !

Joël s'interrompit à son tour, se laissant tomber à genoux.

— C'est crevant…

— Vous voulez un coup de main ? persifla Mariannick qui était assise sur un tonneau.

D'un commun accord, le frère et la sœur avaient décidé d'entreprendre des recherches pour trouver l'or prétendument caché par Jaouën.

— Maman n'a aucune idée de l'endroit exact, rappela-t-elle. Elle n'était pas avec lui quand il l'a enterré et elle n'a rien pu me dire…

Benoît vint s'asseoir en tailleur auprès de Joël.

— Très amusant, votre chasse au trésor, vraiment… On ne connaît même pas la profondeur ! On ne pourrait pas louer un détecteur de métaux ?

— Tu crois ? Ta tête ou la mienne sont un peu trop connues par ici pour que les gens ne se posent pas des tas de questions ! répliqua Joël.

— Est-ce que vous voulez du café ? proposa Mariannick. Vous n'avez pas froid ?

— Froid ? Tu plaisantes ?

Ils se relevèrent ensemble et reprirent le travail, les muscles douloureux. Elle les regarda un moment s'arc-bouter sur les manches des outils avant de quitter son perchoir.

— On ne va jamais y arriver comme ça, il faut qu'on réfléchisse d'abord.

Trop contents de s'interrompre, ils acquiescèrent.

— Il a bien dû prendre un point de repère…

— Pas forcément, protesta Benoît.

Personne ne pourrait jamais deviner à quoi Jaouën avait pensé en enfouissant ses lingots.

— Et si c'était comme la fable du laboureur ?

— Ce n'est pas à nous qu'il s'est confié, souligna Joël, mais à maman. À elle, il n'aurait jamais menti.

— Vous allez attraper la crève, allons discuter en haut, trancha Mariannick.

Ils se réfugièrent dans le bureau dont les rideaux étaient tirés et où un feu achevait de se consumer. Joël regarda ses mains écorchées et Benoît se moqua de lui.

— Ta peau de bébé a souffert ?

À force de manipuler à longueur de temps des coquillages, lui ne craignait pas grand-chose. Mariannick s'approcha de son frère et se mit à lui masser doucement les épaules.

— Tu devrais faire du sport…

Elle n'osait pas lui suggérer de se remettre à la voile, imaginant sans peine qu'il aurait du mal à franchir le pas. Elle songeait souvent au *Nadir* avec nostalgie. Combien de fois les avait-elle accompagnés, Thierry et lui, lorsqu'ils sortaient faire des réglages en mer ? À cette époque-là, elle avait une folle admiration pour son frère et toutes ses amies la suppliaient de le leur présenter. Ivre de vitesse et de vent, elle avait passé des moments extraordinaires à les regarder manœuvrer impeccablement, à sentir le bateau frémir et s'élancer, à l'écouter grincer et siffler.

— Pas si fort, tu me fais mal, protesta-t-il.

— Oh, quel douillet !

Elle l'abandonna pour aller s'asseoir sur les genoux de Benoît qui demanda brusquement à son beau-frère :

— Tu ne t'ennuies pas, seul ici ?

— Jamais. Vraiment jamais. Au contraire, j'aimerais pouvoir y passer davantage de temps.

— Tu dors toujours dans ta chambre ? interrogea Mariannick.

— Oui, et j'ai colonisé la tienne pour Juliette. Mais, si ça t'ennuie…

— Pourquoi donc ? Non, je pensais juste que tu prendrais celle des parents, à cause de la terrasse. Mais tu aviseras cet été.

Il plongea son regard dans celui de sa sœur et murmura :

— Tu crois que maman ne voudra jamais revenir ? Vraiment jamais ?

— J'en suis certaine.

— Et ses meubles, toutes ses affaires… Elle ne va pas…

— Non. N'y compte pas. Elle a tiré un trait. Je suis persuadée qu'elle ne franchira plus le seuil de cette maison. Tu n'auras qu'à lui poser la question.

— Toi, plutôt. Parce que, moi… Elle ne tient pas à me voir.

— Joël ! Comment peux-tu dire ça ?

— C'est elle qui l'a dit, pas moi. Pour une histoire de ressemblance. Elle a du mal à…

Mais c'était lui qui éprouvait une difficulté à finir sa phrase.

— Oh, mon pauvre vieux, ne t'inquiète pas de ça ! Maman perd un peu les pédales, nous en sommes tous conscients. Elle te réclamera d'ici deux jours, tu la connais !

Consternée, Mariannick enveloppait son frère d'un regard tendre. Elle n'avait pas supposé que leur mère irait jusque-là malgré son comportement étrange depuis le décès de Jaouën.

— Tu dois lui faire l'effet d'un fantôme, intervint Benoît. Alors elle a été maladroite. Mais s'il y a quelqu'un dont elle a besoin, c'est bien toi !

Mariannick remercia son mari d'une pression des doigts. Même s'il n'avait pas une grande passion pour son beau-frère, il savait faire la part des choses. Et Joël avait beaucoup de soucis à la fois. Pour changer de sujet, Benoît ajouta :

— Alors, qu'est-ce qu'on décide pour la cave ?

— Je suppose qu'il vaudrait mieux se montrer méthodiques. On va prendre notre temps, dessiner un plan du sol, reboucher les trous au fur et à mesure. Papa n'a pas creusé jusqu'au niveau de la mer ! On se limitera à… quatre-vingts centimètres maximum. D'accord ? Et on a toute la vie devant nous, on fera ça à nos moments perdus.

— Eh bien, j'espère qu'on n'y perdra pas des années ! soupira Benoît. Bon, on va y aller, il faut qu'on libère Servane, c'est elle qui garde les enfants.

Il se leva et quitta le premier le bureau. Avant de partir, il voulut se laver les mains et Mariannick se retrouva seule quelques instants avec son frère dans le hall.

— À propos de Servane…, dirent-ils exactement en même temps.

Surpris, ils éclatèrent de rire.

— Toi d'abord, proposa Joël.

— Je voulais m'assurer que tu ne lui tournes pas autour.

— Dors sur tes deux oreilles, je me suis fait vertement remettre en place !

— Alors tu as essayé ? Non, laisse-la tranquille, laisse-la gagner sa vie en paix !

Embarrassé, il resta silencieux.

— Qu'est-ce que tu voulais savoir ? s'enquit-elle d'un ton de reproche.

— C'est au sujet de son père. On ne pourrait pas lui trouver un petit travail, quelque chose à faire ?

— Il vaudrait mieux que tu ne t'occupes pas de lui, il ne te porte pas dans son cœur.

— Je sais. Mais toi ?

— Joël, voyons… C'est un alcoolique ! Et je suis aussi une Carriban. Il rejettera tout ce qui viendra de nous. D'ailleurs je te préviens qu'il vaut mieux éviter ce sujet avec Servane.

Elle tendit les bras vers lui et il se pencha pour l'embrasser.

— À demain, ma belle, dit-il en la serrant trop fort.

Il referma la porte derrière eux, écouta le bruit du moteur décroître avant de regagner le bureau. C'était la pièce où il se tenait le plus souvent mais il les aimait toutes ; il était bien du haut en bas de la maison. Chaque soir, quand il montait se coucher, il entrouvrait une fenêtre de sa chambre pour s'endormir en entendant le ressac. Son sommeil était parfois troublé par la sirène d'un lointain bateau et, le matin, c'était les cris des goélands qui le réveillaient. Quels que soient les problèmes qu'il rencontrait, il avait eu raison de rentrer, de rester.

Le retour du cargo fut un succès complet. Le poisson qui emplissait ses cales était d'une remarquable fraîcheur et le cerclage des caisses authentifiait la date de capture. Joël monta à bord dès qu'une passerelle fut installée, afin d'avoir tous les détails de l'opération qui se soldait par une cargaison de trois cent soixante-dix tonnes. Il resta un très long moment avec le capitaine et le second, se fit décrire le transbordement par le menu car c'était le moment délicat, celui qui l'inquiétait le plus. Mais les manœuvres s'étaient déroulées sans heurt. Les douze hommes d'équipage de chaque chalutier s'étaient montrés très efficaces, les pare-battage [1] avaient rempli leur rôle au moment de la mise à couple des navires, il n'y avait eu aucun incident.

Un peu rassuré, Joël ne quitta le cargo qu'en début d'après-midi après avoir mis au point la rotation suivante qui dépendrait des conditions de pêche et des messages radio. De retour au bureau, il ne prit pas le temps de savourer cette première victoire. Ce n'était qu'un début et il ne voulait pas triompher prématurément. Il faudrait soutenir cet effort plusieurs mois avant de commencer à souffler.

Luc se crut obligé de le féliciter, ce qu'il fit du bout des lèvres et sans grande conviction. Il attendait la suite des événements, guettant l'inéluctable catastrophe.

---

1. Protection pour éviter les chocs des coques en acier les unes contre les autres.

— Le bénéfice de cette première campagne va donc nous permettre de commencer nos remboursements, rappela-t-il sans pitié.

— Oui, lui rétorqua Joël, aujourd'hui avec le poisson nous ne pêchons plus des kilos mais des francs ! La formule n'est pas de moi et on ne peut pas refaire le monde.

Bien entendu, Luc détestait ce genre de repartie mais il ne voulait pas d'affrontement avec Joël, et surtout pas devant les autres employés. Il garda donc pour lui toutes les choses désagréables qu'il aurait pu ajouter et regagna sa salle du premier étage. Joël en profita pour appeler Servane dans son bureau afin d'établir avec elle un bilan provisoire de l'acheminement des marchandises. Là encore, il voulait gagner du temps et surveiller de près les horaires des transporteurs.

Depuis qu'elle s'était mise en colère, à la villa, il faisait attention à ce qu'il lui disait. Elle conservait une attitude naturelle, bavardait sans réserve et plaisantait volontiers avec lui, mais il avait la nette sensation qu'elle avait quand même installé entre eux une infranchissable barrière. Dès qu'il l'apercevait, il avait envie de lui sourire mais s'en abstenait pour ne pas la gêner. Il ne savait plus s'il devait l'inviter à déjeuner ou pas, s'il pouvait se permettre d'avoir des attentions, s'il n'outre-passait pas ses droits en la faisant venir toutes les cinq minutes.

— Notre pilote va emmener la première équipe de remplacement dans deux jours mais c'est un vrai casse-tête, dit-il en lui tendant des listes.

— D'autant plus qu'il n'aura pas que des hommes à convoyer ! Si j'ai bien tout noté à travers les différentes demandes, vos capitaines ont réclamé pour leurs

hommes un peu plus d'alcool à bord… Sans parler de…
voyons…

Elle feuilletait une pile de communiqués et énuméra,
au hasard :

— Savon… Journaux, mais je vous fais grâce des
titres… un transistor… des lames de cutter…

— C'est un inventaire à la Prévert ? Donnez-leur tout
ce qu'ils veulent.

— La boisson aussi ?

— Évidemment. Voyez large. Ils font du bon travail
et il n'y a pas un seul malade ou même un blessé léger.
Avec le maniement des grues, je n'étais pas vraiment
tranquille. Est-ce que nous avons reçu les autorisations
en bonne et due forme des Écossais ? Je ne peux pas me
contenter d'un accord verbal. Surtout en ce moment !

— Oh, ils ont envoyé un document très explicite !
Vous avez le droit de stationner pour transborder à condition que les chalutiers s'en aillent immédiatement. Ils
vont les surveiller de très près.

Elle posa ses papiers sur le coin du bureau et fouilla la
poche de son petit gilet bleu qui lui allait à ravir.

— J'ai quelque chose à vous donner… Voilà. C'est le
premier versement.

Délicatement, elle déplia cinq billets qu'elle lui tendit
avec un sourire hésitant.

— Qu'est-ce que c'est que ça ? demanda-t-il sans les
prendre.

— Nous étions d'accord, vous vous en souvenez ?

— Je n'en veux pas !

Le manteau beige, la boutique anglaise avec sa
vendeuse attentionnée, toute la scène lui revint en
mémoire. Était-ce ce jour-là qu'il était tombé amoureux
d'elle ?

— Un marché est un marché, dit-elle en mettant les billets près du téléphone.

Sans réfléchir, il s'en saisit, les remit dans la poche du gilet puis s'éloigna aussitôt d'elle.

— Je peux bien vous offrir un manteau ! Ce n'est pas un délit, ça ne vous engage à rien ! D'ailleurs, j'avais oublié. N'en parlons plus.

Avec inquiétude, il la vit ressortir les billets qu'il avait froissés dans sa hâte. Elle les lissa d'un geste attentif avant de se tourner vers lui. Il réalisa soudain l'importance de cette somme, pour elle, et la manière désinvolte dont il venait de traiter cet argent.

— Servane, si vous insistez, nous allons nous disputer, affirma-t-il avant qu'elle ne parle.

— Eh bien, disputons-nous ! À ma connaissance, vous avez une femme, une fille, une sœur, et même une maîtresse à qui faire des cadeaux ! Je n'ai pas besoin d'aumône, je ne suis pas une pauvre fille, et en plus je respecte toujours mes engagements ! Pas vous ?

L'envie de la prendre dans ses bras était si forte que Joël contourna son bureau et alla s'asseoir.

— Écoutez-moi, dit-il posément, il y a un système de prime dans les salaires, vous êtes au courant ? Attendez d'avoir touché la vôtre, dans quelques mois, et vous me rembourserez à ce moment-là. Je crois que c'est équitable. Ce sera plus simple pour vous et pour moi.

Elle soutint son regard quelques secondes. La proposition n'avait rien de désobligeant et elle finit par hocher la tête. Soulagé, il risqua un sourire.

— Vous êtes redoutable, plaisanta-t-il.

— Le plus têtu c'est vous, indiscutablement !

Luc passa la tête à la porte qui était restée ouverte.

— Puis-je vous voir un moment ? demanda-t-il à Joël.

Il s'était arrangé pour poser sa question de la manière la plus neutre qui soit, mais la conversation à laquelle il venait discrètement d'assister l'avait beaucoup amusé. Le fils Carriban offrait des vêtements à la petite ? Voilà une nouvelle qui intéresserait un certain Collinée ! De quoi attiser les haines et faire parler les bavards, exactement ce dont il avait besoin.

— C'est au sujet des assurances, pour l'*Adarre*, ajouta-t-il.

— Je vous rejoins en haut.

Dès qu'il eut disparu, Joël leva les yeux au ciel.

— Il m'est tellement antipathique que je me demande si je ne deviens pas caractériel !

— Vous l'êtes, confirma Servane, mais c'est vrai qu'il pourrait faire un effort.

— Oui, de propreté, au moins ! Vous avez vu l'état de ses lunettes ?

Il fut heureux de la voir rire parce qu'elle était ravissante quand elle se laissait aller. Ni l'un ni l'autre ne supposèrent un seul instant que Luc avait surpris leur conversation.

Ce soir-là, Thierry réussit à persuader Joël d'aller fêter dignement le retour du cargo. Il décida d'organiser les réjouissances et ils commencèrent par aller dîner à Avranches avant de continuer leur route jusqu'à Granville. Joël aimait le jeu, quelques années plus tôt, et Thierry s'en était souvenu. Mais il se doutait bien qu'il valait mieux s'éloigner un peu. La présence de Joël autour d'une table de roulette ou de black-jack, à Saint-Malo, serait commentée sans pitié dès le lendemain, et il y aurait bien quelques mauvaises langues pour affirmer que l'armateur, à peine les cales déchargées, s'était empressé d'aller dilapider son argent.

En se garant devant le casino, ils échangèrent un regard complice. Pour se mettre en train, ils allèrent d'abord dans la salle des machines à sous, les bandits manchots, où régnait l'habituelle activité fébrile. Thierry ne mit qu'un quart d'heure à perdre son seau de pièces. Il rejoignit Joël, plus chanceux que lui jusque-là, et il le regarda faire en plaisantant. Ensuite ils changèrent d'endroit pour passer à des choses plus dangereuses. Autour de la table de roulette, l'atmosphère était différente, plus feutrée et plus inquiétante. Comme ils s'étaient mutuellement promis de se surveiller, lorsque Joël voulut changer de l'argent pour la troisième fois, Thierry l'en empêcha.

— Je crois que ça suffit pour cette nuit, décida-t-il, je t'offre un verre.

Sans tenir compte de ses protestations, il l'entraîna au bar.

— On dirait que tu ne t'es pas tout à fait débarrassé de tes démons ! fit-il remarquer en commandant des whiskies.

— C'est toi qui as voulu venir ici. Je ne m'y serais pas risqué tout seul, je connais mes points faibles ! Et puis je perds toujours…

— Malheureux au jeu, heureux en amour ! rappela gaiement Thierry. À propos, où en es-tu avec Pat ? Elle m'appelle deux fois par jour et l'essentiel de sa conversation tourne autour de toi.

— Moi, ou bien ce qu'elle croit que je peux faire pour elle et pour son trimaran ?

— Tu es injuste. En réalité, tu l'as épinglée pour de bon…

D'un air indifférent, Joël haussa les épaules.

— Elle est très gentille mais vraiment…

— Qu'est-ce que tu as ? Tu penses toujours à ta femme ? Tu vas nous jouer les inconsolables ?

— Je suis obligé d'oublier Charlotte, que ça me plaise ou non. Seulement il y a ma fille.

Thierry observait le profil de Joël. Au bout d'un moment il demanda :

— C'est vraiment important, les enfants ? De temps en temps, je me dis que je devrais rentrer dans le rang, fonder une famille. Mais il y a si peu de couples qui tiennent la distance, de nos jours ! Et puis j'aime trop mon bateau. Aucune femme ne le supporterait. Alors je reste seul, au moins je suis libre.

Se tournant vers lui, Joël le regarda franchement.

— Je te comprends. Mais moi je ne peux pas revenir en arrière. Juliette existe. Si elle est malheureuse, comme tous les gamins dont les parents se séparent, c'est ma faute.

C'était le bon moment pour parler à cœur ouvert et Thierry en profita aussitôt.

— Arrête un peu avec la culpabilité. Tu te crois toujours responsable de tout. C'est de l'orgueil ou quoi ? Vous êtes des millions à divorcer. À perdre du pognon dans les casinos ou au Loto. À commettre des erreurs de jeunesse. Tu es un type bien et tu as le monde à tes pieds si tu veux, si tu arrêtes de te mortifier en pure perte. Ce que tu fais avec l'armement est très courageux, il n'y a que les imbéciles pour prétendre le contraire.

Un peu interloqué, Joël termina son verre en silence puis fit signe au barman de les resservir. Le jugement de Thierry était sain et il n'avait aucune raison de le rejeter.

— Viens en mer avec moi, tu en meurs d'envie. Tu sais bien qu'on ne refait jamais deux fois la même chose. Laisse le *Nadir* aux oubliettes.

Les yeux dans le vague, Joël murmura :

— Maudit voilier… Qu'est-ce qu'il a pu devenir ?

— Il est hors d'âge ! Tu y penses encore ? Un retraité doit faire du cabotage avec, en Méditerranée. C'est de mon First que je te parle, redescends sur terre. Je voudrais vraiment ton avis pour deux ou trois trucs qui me turlupinent…

— Quoi, par exemple ?

— Le spi.

— L'asymétrique ?

— Oui.

— C'est ce qui m'a semblé l'autre jour. Et aussi ton génois.

— Accorde-moi une journée, insista Thierry.

L'image de Servane fit hésiter Joël qui proposa le samedi. Autant faire plaisir à Thierry tout en empêchant un second tête-à-tête.

— D'accord, mais j'avais promis à la copine de ta sœur une petite virée…

— Eh bien, embarquons-la !

La lueur d'ironie qui passait dans les yeux clairs de Joël n'échappa nullement à Thierry. Ni l'un ni l'autre n'avait prononcé le prénom de la jeune fille, comme s'ils voulaient éviter de concrétiser une rivalité latente. Ils avaient réussi à ne jamais se disputer les mêmes femmes durant toute leur jeunesse et n'avaient pas l'intention de commencer maintenant. Thierry régla les consommations sans rien ajouter. En quittant le casino, Joël essaya de ne pas penser à la somme qu'il avait perdue. Il se promit de ne plus se laisser tenter. Au moins en ce qui concernait les jeux de hasard. Pour la voile, c'était différent, il ne savait pas combien de temps il pourrait résister. Ni même s'il le devait.

Le lendemain, en fin de matinée, Joël eut la stupeur de voir débarquer Charlotte dans son bureau. Elle était seule et lui annonça tout de suite qu'elle venait pour raison professionnelle. Affable, détendue, elle expliqua qu'elle avait « vendu » à son rédacteur en chef un sujet sur la pêche, les armateurs et les marins. Elle comptait sur son mari pour lui dévoiler toutes les ficelles du métier, lui donner les tuyaux nécessaires à un grand papier.

Un peu abasourdi par son culot, il lui fit remarquer qu'elle aurait pu le prévenir de son arrivée.

— Pourquoi ? Je ne t'empêche pas de travailler ! Tu vas m'inviter à déjeuner et on parlera pendant ce temps-là. Ensuite je poserai quelques questions à tes employés. Mais vite fait, parce que je reprends le train à cinq heures.

— Comment va Juliette ?

— Très bien, c'est un amour. Elle parle tout le temps de toi.

— J'aimerais l'avoir aux vacances de février.

— Je ne sais pas si ce sera possible.

— Débrouille-toi. J'y tiens.

Elle l'observait avec curiosité, lui trouvant quelque chose de changé mais sans pouvoir définir quoi.

— Écoute, Joël…

— Non ! Je veux Juliette au moins une semaine.

Dès qu'il était question de sa fille il devenait agressif. Mieux valait céder sur ce point.

— Bon… Je m'arrangerai.

Un petit silence passa entre eux, chacun étant conscient du chantage de l'autre.

— Tu as l'air en forme, lui dit-elle enfin.

Le sourire poli qu'il lui adressa la contraria beaucoup. Elle le connaissait trop bien pour ne pas s'apercevoir qu'il se forçait à être aimable et qu'il ne semblait pas spécialement troublé par sa présence.

— Est-ce que ta secrétaire pourrait nous faire du café ? demanda-t-elle assez haut pour être entendue du bureau voisin dont la porte n'était pas fermée.

— Elle n'est pas là pour ça ! riposta Joël.

— Mon chéri… Que tu deviens triste, conventionnel, coincé ! C'est la province qui te fait cet effet-là ?

Furieux, Joël vit Servane qui entrait, un plateau à la main. Le café devait être déjà prêt et elle en avait servi deux tasses.

— Merci mademoiselle ! Mon mari pensait que vous n'auriez pas le temps de vous occuper de nous, c'est très gentil.

Debout entre eux, Servane ne lança qu'un rapide regard vers Charlotte qui enchaînait, d'un ton languissant :

— Où m'emmènes-tu déjeuner, mon amour ? Je meurs de faim et j'ai mille choses à te demander…

La jeune fille s'était éclipsée et Charlotte se leva pour aller fermer la porte de communication.

— Arrête de te comporter en pays conquis ! protesta Joël.

Il était navré pour Servane, pour ce qu'elle allait forcément croire.

— Elle est ravissante, ta secrétaire, dit sa femme à voix basse. Sexy, superbe ! Quel âge a-t-elle ?

— Vingt ans.

— Et tu résistes, mon chéri ? Remarque, les rousses, c'est particulier. Il faut aimer !

— Charlie, tu devrais changer de ton. Tu débarques ici comme si on s'était quittés hier, comme si tu avais tous les droits, c'est insupportable.

Contrariée, elle revint vers lui, hésita.

— Tu fais très sérieux dans ton fauteuil directorial ! Ne sois pas méchant avec moi. J'aurais pu faire tout ça par téléphone mais j'avais envie de te voir.

C'était un aveu facile car c'était vrai. Joël lui manquait, ce qui la rendait folle de rage, et Francis n'était vraiment pas une consolation suffisante.

— Allons manger, proposa-t-il en se levant.

Elle tendit les bras vers lui et, d'un mouvement spontané, se blottit contre lui. Il ne s'attendait pas à ce brusque abandon, à cet élan de tendresse. La porte s'ouvrit à cet instant et Servane, passant la tête, lui annonça qu'il avait un fax urgent. Elle disparut tout de suite, très gênée de les avoir surpris. Elle aurait pu utiliser l'Interphone pour le prévenir mais la curiosité avait été la plus forte. Ainsi qu'elle le supposait, il était toujours fou de sa femme. Cette confirmation de ses craintes lui avait coupé le souffle une seconde. Elle mit le papier en évidence sur son propre bureau et se dépêcha de décrocher son manteau.

— Vous partez ?

Incapable de le regarder, elle ramassa son sac en bredouillant :

— L'hypermarché attend votre confirmation. Je serai là à deux heures si vous voulez dicter la réponse.

Avant qu'il ait le temps de réagir, elle avait gagné le couloir. Il ne fit rien pour la rattraper mais il était certain qu'elle allait le maintenir à distance désormais.

D'assez mauvaise humeur, il conduisit néanmoins Charlotte au Borgnefesse, un établissement qui devait son nom à un capitaine de la flibuste et qui était essentiellement fréquenté par des marins. Elle apprécia ce choix, très couleur locale, et posa un magnétophone de poche près de son assiette.

— C'est mieux pour une interview, assura-t-elle.

Trouvant qu'elle allait trop loin, il prit l'appareil, le retourna, ôta les piles qu'il glissa dans sa poche.

— Si ça t'intéresse vraiment, tu n'as qu'à retenir ce que je dis. De toute façon, je ne crois pas que la pêche te passionne…

— Moi, non, mais mon journal, oui ! Pourquoi es-tu tellement désagréable avec moi ? C'est d'être devenu un armateur qui te monte à la tête ?

— Je crois qu'au lieu de nous disputer nous devrions parler de choses sérieuses.

— Si tu veux ! Il faudrait par exemple que tu songes à me faire un virement. Je ne vais pas entretenir Juliette toute seule.

— C'est normal. Trouve un avocat commun et nous divorcerons par consentement mutuel. Ton Francis n'a pas hâte de t'épouser ?

Elle supposa qu'il se montrait odieux parce qu'il était malheureux.

— Francis est un chic type. Et je crois qu'il peut faire beaucoup pour moi, pour ma carrière de journaliste. Il est possible que je sois obligée de voyager, dans l'avenir…

— Alors laisse-moi la garde de Juliette !

Ce cri du cœur exaspéra Charlotte. Il ne pensait qu'à sa fille au lieu de profiter de leur tête-à-tête.

— Est-ce que tu m'aimes encore ? demanda-t-elle en se penchant au-dessus de la table.

Sa question lui avait échappé mais c'était trop tard.

— Charlie, je t'ai aimée à la folie, dit-il doucement. J'ai passé des semaines effrayantes, au début. Mais tu n'as pas fait un seul pas vers moi, tu n'as pas essayé de comprendre. Tu as décidé que tout était ma faute et que c'était fini. Alors, aujourd'hui, c'est vrai, c'est terminé.

Même si ce n'était pas tout à fait exact, il avait décidé de s'en tenir là. Il s'était effectivement détaché de sa femme. Le moment où elle aurait encore pu le rejoindre et tout effacer était dépassé. Il vit qu'elle faisait un effort pour accepter ce qu'il venait de lui assener.

— Très bien, parvint-elle enfin à répliquer. Parle-moi donc de tes bateaux, je suis là pour ça.

Elle rangea le magnétophone dans son sac et en sortit un bloc-notes. Jusqu'à la fin du déjeuner, ils évitèrent tout sujet un peu personnel. Dès qu'ils furent de retour à l'armement, Joël conduisit sa femme au premier étage et la présenta à Luc qui promit de répondre à toutes ses questions. Obséquieux, il l'installa dans son propre fauteuil et s'assit en face d'elle, se donnant des airs importants. Joël les abandonna sans regret pour gagner son bureau. Servane n'était pas là bien qu'il soit déjà deux heures et demie, mais Mariannick l'attendait.

— Regarde ! lui lança-t-elle triomphalement.

Elle lui désignait un drôle d'engin posé sur la moquette, devant la fenêtre.

— C'est quoi, cette horreur ? Une sculpture moderne ?

— Un détecteur de métaux !

Éberlué, il la regarda comme si elle était devenue folle.

— Pour retrouver mon bracelet ! claironna-t-elle. Sinon je vais en faire une maladie… C'est le type qui écume les plages, l'été, qui me l'a prêté. Je tiens tellement à ce bijou… Je l'ai eu pour la naissance de Jacques ! Et je ne sais même pas comment avouer à Benoît que je l'ai perdu.

Ses yeux pétillaient et Joël eut un rire silencieux. Il alla fermer les portes.

— Mais tu mens drôlement bien, je n'aurais jamais cru ça de toi ! chuchota-t-il. Pourquoi prends-tu tellement de précautions ?

— Parce que les murs ont des oreilles ! Luc passe son temps à rôder dans les couloirs, méfie-toi.

— Pour le moment, il est coincé avec Charlotte.

— Oui, Servane m'a prévenue de sa visite.

— Où est-elle, à propos ?

— Servane ? Dans le bureau de Mme Heulin. Est-ce que tu as lu ce fax ?

— Malheureusement, oui…

Avec un soupir, il lui prit le papier des mains, le parcourut une nouvelle fois.

— Ils veulent des garanties pour la suite, c'est logique. Mais c'est aussi une façon de nous prendre au piège. Je refuse de nous laisser passer la corde au cou.

Ses accords avec la chaîne d'hypermarchés étaient soumis à des conditions très dures qui l'inquiétaient, elle ne l'ignorait pas.

— Qu'est-ce que tu vas faire ?

— Gagner du temps. Quelques semaines. Au moins jusqu'au rendez-vous avec le groupe hôtelier dont je t'ai parlé.

— Ce serait vraiment un meilleur client ?

— Plus rentable et plus sécurisant pour nous. Les hypers cassent les prix à la vente, donc à l'achat. Ce ne sera pas le cas avec les autres. Il s'agit de restaurants de bonne catégorie. Si on leur garantit une fraîcheur irréprochable et des arrivages réguliers, ils nous donneront l'exclusivité. C'est un marché énorme, ma vieille !

— Alors on croise les doigts et on prie le bon Dieu ?

— Avec ça, on est paré, dit-il en riant.

Elle le rassurait toujours et il lui en savait gré. La porte qu'il venait de fermer se rouvrit bruyamment.

— C'est bientôt l'heure de mon train ! s'écria Charlotte en entrant.

Luc se tenait derrière elle, sur le seuil.

— Je peux raccompagner Mme Carriban à la gare, si vous êtes occupé, proposa-t-il de sa voix nasillarde qui avait le don d'exaspérer Joël.

— Merci beaucoup mais je m'en charge.

Charlotte embrassa Mariannick sans chaleur, puis remercia Luc avant de rejoindre Joël qui s'impatientait. En traversant le grand hall, ils croisèrent Servane qui leur adressa juste un petit signe de tête. Dans la voiture, ils gardèrent un silence contraint mais Joël fit l'effort de suivre sa femme jusqu'au quai.

— Ne perds pas ton temps ici, proposa-t-elle. C'est toi qui viendras chercher Juliette dans quinze jours, n'est-ce pas ? Eh bien, je crois que… Tu m'avais demandé de t'accorder une soirée, tu te souviens ? Il me semble que ce n'est plus d'actualité ?

Pour une fois elle manquait d'assurance et s'abstenait de le narguer. Il eut de la peine pour elle, pour lui-même, pour ce qu'ils auraient pu sauver s'ils l'avaient vraiment voulu.

— Je serai toujours heureux de te voir, Charlie…

Le haut-parleur annonçant l'arrivée du train avait couvert sa voix. Il se pencha vers elle pour lui souhaiter un bon retour mais elle se détourna et se dirigea vers un wagon. Immobile, il attendit le départ sans savoir quelle fenêtre regarder. À l'intérieur d'un compartiment, Charlotte s'était assise. Elle observait Joël en prenant garde de rester invisible. Une boule s'était formée dans sa gorge et elle dut avaler sa salive à plusieurs reprises afin de refouler une stupide envie de pleurer. Comment avait-elle pu être assez folle, assez inconséquente pour croire qu'il allait continuer de l'aimer à distance ? Il était tellement séduisant dans son manteau bleu marine, avec ses cheveux blonds au vent et son regard inquiet, qu'elle ferma les yeux pour l'effacer. Est-ce qu'elle avait encore envie de se venger de lui ? Est-ce qu'elle en avait encore les moyens ? Dans quelques heures elle serait à Paris où un autre homme l'attendait. Mais elle n'était plus certaine d'avoir fait le bon choix.

Un coup de sifflet, long et strident, la fit sursauter. D'un geste nerveux, elle fouilla dans son sac et prit le bloc-notes tandis que le train s'ébranlait. Autant rédiger cet article sans attendre car son avenir était au journal, pas à Saint-Malo. D'ailleurs elle n'y remettrait pas les pieds. Ou alors avec un plan bien précis. Il y avait beaucoup de choses à régler, dans le cadre d'un divorce. Si Joël croyait que c'était *terminé* comme il avait eu le front de le lui dire à table, il se trompait lourdement. Et il n'était pas question d'un avocat commun. Elle avait ses intérêts à défendre.

Un peu rassérénée par cette idée, elle s'installa confortablement dans son siège et se mit à écrire.

9

Joël avait promis d'être là à dix heures et Thierry l'attendait à son bord en compagnie de Servane. Cette fois, elle s'était vêtue chaudement, superposant trois pulls et un vieil anorak. Un ciel sans nuages laissait briller le soleil d'hiver mais il ne faisait que sept degrés et un vent vif courait au ras de l'eau.

Dans le carré, Thierry avait préparé du thé et, comme prévu, Joël arriva avec des croissants. Ils obligèrent Servane à en avaler deux, lui affirmant qu'une des premières règles en mer était de ne jamais avoir le ventre creux. Assis tous les deux face à elle, sur une des couchettes, ils lui donnèrent quelques consignes de sécurité indispensables.

— Ce ne sera pas vraiment une promenade de santé, déclara Thierry. Rien à voir avec la balade de l'autre jour. Je crois qu'au large le vent est fort et je tiens à en profiter !

Il était absolument ravi d'avoir à la fois une si jolie jeune fille pour spectatrice, et le marin en qui il avait le plus confiance pour tester son bateau. Aussi brun que Joël était blond, à peine moins grand, Thierry possédait un charme certain avec son côté loup de mer et cœur à prendre. Servane, très gaie, ne pouvait pas s'empêcher de lui sourire, ce qui agaça Joël avant même qu'ils ne quittent le port. Mais n'aurait-ce pas été infiniment plus simple pour elle d'être amoureuse de Thierry ? Au moins, lui n'était pas marié, n'avait pas d'enfant. Peut-être aurait-elle pu s'intéresser à lui si Joël n'était pas revenu à Saint-Malo, si elle n'avait pas croisé son regard. Hélas, maintenant elle travaillait avec lui, subissait sa présence et se réveillait chaque matin un peu plus attachée à lui. Le voir se débattre dans les difficultés financières ou familiales à longueur de journée lui donnait une irrésistible envie de l'aider. Cependant elle ne se berçait pas d'illusions. Même si elle parvenait à se rendre indispensable, elle ne serait jamais une femme pour lui.

Le bateau courait au nord et, de minute en minute, une jolie brise s'établissait. Les deux hommes allaient et venaient à tour de rôle sur le pont, retrouvant tout naturellement leurs habitudes. Éblouie par la réverbération du soleil sur l'eau, Servane mit sa main en visière pour mieux les observer. De temps à autre, l'un des deux tournait la tête vers elle ou lui adressait un petit signe. Ils l'avaient obligée à passer un gilet de sauvetage sur son anorak, ce qui l'engonçait et rendait ses mouvements maladroits. Quand Joël vint prendre la barre, il lui recommanda de rester bien assise.

— Ne bougez pas de là et faites-vous toute petite si vous ne voulez pas être assommée ! Les retours de bôme ne pardonnent pas.

Le voilier s'inclina brusquement quand il vira, la toile claqua avec violence et Joël cria quelque chose d'incompréhensible à Thierry. Le First vibra un peu puis parut s'élancer à l'assaut des vagues qui commençaient à se creuser.

— On va s'amuser ! prévint Joël en fermant le panneau hermétiquement.

Il le verrouilla avec une manille avant d'équilibrer le First vent arrière, barrant à la lame, et Servane constata que la houle s'était transformée en véritables rouleaux. Elle se recroquevilla trop tard quand une déferlante s'abattit sur le pont, balayant le cockpit. Elle sentit de l'eau glacée lui dégouliner dans le cou et elle s'accrocha à son banc de bois.

— J'abats ? hurla Thierry quelque part loin d'elle.

— Non ! Laisse comme ça pour l'instant !

— Tu vas le mettre en travers !

— Non !

Thierry devait trembler pour son voilier qui portait trop de toile à son goût et qui gîtait d'une manière affolante. Dès que le bateau se redressa, Joël vira de nouveau pour revenir sous le vent.

— Ton gouvernail répond très bien ! On s'occupe du spi maintenant.

— Pas maintenant !

— Mais si ! Avec la trinquette en sécurité ! Vas-y !

C'était comme s'ils avaient joué à se faire peur mais le visage de Joël rayonnait. D'où elle était, Servane le trouva transfiguré. Il aurait très bien pu être seul à bord, son plaisir aurait été le même. Il avait décidé d'éprouver les limites du bateau et rien n'allait l'en empêcher. Le First fit une embardée, Servane glissa de son banc mais fut retenue par une main ferme qui l'agrippa sans ménagement.

— Cramponnez-vous ! lui intima Joël dont le regard pâle ne quittait pas la mer.

Ils effectuèrent le changement de voiles en quelques instants et il y eut une brusque accélération.

— Tu fais du surf ! avertit Thierry qui restait à l'avant, arc-bouté sur ses écoutes.

— Et tu n'as encore rien vu ! Borde-le mieux que ça !

— On va se planter, Joël ! Je t'aurais prévenu !

Le grondement de la mer était couvert par les sifflements du vent qui s'engouffrait partout, sans compter quelques craquements très alarmants. Servane avait froid, un peu mal au cœur, aussi elle ferma les yeux. Elle songea que c'était bien pire que les montagnes russes et sans doute bien plus dangereux. Son malaise s'accentua dans une étrange sensation d'engourdissement. Cinq minutes plus tard, il y eut une soudaine accalmie qui lui permit de reprendre contact avec la réalité.

— Désolé… Vous allez mieux ?

Au-dessus d'elle, Joël lui souriait gentiment. Elle constata qu'ils avaient affalé beaucoup de toile afin de retrouver une allure plus tranquille.

— C'est lui, aussi ! accusa Thierry en riant. Dès qu'il est aux commandes, on ne le tient plus. C'était déjà la même histoire quand il avait douze ans ! Il faisait toujours chavirer l'Optimist ! Vous êtes très pâle, vous devriez manger quelque chose…

— Oh non, vraiment…

— Prenez la barre une seconde, lui dit Joël. Il suffit de la tenir droite, il n'y a rien d'autre à faire.

Déverrouillant la manille qui maintenait toujours le panneau du rouf, il disparut un instant puis revint avec des biscuits secs.

— Voilà. Je vous assure, c'est la seule solution.

Comme elle claquait des dents, il l'obligea à faire quelques mouvements. Le vent avait apporté une barrière de nuages sombres derrière laquelle le soleil avait disparu.

— Nous allons rentrer, décida-t-il.

Il aurait volontiers profité du gros temps qui se préparait mais il avait compris que Servane serait malade pour de bon s'il insistait. Il fit virer le First doucement, sans à-coups. Les cheveux auburn de la jeune fille volèrent autour d'elle. À cet instant il aurait donné n'importe quoi pour pouvoir la serrer contre lui et la réchauffer. Il leva les yeux vers Thierry qui observait lui aussi Servane d'un air attendri.

— Il est capricieux, ton bateau, mais il est vraiment rapide, lui dit-il. À mon avis, tu devrais faire retailler le génois.

S'arrachant à sa contemplation béate, Thierry se tourna vers Joël.

— Je te le prête quand tu veux. Et si ça t'amuse, j'ai une course en vue qu'on pourrait faire à deux.

— J'en ai fini avec la compétition. Je n'ai pas…

— Le temps, peut-être, mais l'envie ?

— Tu ne me tenteras pas. Engage plutôt Patricia.

— C'est avec toi qu'elle rêve de naviguer, pas avec moi, tu le sais très bien !

À cause de Servane, Joël fut contrarié par cette remarque. Revenant vers le cockpit, Thierry s'adressa à elle :

— Vous voulez peut-être vous changer ? J'ai deux pulls secs, en bas. Mais ne restez pas trop longtemps dans le carré, le grand air vaut mieux pour vous.

Elle acquiesça et entreprit de descendre l'échelle. D'où ils étaient, ils la virent enlever son gilet de sauvetage, son anorak. Quand elle en arriva aux pulls, ils gagnèrent l'avant du bateau pour ne pas la gêner.

— Je la trouve superbe… et adorable…, dit Thierry d'une voix rêveuse.

— Et surtout très jeune, non ? fit remarquer Joël un peu plus sèchement qu'il ne l'aurait voulu.

— J'ai fini !

Debout sur le toit du rouf, derrière eux, elle se tenait au mât. Elle avait attaché ses cheveux en queue de cheval et les pulls lui tombaient jusqu'au genou.

— Parfait, on rentre ! annonça gaiement Thierry.

En passant près d'elle, il ajouta :

— On se tutoie, d'accord ?

— Si tu veux. Est-ce que je dois me rasseoir ?

— Non, va plutôt vers l'avant t'initier au maniement des voiles. Je nous ramène à petite vitesse.

Sa familiarité, pourtant tout à fait normale, ulcéra Joël. D'autant plus que Servane, s'approchant de lui, demanda :

— Est-ce que vous voulez bien m'expliquer comment ça marche ? Je me sens beaucoup mieux maintenant !

Elle gardait donc ses distances avec lui, songeant peut-être qu'il valait mieux se vouvoyer au bureau, mais il se sentit rejeté et elle s'en rendit compte.

— Joël... Vous êtes contrarié ? J'ai gâché votre sortie ?

La douceur avec laquelle elle avait prononcé son prénom le bouleversa.

— Pas du tout ! Venez par ici mais accrochez-vous à quelque chose, la houle est forte. Non, non, pas là ! Les haubans sont pleins de graisse. On va hisser quelque chose de modeste pour commencer, je vais vous montrer.

En lui tendant un cordage, il se plaça derrière elle afin de guider ses gestes. Un mouvement du bateau la déséquilibra et elle s'appuya de tout son poids contre Joël. Elle bredouilla des excuses mais il n'y prêta aucune attention, tout occupé qu'il était à se promettre que, d'une manière ou d'une autre, il lui fallait conquérir cette femme et ne la laisser à personne d'autre. Il décida que la prochaine fois qu'elle serait contre lui, ce ne serait pas par hasard.

L'après-midi du lundi fut presque entièrement occupé par un interminable rendez-vous. Joël recevait le représentant du groupe hôtelier avec lequel il était en négociation depuis longtemps, et Mariannick assistait à l'entretien.

En pénétrant dans le bureau de Joël, Bernard Legrand avait manifesté un certain étonnement devant la jeunesse de son interlocuteur. Ses collaborateurs avaient sans doute omis de lui signaler que l'armateur malouin, dont le projet était si intéressant, n'avait qu'une trentaine d'années. Et que son associée était une petite jeune femme blonde qui gardait obstinément le silence.

Ils discutèrent de chiffres à perte de vue. La chaîne de restaurants situés dans les hôtels représentait deux cent trente établissements. En visant une certaine catégorie de restauration, Joël savait très bien ce qu'il faisait. Les chefs comme les clients s'adapteraient à des arrivages variés, quelles que soient les marchandises proposées, à condition que la qualité et la fraîcheur soient irréprochables. Alors que les hypermarchés s'opposaient à des poissons chers, en dehors de périodes bien définies, et obligeaient les marins à une sélection des espèces qui leur faisait perdre un temps fou.

Le représentant du groupe insista beaucoup sur une participation au capital de la société Carriban que Joël tenait à limiter. Pour lui, l'armement devait impérativement garder son indépendance. Il était prêt à accepter les engagements les plus rigoureux pour prix de sa liberté. Legrand dut l'écouter, subjugué par tant d'aisance et d'enthousiasme. Jamais Joël ne lui laissa deviner la précarité de sa situation et à aucun moment il ne donna l'impression d'avoir besoin du contrat qu'il convoitait. Mariannick gardait une expression sereine, s'autorisant un petit sourire d'approbation de temps à autre.

La visite des locaux s'effectua dans une ambiance très détendue et finalement, un peu avant dix-huit heures, ils tombèrent d'accord sur le principe de leur collaboration à venir. Joël lui offrit une coupe de champagne avant de le raccompagner lui-même à l'aérodrome de Saint-Servan. Dès qu'il fut de retour dans son bureau, il laissa bruyamment éclater son optimisme en chahutant avec sa sœur.

— Je crois que c'est dans la poche ! Dans deux mois au plus tard, c'est pour eux qu'on travaille !

Il la prit par la taille, l'assit sur son bureau et l'embrassa dans le cou en la chatouillant.

— Va vite rejoindre ton petit mari, tu as été parfaite !

Tous les employés étaient partis, hormis le radio de garde pour la nuit. Servane aussi, et il fut un peu déçu de son absence.

— Tu veux venir dîner ? proposa Mariannick.

— Pas ce soir, merci. J'ai deux ou trois trucs à finir, ensuite je rentrerai sagement.

Sans insister, persuadée qu'il préférait être seul pour savourer sa victoire et échafauder des projets, elle se dépêcha de sortir. En montant dans sa petite voiture rouge, elle aperçut les lumières d'un bar, sur le quai, et songea à tous les marins dont Joël venait sans doute d'assurer l'avenir en défendant cet énorme projet. S'il croyait toujours avoir une dette envers eux, c'était la meilleure manière pour lui de s'en acquitter.

À l'intérieur du bistrot, l'ambiance était plutôt bruyante. Comme chaque soir ou presque, Luc avait distillé un peu de son venin au comptoir. Tenu en dehors des négociations que menait Joël, il se sentait particulièrement frustré. Il avait repéré Yvon, au fond de la salle, et tout en sirotant sa bière il avait mis la conversation sur les Carriban.

À cette heure-là, les consommateurs étaient déjà bien éméchés et il était facile d'échauffer les esprits. Sans bien savoir où il voulait en venir, Luc caressait l'espoir qu'un jour ou l'autre Joël aurait affaire à ces hommes. Un type comme Collinée, avec la haine qu'il ruminait depuis si longtemps, pouvait agir comme une bombe à retardement. Et si quelqu'un était capable de remettre à sa place le trop jeune armateur, c'était sans doute lui. Luc rêvait en secret d'une bagarre — c'était un jeu d'enfant de les déclencher — dans laquelle Joël se ferait prendre et corriger. On verrait alors comment réagirait ce Parisien, ce fils à papa, cet usurpateur, face à des hommes qui n'avaient peur de rien !

Depuis quelques minutes, Luc attendait un silence pour placer une de ses petites phrases perfides, mais le brouhaha ne s'arrêtait jamais. Entre ceux qui entraient et ceux qui sortaient en s'interpellant d'une voix forte, les bruits de verres et les plaisanteries, on ne s'entendait plus.

— Tiens, dit quelqu'un, v'là la fille Carriban qui s'en va.

La petite voiture rouge était bien connue et jamais personne ne songeait à appeler autrement Mariannick. Mais la réflexion avait fait tourner plusieurs têtes vers la vitre et Luc profita du calme relatif.

— Elle, ce n'est vraiment pas la pire ! Au moins, c'est Jaouën qui l'a formée, tandis que le frangin… Je ne sais pas comment il s'y prend avec vous autres, mais en revanche je sais comment il fait pour s'assurer les bonnes grâces de sa jolie petite secrétaire !

Bien entendu, un mouvement de curiosité se fit autour de lui. Dès qu'on parlait de filles, tout le monde tendait l'oreille.

— Il la couvre de cadeaux, il lui achète même des vêtements ! Est-ce que vous imaginez son père en train d'habiller Mme Heulin comme une poupée Barbie ?

Des rires gras éclatèrent ici et là mais Luc n'obtint pas le succès escompté. Ils étaient nombreux à connaître Servane et à la respecter.

— De toute façon, on dirait qu'il ne sait pas quoi faire de son argent…

— Il a quand même dû en mettre un paquet dans les chalutiers ! fit remarquer un jeune pêcheur.

— Ah, pour faire des dettes, il s'y entend ! Et il profite du nom de son père. Quand la banque lui tombera dessus… En attendant, il ne s'en fait pas, à lui les maîtresses et la grande vie ! Si c'est pour ça qu'il est revenu à Saint-Malo…

— Mais qu'est-ce qu'y dit, l'autre ? grogna enfin la voix d'Yvon.

Il s'était levé, se tenant d'une main à la table. Luc fit aussitôt semblant de vouloir le calmer.

— Je n'accuse pas ta fille, Collinée ! Elle est jeune, elle se laisse éblouir… Mais tu devrais la mettre en garde. Si elle accepte des robes et des manteaux, il y aura forcément une contrepartie…

— Quelles robes ? Quels manteaux ? Tu nous racontes quoi, là ?

— Rien… Rien du tout.

— T'as trop bavé, accouche !

— Écoute, soupira Luc, laisse tomber, tu veux ? Elle est majeure, ta fille. Elle n'a pas besoin de ton consentement si elle veut faire des extra.

Il prenait le risque de provoquer la fureur d'Yvon mais c'était une manière efficace de mettre de l'huile sur le feu.

— Des extra ? s'insurgea Yvon d'une voix blanche.

— Et comment tu appelles ça, toi ? se moqua une voix anonyme. Les filles sont toutes pareilles, dès qu'un beau mec friqué leur fait du gringue, elles se mettent sur le dos !

— Vos gueules ! hurla Yvon en renversant sa table.

Luc trouva le moment propice pour s'éclipser. Ils allaient continuer sans lui maintenant qu'ils étaient lancés. Riant sous cape, il se glissa au-dehors. Il souriait encore en passant devant la haute porte cochère de l'armement. Le ver était dans le fruit. Encore quelques efforts et la réputation du fils Carriban serait bien établie.

— Bonsoir, dit la voix de Joël derrière lui, et il sursauta.

— Vous travaillez tard, fit-il remarquer en essayant d'être aimable.

Malgré l'antipathie qu'il éprouvait, Joël lui adressa un petit sourire. Il n'avait jamais aimé Luc, même quand il était enfant, et malgré la confiance que son père lui témoignait.

— Est-ce que je peux vous offrir un verre ?

Surpris par la proposition, Joël était sur le point de refuser quand l'autre ajouta :

— Il me semble qu'on ne se comprend pas très bien, n'est-ce pas ? J'ai du mal à m'habituer à vos méthodes…

modernes. Si vous voulez, il y a un bar, par là. Ils sont toujours plus ou moins en train de se saouler et de se battre, mais il faut savoir se mélanger à eux de temps en temps…

Une idée venait de germer dans sa tête et il insista :

— Ils ne vous aiment pas beaucoup mais ils ne vous connaissent pas. Jaouën allait parfois trinquer avec eux.

— Pourquoi pas ? répondit Joël en jetant un coup d'œil vers la lointaine lumière du bistrot que lui désignait Luc. Vous y avez vos habitudes ?

— Oh, c'est un grand mot ! Les marins sont trop bruyants pour moi…

Ils marchaient côte à côte et Luc se sentait un peu oppressé. Il jouait le tout pour le tout en conduisant Joël là-bas. Si quelqu'un répétait les propos qu'il avait tenus un peu plus tôt, ce serait une catastrophe. Mais il était presque sûr que Collinée ne laisserait à personne le loisir de parler. En présence de son pire ennemi à cet instant précis, il sortirait de ses gonds sans se perdre en préliminaires.

Luc s'effaça pour laisser entrer Joël le premier, arborant l'air de celui-qui-n'y-peut-rien et qu'on a traîné là à son corps défendant. En quelques instants, un silence de mort tomba sur le bistrot. Torchon en main, le patron regardait les nouveaux arrivants comme hypnotisé.

Ne pouvant évidemment pas deviner les événements qui avaient précédé son arrivée, Joël alla jusqu'au comptoir et commanda deux bières. Son sourire poli se figea lorsqu'il entendit un véritable rugissement.

— Je vais te crever, fumier ! Cette fois, je vais te crever !

Les hommes s'étaient écartés machinalement et Joël découvrit Yvon, debout entre sa table et son chien ; il venait de sortir un couteau de son caban. Depuis cinq minutes, il jurait tous les diables qu'il tuerait ce Carriban de malheur s'il lui tombait sous la main et il s'était mis tout seul dans une colère noire. Le cran d'arrêt claqua, libérant une longue lame effilée.

— Bon, ça suffit…, commença le patron.

Pour la deuxième fois de la soirée, Yvon renversa sa table et l'écarta d'un coup de pied.

— Viens un peu ici !

En s'accrochant au bras de Joël, Luc marmonna :

— Il est fou, ne bougez pas.

Mais c'est Yvon qui avançait à présent, l'œil exorbité et le couteau menaçant.

— Oh, calme-toi ! lui dit un jeune homme qui fit mine de se lever.

Avisant la canette que le jeune n'avait pas commencé à vider, Yvon s'en saisit de sa main libre et la fracassa sur le rebord du guéridon en marbre. De la bière gicla et, instantanément, tout le monde recula. Armé du redoutable tesson, Yvon devenait incontrôlable.

— Viens ici, fils de pute ! répéta-t-il entre ses dents.

Adossé au comptoir, Joël regarda le couteau, l'expression folle d'Yvon puis la bouteille cassée qu'il brandissait. Le grand chien noir se profilait derrière lui et nul n'osait intervenir.

— Fallait pas la toucher, ma fille ! proféra le vieux marin d'une voix grinçante. Je vais te faire une belle boutonnière, t'ouvrir comme une outre !

Il était peut-être saoul mais il marchait droit. Joël n'était pas un habitué des bagarres, cependant il n'était pas lâche. Il n'imagina pas une seule seconde qu'il pouvait sortir en courant. De toute façon, personne n'aurait pardonné sa fuite. Il se sentait à peu près de taille à désarmer Yvon mais il y avait le chien. Il fit un petit pas en avant pour ne pas être acculé au comptoir et le vieux marin en profita pour se précipiter sur lui. Joël sentit un choc quand le couteau dérapa sur sa joue, ratant son œil de peu, mais c'était le tesson qu'il voulait détourner. En saisissant le poignet d'Yvon, il lui rejeta le bras en arrière au moment où le chien bondissait. Des jappements suraigus éclatèrent en même temps qu'une indescriptible panique. Deux hommes avaient ceinturé Yvon tandis que le patron s'était mis à vociférer des ordres incohérents. En désespoir de cause, il menaça d'appeler les gendarmes mais sans faire le moindre geste vers le téléphone.

Échappant à ceux qui le retenaient, Yvon voulut frapper Joël à mains nues mais fut cueilli d'un direct au menton. En quelques secondes, l'affrontement dégénéra en bataille rangée. Les jeunes marins, moins nombreux, prirent le parti de l'armateur et s'interposèrent contre les anciens qui voulaient profiter de la pagaille pour donner quelques coups au hasard.

Effrayé par ce qui venait de se produire, Luc comprit qu'on ne tarderait pas à s'en prendre à lui. Effectivement, le patron du bar l'agrippa à cet instant par son nœud papillon en le traitant de fouille-merde. Pendant ce temps-là, Joël se défendait contre deux hommes à la fois et il réussit à en faire basculer un derrière le comptoir, dans une cascade de verres brisés. Lâchant Luc, le patron hurla que la police arrivait, qu'il entendait la sirène. C'était faux mais ce fut assez efficace pour que le bar se vide en moins d'une minute.

— Pas trop de bobo ? s'enquit un jeune homme d'une vingtaine d'années.

Joël secoua la tête, mais comme sa joue saignait beaucoup il s'empara du torchon abandonné.

— Merci, dit-il seulement.

L'autre lui adressa un clin d'œil amusé.

— Tous les prétextes sont bons pour se taper dessus ! Mais quand même, on ne pouvait pas vous laisser tout seul… Imbibés comme ils sont, ils vont toujours trop loin…

Yvon gisait près d'une banquette et Joël s'approcha, inquiet. Il avait souvenir de l'avoir frappé, mais pas méchamment.

— Il va bien ? s'inquiéta-t-il.

— À mon avis, il cuve… Il était déjà très mûr quand vous êtes arrivé… Et vous avez mal choisi votre moment…

Joël examina la salle autour de lui. Luc avait disparu, comme beaucoup d'autres. Désignant Yvon, il demanda :

— Qu'est-ce qu'il va devenir ?

— Il peut dormir là, de toute façon on ne le réveillera pas au stade où il en est ! maugréa le patron. Et moi, j'ai du nettoyage à faire !

Il observait Joël avec une certaine animosité, le considérant comme responsable des ravages. Mais malgré tout, un petit sourire en coin démentait son regard. Le fils Carriban ne s'était pas défilé, il s'était bien défendu tout en épargnant Yvon au maximum.

— On va t'aider, déclara le jeune homme au patron.

Il ne restait qu'une demi-douzaine de personnes qui semblaient toutes attendre quelque chose.

— Pour la casse, dit Joël au patron, envoyez-moi la facture, vous connaissez mon adresse. Et offrez donc une tournée à ces messieurs !

Indifférent aux réactions que ses phrases pourraient provoquer, il se dirigea vers la porte, tenant toujours le torchon contre sa joue. Dehors, il aspira avec soulagement l'air frais de la nuit. L'odeur d'alcool, de sueur et de tabac brun le poursuivait. Il heurta quelque chose et faillit tomber.

— Oh, mon pauvre ! s'exclama-t-il.

Le chien noir était couché de tout son long dans le caniveau, haletant. Joël s'agenouilla, avança prudemment la main. L'animal n'eut aucune réaction d'agressivité. À la lumière du réverbère, il distingua sa langue pendante et toute une flaque sombre autour de lui.

— Merde…

Après une hésitation, il décida d'aller chercher sa voiture. Il abattit les sièges de l'arrière et hissa le chien qui se laissa faire. Ignorant quel pouvait bien être le vétérinaire de garde et même s'il y en avait un, il se rendit directement chez Thierry. Il dut sonner longtemps avant de se faire ouvrir.

— Qu'est-ce que tu fais là ? Qu'est-ce qui se passe ?

— Viens m'aider, lui dit Joël, j'ai un cabot salement amoché dans l'Audi.

— Tu l'as écrasé ?

— Oh, non ! C'est une longue histoire…

À deux, ils portèrent le chien jusqu'au cabinet dentaire et l'allongèrent sur le carrelage. Quand Thierry alluma, il eut l'air horrifié.

— Quelle boucherie ! Joël ! Tu t'es vu ?

— Ce n'est rien, jette un coup d'œil à ce brave toutou.

Haussant les épaules, Thierry se pencha sur le chien.

— Passe-moi du coton et de l'alcool, dans l'armoire métallique, sur ta gauche… Et donne-moi quelques explications…

— Une affreuse bagarre dans un abominable bar. Le chien est venu se jeter sur un tesson de bouteille…

Il hésita à dévoiler l'identité d'Yvon. Heureusement Thierry ne l'écoutait pas. Il était parti fouiller dans un tiroir dont il extirpa du fil, des aiguilles, une seringue.

— Je veux bien le recoudre mais tu vas le tenir, il est balèze…

Revenant près du chien, il s'assit à même le carrelage et Joël l'imita. L'animal continuait de respirer vite et ses yeux suivaient tous leurs mouvements avec inquiétude.

— Sois sage, mon gros, murmura Thierry qui s'était mis à nettoyer la plaie.

L'oreille était déchiquetée et il y avait surtout une profonde entaille sur la tête.

— Il pisse le sang comme ça depuis longtemps ? Regarde-moi ce désastre… Prends la ceinture de ma robe de chambre et enroule-lui gentiment autour du museau. Fais trois tours sans serrer. Au cas où…

Joël s'exécuta mais il était certain que le chien allait rester tranquille.

— Je fais ce que je peux, hein ? Je ne suis pas vétérinaire ! bougonna Thierry. Je vais quand même lui injecter un peu de xylocaïne, comme ça il ne sentira rien… Je ne tiens pas à ce qu'il se rebiffe, sinon il va nous bouffer tous les deux, muselière ou pas…

Il fit tant bien que mal une anesthésie locale.

— Aucune idée des doses, ronchonna-t-il encore. Combien il peut peser, à ton avis ? Dans les quarante ?

Au bout d'une dizaine de minutes, il serra le dernier nœud et coupa le fil.

— Et maintenant je vais lui faire un beau pansement pour qu'il ne se gratte pas comme un fou. Tu comptes l'adopter ?

— Non ! Je vais le rendre à son propriétaire.

Ils se relevèrent, récupérèrent la ceinture. Maladroitement, le chien parvint à s'asseoir puis il s'ébroua et trébucha.

— Bon, ça va aller pour lui… Du moins j'espère ! À ton tour.

Du sang coagulé maculait la joue de Joël. Après l'avoir nettoyée et désinfectée, Thierry considéra la longue estafilade.

— C'est superficiel… Mais je t'administre un sérum antitétanique. J'imagine que tes vaccins remontent au déluge ?

Il lui fit une piqûre puis posa deux strips par acquit de conscience.

— Qu'est-ce que tu dirais d'un petit cognac ? J'ai ça quelque part au milieu des échantillons de dentifrice, attends… Oui ! Cadeau d'un labo…

Il brandit une bouteille dont il but une longue gorgée avant de la passer à Joël.

— Tu t'es fait prendre à partie ?

— C'est à peu près ça…

— Quand ils sortent les couteaux, les matelots ne rigolent pas ! Alors par quel miracle es-tu encore debout ?

— La peur du gendarme… Et aussi des défenseurs inattendus. Je n'ai pas que des ennemis, après tout !

— En tout cas, tu as bien fait de sonner ici. Tu es chez toi. Tu veux dormir en haut ?

— Merci, non. Je rentre à Dinard.

Désignant le chien, Thierry demanda :

— Tu ne me laisses pas ça là, quand même ?

— Je l'embarque. Mais je vais t'aider à ranger d'abord.

— Laisse tomber, la femme de ménage vient tous les matins avant l'ouverture. Va te coucher.

Sa discrétion était aussi réconfortante que son amitié. Joël lui adressa un sourire qui en disait long.

— Je garde la ceinture de ton peignoir, je te la rendrai.

Le chien était assis devant la porte, parfaitement immobile et silencieux. Il se laissa passer la ceinture en guise de collier sans manifester. Une fois dehors, Joël dut le traîner un peu mais il accepta finalement de remonter dans la voiture.

Roulant doucement, il reprit le chemin des quais. Il ne savait pas si le bar serait encore ouvert et il se demandait ce qu'il allait faire du chien durant le reste de la nuit. De loin, il vit la devanture éteinte. L'endroit semblait calme et désert, à présent, et le patron avait dû aller se coucher. Est-ce qu'Yvon ronflait toujours sous sa banquette ? Faisant demi-tour, Joël s'éloigna du port.

Ce fut parce qu'il avait choisi de passer par les petites ruelles qu'il repéra Collinée. Mais le chien noir avait commencé de s'agiter un peu avant. Baissant sa vitre, Joël entendit les appels du vieux marin qui hurlait après son Clebs d'une voix de stentor au risque de réveiller toute la population. Il tanguait encore un peu, d'un trottoir à l'autre, et gardait les bras écartés pour conserver son équilibre, ce qui lui donnait l'allure d'un épouvantail. À une quarantaine de mètres, Joël s'arrêta. Il se pencha pour ouvrir la portière et libéra le chien qui bondit.

Yvon s'était retourné, en entendant le bruit d'un moteur. Il vit d'abord la voiture puis son chien qui fonçait vers lui.

— Le Clebs ! Le Clebs ! trépigna-t-il. Foutu fugueur ! Tu vas avoir mon pied au cul !

Le chien se dressa et lui mit les pattes sur les épaules, manquant de le renverser. Ils étaient aussi grands l'un que l'autre. Joël regarda quelques instants ce couple pathétique puis il enclencha la marche arrière. Il ne voulait pas s'approcher d'Yvon qui avait sans aucun doute reconnu l'Audi. Si l'heure de la bagarre était terminée, celle de la réconciliation n'avait pas encore sonné.

C'est en pensant à Servane, et uniquement à elle, qu'il regagna la villa de Dinard.

Tandis qu'il prenait son café, le lendemain matin, Joël entendit Armelle qui maugréait dans le hall.

— Qu'est-ce que c'est que cette horreur que vous avez posée par terre, devant le salon ? finit-elle par lui demander.

— Un détecteur de métaux. Ma sœur a perdu un bracelet auquel elle tient énormément. Alors le type qui ratisse les plages, à l'automne, nous a prêté ça.

— Perdu où ?

— Euh… Dans le parc.

— Je vais vous le retrouver, moi, ce bracelet ! C'est saint Antoine-de-Padoue qu'il faut prier… Mais enlevez cette chose de là !

— Très bien. Je vais le descendre à la cave, déclara-t-il en saisissant l'occasion qu'elle lui offrait.

Elle hocha la tête, satisfaite, et accepta une tasse de café.

— Dites-moi… Vos chemises, quand je les repasse, vous préférez que je les suspende ou que je les plie ? M. Carriban, enfin je veux dire votre père, était très tatillon sur ce point.

La nuance n'avait pas échappé à Joël. Pour un petit moment encore, M. Carriban, ce serait Jaouën. Et Armelle devait trouver un peu étrange l'absence de femme dans la maison.

— Nous aurons ma fille toute une semaine d'ici peu, déclara-t-il.

— J'en suis bien contente pour vous ! Mais ça ne m'aide pas, en ce qui concerne les chemises…

— Comme vous voulez. Plutôt sur des cintres.

— Y a qu'à parler !

Joël lui sourit, évitant comme toujours de regarder l'imposante verrue qu'elle avait au menton et qu'elle n'avait jamais voulu faire opérer malgré les exhortations de Liliane.

— Qu'est-ce qui vous est arrivé, là ?

Elle désignait sa joue qu'elle n'hésitait pas, elle, à fixer ostensiblement.

— Je me suis coupé en me rasant.

— Vous vous rasez avec un sabre ou quoi ? Allez, laissez-moi la cuisine que je lave par terre…

Au lieu de prendre l'escalier pour remonter dans sa chambre, il traversa le hall. Autant il avait aisément pris possession des locaux de l'armement, autant il conservait l'impression d'être en visite dans le bureau de son père à la villa. Il s'obligeait à y passer du temps en travaillant là tous les soirs. Il faisait du feu dans la cheminée, laissait ses dossiers en évidence mais ne parvenait pas à se sentir chez lui. Peut-être la présence de Jaouën était-elle encore trop perceptible et peut-être la pièce évoquait-elle le seul souvenir qu'il aurait voulu oublier. Partout ailleurs, dans le reste de la maison, il retrouvait son enfance et ses habitudes avec joie. Seul ce bureau le mettait mal à l'aise.

Bon, la vérité n'était pas si terrible à regarder en face. Son père avait eu un moment d'égarement. De folie meurtrière. Qu'il avait payé très cher, trop cher. Joël aurait pu se défendre. S'il l'avait fait, l'issue de leur querelle aurait été différente et toute la suite aussi. Mais Jaouën n'était pas Yvon Collinée et jamais Joël n'aurait pu lever la main sur son propre père. Si c'était à refaire, les événements se dérouleraient de façon identique, avec les mêmes conséquences. Le passé était bien mort et il ne revivait pas plus dans cette pièce qu'ailleurs.

Il s'arrêta sur le seuil, contemplant le décor que Liliane avait si minutieusement arrangé pour son mari. Rien n'était à changer. Ni le velours vert sombre des grands rideaux du bow-window, ni les étroites bibliothèques de bois blond, ni les fauteuils anglais. Si, comme Mariannick l'affirmait, leur mère ne souhaitait rien reprendre de ce mobilier, alors chaque chose était à sa place et pouvait y demeurer. C'était à lui d'accepter.

Refermant la porte, il se dépêcha de monter se doucher. Il n'avait toujours pas décidé de la manière dont il présenterait les événements de la nuit à Servane. Mais, cette fois, impossible de les passer sous silence. À l'heure du déjeuner, au plus tard, son père allait lui en parler à sa façon. Et cette idée avait de quoi l'inquiéter. Même s'il n'avait fait que se défendre, même s'il avait pris un coup de couteau, il avait frappé Yvon et l'avait probablement assommé. C'est lui qui, en détournant le tesson de bouteille, avait provoqué l'accident du chien. Ce qui valait mieux que se laisser égorger, bien sûr, mais comment l'expliquer simplement ?

Dans le dressing, il choisit une des chemises en velours côtelé qu'elle lui avait fait acheter. Elle pouvait très bien se mettre à le haïr. Il était en partie responsable de l'état lamentable d'Yvon. C'était sa faute si le pauvre marin s'était retrouvé au chômage et, par conséquent, c'est à Joël qu'elle devait les privations dont elle avait dû souffrir dans son adolescence. Cette déduction tardive l'accabla. Il n'en aurait donc jamais fini avec les contentieux ? Mais pourquoi avait-il accepté de suivre Luc ? Lequel s'était d'ailleurs montré d'une redoutable couardise, se sauvant sans scrupule.

Exaspéré, il dégringola l'escalier, cria un rapide au revoir à Armelle et sauta dans sa voiture. La matinée serait difficile, de toute façon, inutile de reculer davantage.

En arrivant à l'armement, il gagna directement le bureau de Servane dans lequel il entra trop vite et sans frapper.

— Vous m'avez fait peur ! protesta-t-elle.

La porte de communication était fermée et, baissant la voix, elle ajouta :

— Le capitaine Kerven vous attend à côté. Vous aviez oublié le rendez-vous ?

Sans y faire aucune allusion, elle examinait quand même la balafre qui allait de la tempe à la commissure des lèvres de Joël.

— Kerven… C'est juste… J'y vais. Mais ensuite, il faudra que je vous parle. C'est important !

Il passa par le couloir pour entrer chez lui et il serra vigoureusement la main de l'homme qui patientait, debout près de la fenêtre.

— Navré de ce retard. Asseyez-vous, je vous en prie. Je crois que nous étions convenus d'avoir une discussion au sujet des chaluts ?

— Oui. Les contrôleurs norvégiens vont nous rendre fous, vous savez…

— Nous n'utilisons plus de Nylon, je suppose ?

— Non, mais même l'argon rétrécit. Alors avec leurs mailles à cent millimètres, ça tient quinze jours, pas plus ! Ensuite, l'eau de mer fait son travail…

— Tant que la Norvège ne sera pas dans la communauté européenne, ils nous chercheront des noises. Changez les chaluts aussi souvent que nécessaire, je ne veux pas de problème en ce moment. Mais je vais plancher sur cette histoire de textile.

Kerven hocha la tête. Il était jeune, sobre, c'était un excellent élément.

— Est-ce que vous auriez envie d'expérimenter les nouveaux bâtiments ? lui demanda Joël.

Un peu interloqué, le marin ne répondit pas tout de suite. Il avait visité les grands chalutiers lorsqu'ils étaient arrivés à Saint-Malo, mais il savait qu'il ne ferait malheureusement pas partie des capitaines choisis pour les commander.

— Bayou part à la retraite bientôt. Vous devriez effectuer une rotation avec lui, comme second, et me dire ensuite si vous vous sentez de taille à manœuvrer un bazar pareil.

Joël sut qu'il avait fait le bon choix en constatant que le regard de son interlocuteur s'était illuminé.

— Pour vous remplacer, vous me soumettrez des propositions et nous aviserons. Mais je ne veux pas vous retirer votre bateau si vous le préférez ?

— Bien sûr que non !

Il l'avait dit si vite qu'il en rit lui-même et Joël l'imita. Ils bavardèrent encore un moment, puis lorsqu'ils furent tombés d'accord sur l'ensemble des problèmes que le capitaine voulait évoquer avec son armateur, ils se serrèrent une nouvelle fois la main. Cependant, avant de partir, Kerven avait encore une chose à dire.

— J'ai appris…, commença-t-il. Enfin, les hommes sont bavards, vous les connaissez… Et je crois qu'il y a eu du grabuge hier soir…

— Oui, mais après une nuit de sommeil, j'ai oublié.

Kerven le dévisagea et trouva superflu d'ajouter quoi que ce soit. Dès qu'il fut sorti, Joël retourna chez Servane, décidé à se débarrasser de cette histoire une bonne fois. Elle était assise devant son ordinateur et sa jupe courte découvrait ses jambes superbes.

— On devrait engager quelqu'un pour la veille de nuit à la VHF au lieu de répartir sur les autres des heures supplémentaires, lui dit-elle en désignant son écran.

— Une création de poste ? Vous n'y pensez pas !

— Mais si, on pourrait profiter de la loi qui…

— Attendez deux minutes. On en parlera plus tard, pour le moment j'ai autre chose en tête.

Prenant une inspiration, il débita, d'une traite :

— Hier, Luc m'a offert un verre dans un bar et j'ai accepté afin de ne pas être toujours désagréable avec lui. Hélas, votre père se trouvait également dans cet établissement et, comme vous le savez, il ne me porte pas dans son cœur. Il y a eu une sorte de… bousculade. Il m'a menacé, j'ai voulu me défendre. Rien de grave puisqu'il n'y a pas eu de blessé. Sauf le chien, qui va bien.

Éberluée, elle resta une seconde sans réaction puis fronça les sourcils.

— Menacé de quoi ? articula-t-elle.

— Avec une espèce de… canif.

Après un nouveau silence, elle murmura seulement :

— Je vois…

— Enfin bref, j'ai passé l'éponge, j'espère que lui aussi.

— Mon père boit trop…, dit-elle d'une petite voix triste.

— Peut-être, mais il est courageux. Il avait dû annoncer à tous ses copains qu'il me ferait la peau un de ces jours, alors une fois mis au pied du mur, il ne pouvait pas se dégonfler. Vous comprenez ? Oh, c'est vraiment sans importance. Je regrette d'avoir été obligé de le… neutraliser.

Elle leva les yeux vers lui. Chaque fois qu'il croisait son regard, il la trouvait plus belle que la veille, c'en était presque douloureux.

— Pourquoi regrettez-vous ? interrogea-t-elle. Pour qui ?

— À cause de vous, d'abord. Et puis tout ça me pèse. Personne n'a envie d'être détesté à ce point.

Comme elle venait de baisser la tête, ses cheveux tombèrent devant son visage et il ne put rien voir de son expression. Embarrassé, il attendit jusqu'à ce qu'elle parle.

— Un homme comme mon père, pour vous, c'est méprisable. C'est juste un pauvre type de plus. Mais je n'en ai jamais eu honte et je ne vais pas commencer aujourd'hui.

— Servane !

Quand elle le regarda de nouveau, il vit une larme au bord de ses longs cils.

— Je voulais seulement vous avertir parce que c'est plus honnête, protesta-t-il avec véhémence. Je ne le juge pas. Mon Dieu, je ne sais vraiment pas comment faire avec vous… Vous pourriez bien être la fille d'un martien…

Spontanément, il vint près d'elle mais elle se leva aussitôt. Ils se retrouvèrent si proches l'un de l'autre qu'il dut s'écarter.

— Est-ce que je peux partir un peu plus tôt, exceptionnellement ?

— Bien sûr…

— Merci. À tout à l'heure.

Elle quitta le bureau la tête haute et il poussa un long soupir exaspéré. Il était d'une rare maladresse avec elle. Leurs rapports ne s'amélioreraient jamais tant qu'il s'y prendrait comme un gamin de dix ans.

Servane, sur le chemin de son appartement, s'arrêta chez ses commerçants habituels pour acheter de quoi déjeuner. Ensuite elle traîna un peu dans les rues en quête de visages connus. En moins d'un quart d'heure, elle repéra ce qu'elle cherchait, deux jeunes marins qui descendaient vers le port et qui ne purent l'éviter. Elle se fit raconter le scandale de la veille en détail. L'histoire avait fait le tour de Saint-Malo et l'empoignade du vieux Collinée avec le nouvel armateur était le sujet du jour.

Lorsque son père entra, elle avait préparé le repas et elle l'attendait de pied ferme. Au premier coup d'œil, elle lui trouva la même allure que n'importe quel autre jour. En revanche le chien, avec son drôle de pansement sur la tête, lui arracha un sourire.

— Viens me dire bonjour, le Clebs… Qu'est-ce que tu as encore fait ?

Sans se laisser troubler, Yvon déclara :

— Ah, le pauvre, il faut qu'il se mêle de tout ! Y s'est fourré au milieu d'une sacrée mêlée et il a pris un mauvais coup !

— Une bagarre, papa ? Parce que tu te bats toujours, à ton âge ?

— C'était pour rire, répondit-il avec aplomb. Tu sais que t'es bien mignonne, avec ta jupette… Mais c'est pas un peu court ?

Ils échangèrent un regard inquisiteur, chacun essayant de deviner les intentions de l'autre.

— Ton foutu patron était là, dit-il enfin. Une drôle d'idée de sa part. Vaut mieux que chacun reste à sa place…

Elle pensa qu'il allait éclater en imprécations, déverser sa haine, mais il ajouta tranquillement qu'il avait faim. Ses souvenirs de la veille étaient flous, cependant une idée fixe le taraudait.

— Dis donc, ma poupette, tu mènes ta barque comme tu l'entends mais y a des bruits qui circulent et qui m'agacent… Carriban, il est correct avec toi ?

— Papa !

— Oui, oui, ne te fâche pas… Mais c'est quand même un beau gars, charmeur et tout… Tu me diras pas le contraire ?

— Non.

La brièveté de la réponse le prit de court. Il hocha la tête et s'assit.

— Pourquoi t'as pas un petit copain, ma fille ?

Au lieu de s'énerver, elle passa derrière lui, glissa ses mains dans les poches du vieux caban et en sortit un couteau à cran d'arrêt qu'elle posa sur la table.

— Et toi, pourquoi te promènes-tu avec ça ?

— J'en ai toujours eu un sur moi ! protesta-t-il.

Il se tourna vers elle d'un mouvement brusque.

— Ne fais pas de bêtises, promis ?

— Toi non plus ! répliqua-t-elle sur le même ton.

Si mince et si gracieuse qu'elle soit, il se dégageait d'elle une volonté farouche qui le fit céder.

— D'accord, d'accord…

Elle n'accepterait jamais qu'il se mêle de sa vie, il le savait. Leur entente tacite impliquait le silence sur certaines choses.

— Fais attention quand même. Ne te fie pas aux hommes, et encore moins aux riches ! Qu'est-ce que tu nous as préparé de bon, ma rouquinette ?

Tant qu'il aurait de l'appétit et qu'il resterait assez sobre pour lui faire la conversation à midi, il ne serait pas tout à fait perdu. Elle alla chercher un saladier de crevettes grises, du beurre et du citron.

— Avant que tu partes, je lui referai son pansement, dit-elle en désignant le chien. C'est toi qui l'as soigné, papa ?

— Ah non… Il est allé chez le véto tout seul !

Cette image-là n'avait pas sombré dans les vapeurs de l'alcool. La voiture de Carriban et le Clebs. Si le gamin croyait s'en sortir comme ça ! Mais quand même, c'était correct.

— Elles sont poivrées juste à point, dit-il en reprenant une poignée de crevettes.

Servane lui sourit, sans trace de rancune, et il se carra plus confortablement sur sa chaise.

10

À la fin de la semaine suivante, Joël fit un rapide voyage à Paris. Il en ramena Juliette, ravie, ainsi que le contrat du groupe hôtelier, enfin mis au point et soigneusement enfermé dans son porte-documents. Les engagements mutuels de la chaîne et de l'armement Carriban portaient sur deux années. Avant de signer — ou plus exactement de faire signer Liliane —, Joël voulait l'aval de son avocat et l'accord de sa sœur, mais il avait du mal à ne pas exulter.

Son entrevue avec Charlotte s'était déroulée dans un silence contraint. Francis ne s'était pas montré mais il devait être là à en juger par les quelques affaires disséminées dans le grand living. Sur le palier, alors qu'ils attendaient l'ascenseur, sa femme l'avait embrassé avec une sorte d'élan désespéré.

Mariannick avait mis du champagne au frais, à tout hasard, et dès que son frère arriva chez elle, elle le bombarda de questions. Il ne se fit pas prier pour raconter par le menu ce qu'il considérait comme un grand succès et qui, d'après ses calculs, mettait la société hors de danger pour quelque temps.

— À condition que tu ne subisses aucune avarie, aucun contretemps, fit remarquer Benoît.

Ils se récrièrent, lui reprochant de jouer les oiseaux de mauvais augure et le comparant au sinistre Luc.

— Ce qui n'est pas un compliment ! souligna Joël.

— Tu fais une fixation sur lui.

— Pas du tout, j'ai essayé de l'apprécier ou, au moins, de l'ignorer. Mais il a l'art de se trouver là au mauvais moment, de dire la phrase qu'il ne faut pas. Quand j'investis, on dirait vraiment que c'est son argent que je dépense ! Et puis il est complètement dépassé…

À moitié convaincu, Benoît haussa les épaules. Son beau-frère l'agaçait et le séduisait à la fois. Il aurait aimé avoir son culot, son esprit d'initiative, mais il n'aurait jamais pu dormir tranquille en prenant de tels risques. Sa petite affaire de Cancale était saine, sans endettement excessif, et peut-être toute la famille serait-elle heureuse de pouvoir s'y raccrocher en cas de malheur ! Depuis que Joël avait pris la direction de l'armement, on ne parlait plus qu'en millions lourds, jonglant avec des chiffres vertigineux, et un homme de la génération de Luc, qui avait toujours redouté l'endettement, était forcément perdu.

— Tu ne t'es jamais demandé pourquoi ton père lui faisait confiance ?

— L'habitude, je suppose ? D'ailleurs, pour la gestion des petites unités qui nous restent, il peut à la rigueur rendre des services…

— Si tu le méprises aussi ouvertement, il te haïra, prédit Benoît.

— Il me détestait déjà le premier jour… Et même quand j'étais jeune ! Chaque fois que je mettais les pieds là-bas il disait, de sa voix nasillarde : « Je ne sais pas si je peux déranger monsieur votre père… »

L'imitation était trop réussie pour que Benoît puisse s'empêcher de rire. Joël poursuivit :

— Mariannick, ça va. D'abord elle est diplomate, et puis tout le monde l'aime ! Mais moi, c'est une autre histoire…

— Les jeunes t'ont à la bonne.

— C'est vrai ?

Cette nouvelle lui causait un plaisir évident.

— L'autre soir, ils ne t'ont pas défendu parce que tu es le patron ni parce que tu as leur âge… J'ai plutôt l'impression qu'il y a un nouvel état d'esprit. Si la tendance s'affirme, on verra bientôt le « clan » des marins Carriban. Comme à l'armée !

Radieux, Joël bouscula Benoît, par jeu, puis il décoiffa sa sœur.

— Tu m'apprends des choses formidables ! s'écria-t-il.

Ainsi il était parvenu à obtenir une certaine solidarité, à se faire comprendre et respecter d'une partie de ses employés. C'était un premier pas sur le chemin dans lequel il avait engagé l'armement.

Mariannick passa ses doigts dans ses cheveux pour les remettre en ordre. En répétant ce qu'il entendait un peu partout, son mari faisait un véritable cadeau à Joël. Et il avait besoin d'être rassuré, elle le savait. Quand il lui avait expliqué la bagarre du bistrot, il avait paru accablé par cette haine qu'il suscitait chez certains Malouins. Il cherchait un moyen de faire la paix avec Collinée mais elle lui avait déconseillé de tenter quoi que ce soit. Servane, de son côté, s'était montrée très discrète sur l'incident. Elle ne voulait pas prendre parti et la situation était embarrassante pour elle. Depuis quelque temps, elle était un peu moins gaie. Parler de Joël semblait lui poser un problème, Mariannick l'avait noté.

Discrètement, elle observa son frère qui continuait sa discussion avec Benoît. Elle s'aperçut qu'il avait maigri, que ses joues s'étaient creusées, et elle se demanda s'il se nourrissait correctement quand il était seul le soir à Dinard. Il faudrait qu'elle en parle à Armelle et qu'à elles deux, sans en avoir l'air, elles s'occupent davantage de lui. Mais, bien plus que de bons petits plats, il devait avoir besoin d'amour. Là-bas, à la villa, il vivait dans les traces de Jaouën et de Liliane, alors que l'un était parti pour toujours et que l'autre ne manifestait qu'indifférence. L'absence de Charlotte et l'animosité de certains marins s'ajoutaient au reste, pourtant il faisait face, sourire aux lèvres, décidé à gagner coûte que coûte.

« Et maintenant, en plus, il est amoureux... » songea-t-elle.

Quelques semaines plus tôt, elle avait redouté un coup de tête, un engouement passager de son frère et elle avait eu peur pour Servane dont elle connaissait l'innocence. En les surveillant du coin de l'œil, chaque après-midi, elle avait constaté la gêne de Joël, la maladresse qui le trahissait, les élans qu'il avait du mal à réprimer.

« Mais elle reste sur ses gardes, elle a raison... Il n'est pas en mesure de promettre quoi que ce soit pour le moment. »

— Dans quel rêve es-tu partie ? s'enquit Joël.

Le regard apitoyé qu'elle posait sur lui commençait à l'intriguer.

— Nulle part, dit-elle en souriant. Je dois m'occuper du dîner. Maman et Servane vont nous rejoindre. Il faut qu'on fête ce contrat dignement, non ?

Elle les avait invitées toutes les deux à dessein, certaine du succès de son frère. Au moment où elle gagnait la cuisine, la sonnette retentit et Joël voulut aller ouvrir. Benoît le retint en s'excusant :

— Attends ! Si c'est ta mère…

L'allusion consterna Joël. Si c'était lui que Liliane découvrait par surprise dans la semi-obscurité du vestibule, croirait-elle encore voir le fantôme de Jaouën ? Morose, il patienta, mais en entrant, elle vint droit à lui, les bras tendus.

— Mon grand ! Alors, tu es rentré ? Tes rendez-vous se sont bien passés ? Tu es content ?

Il pensa que Mariannick lui avait peut-être soufflé ces mots, cependant il l'embrassa très tendrement.

— Et ma petite-fille est là ? Quelle chance ! Elle est si jolie, cette enfant…

Impossible de deviner s'il s'agissait d'une simple politesse ou si sa mère était sincère. Assise tout au bord du canapé, elle affichait un petit sourire résolu.

— Tout va bien à la villa ? Tu t'y plais ? Tu devrais prendre notre chambre, elle est très agréable et…

Sa phrase resta en suspens tandis que son regard se perdait soudain dans le vague. Benoît toussota et, heureusement, l'arrivée de Servane fit diversion. Joël lui raconta tout de suite son voyage à Paris.

— C'est vrai ? C'est signé ? Oh, c'est fantastique !

Sa joie était sincère et elle dut se retenir pour ne pas sauter au cou de Joël. Il constata avec plaisir combien elle prenait à cœur les problèmes de la société Carriban. Elle portait sa petite jupe courte et une veste à col officier ouverte sur un tee-shirt brodé. Il adorait sa façon de s'habiller. Même les vêtements les plus simples la rendaient élégante.

Ils dînèrent dans une ambiance détendue, les trois garçons s'occupant tour à tour de leur cousine. À la fin du repas, ils supplièrent leur oncle de laisser Juliette dormir chez eux. Ils avaient des projets passionnants pour le lendemain matin et il accepta en riant.

— Mais demain soir, c'est vous qui viendrez à Dinard, d'accord ?

Des hurlements enthousiastes saluèrent sa proposition. Ensuite Benoît décida de raccompagner Liliane et Joël offrit de déposer Servane chez elle.

La nuit était froide, claire, presque transparente au-dessus d'une mer étale. Il lui proposa de faire une courte promenade sur les remparts avant de rentrer, un « tour des murs » comme disaient les Malouins. Ils marchèrent côte à côte sans parler durant quelques minutes, puis Joël murmura :

— Ma mère semble aller un peu mieux…

— Elle s'efforce de le faire croire, c'est déjà bien !

— Oui… Et votre père ?

Servane s'arrêta, enfouit ses mains dans les poches de son manteau et scruta les eaux noires qui s'étendaient devant eux.

— Il est comme d'habitude.

Elle ne voulait pas en parler mais il insista :

— Et le chien ?

— Le Clebs ? Oh, il s'en est remis… C'est vous qui l'avez conduit chez le vétérinaire, n'est-ce pas ?

— Chez Thierry, en fait.

À la clarté de la lune, il distinguait son visage et il eut l'impression qu'elle était contrariée.

— Je ne lui ai rien dit de précis, rassurez-vous !

— Je ne suis pas inquiète.

Sa voix tranquille indiquait qu'elle ne l'était pas, en effet. Il se demanda si elle voyait Thierry, s'il leur arrivait d'avoir rendez-vous.

— C'est un très gentil garçon, dit-il prudemment. Vous continuez votre apprentissage de la voile avec lui ?

Elle eut un mouvement d'épaules qui ne constituait pas une réponse.

— J'espère ne pas vous avoir dégoûtée des bateaux ! En tout cas, le sien est une merveille…

Secouant la tête, elle murmura :

— Quel dommage que vous ne fassiez pas plus souvent des sorties en mer, vous avez l'air d'adorer ça.

— Oui… Mais justement ! J'ai beaucoup trop aimé la course et je ne veux pas me laisser tenter. L'armement d'abord.

Il vit qu'elle relevait son col et il suggéra de regagner la voiture. En lui ouvrant la portière, il perçut l'odeur de son parfum. Peut-être n'aurait-il pas l'occasion de se trouver seul avec elle avant plusieurs jours. Il y avait toujours beaucoup d'allées et venues au bureau et elle fuyait ses invitations à déjeuner. Il se glissa au volant, mit le moteur en marche mais n'enclencha aucune vitesse. Lorsqu'il se tourna vers elle, il nota qu'elle évitait de le regarder et il sentit le courage lui manquer.

— Je ne peux vraiment rien vous dire d'un peu… personnel ?

— Non !

— Est-ce que ce sera possible, un jour ?

Elle murmura une réponse inaudible et il se pencha vers elle en lui demandant de répéter.

— Je ne sais pas…, articula-t-elle.

— Pourquoi ?

Il y eut un long silence puis il finit par démarrer. Il ne comprenait pas l'acharnement qu'elle mettait à lui échapper. À vingt ans, elle n'avait tout de même plus l'âge de redouter la fureur de son père. Craignait-elle d'être, comme Patricia par exemple, une brève aventure ? Pensait-elle qu'il voulait se consoler de Charlotte en passant quelques nuits avec une jolie fille ? Ou bien, très simplement, il ne lui plaisait pas. Pourtant, d'instinct, il aurait parié le contraire. À moins que Thierry…

— Vous allez trop loin ! C'était là-bas…

Avec un sourire d'excuse, il effectua une rapide marche arrière. Elle descendit dès qu'il s'arrêta, se contentant de lui adresser un petit signe de tête. En allumant l'ampoule sinistre du hall de son immeuble, elle entendit la voiture s'éloigner et elle poussa un long soupir. S'il avait essayé de l'embrasser, elle n'aurait jamais eu la force de lui résister. C'était la première fois de sa vie qu'un homme lui faisait cet effet.

« Et ça te sert à quoi, pauvre cloche ? » songea-t-elle en montant l'escalier.

Une fois chez elle, sa première idée fut d'aller boire un grand verre d'eau. Ensuite elle resta un moment devant l'évier, les yeux dans le vague. Si seulement il n'avait pas été marié ! S'il n'avait pas eu cet air malheureux chaque fois que sa femme lui téléphonait… Si elle avait pu se sentir sur un pied d'égalité avec lui…

— Avec des « si », on mettrait la mer en bouteilles ! maugréa-t-elle en quittant la cuisine.

Plus elle attendrait, plus ses rapports avec les hommes seraient difficiles. Et elle n'allait quand même pas rester vierge toute sa vie ! Seulement, elle n'avait jamais eu assez envie d'un garçon pour franchir le pas. Jolie comme elle l'était, les propositions n'avaient pourtant pas manqué. Il lui était arrivé de flirter, mais plus par curiosité que par plaisir. Elle avait beau se trouver ridicule et démodée, elle refusait l'expérience si c'était uniquement pour faire comme les autres.

Près de Joël, elle découvrait avec étonnement le désir de l'autre, une sensation inconnue jusque-là. Dès qu'il s'approchait d'elle ou qu'il la regardait un peu trop longtemps, elle éprouvait une attirance quasi magnétique. Ce qui l'empêchait d'y céder était peut-être la crainte de devoir quitter son travail un jour ou l'autre. L'idée d'être la secrétaire qui se jette dans le lit du patron pour un week-end lui faisait horreur. Qu'adviendrait-il ensuite ? Il lui proposerait de rester « bons amis » et ne s'intéresserait plus jamais à elle ?

« Pourquoi lui ? Tu ne pouvais pas choisir pire dans tout Saint-Malo… »

Mais bien sûr, elle n'avait pas choisi. Avant même de le rencontrer, elle était sous le charme. Mariannick lui avait tant parlé de son frère, en lui attribuant toutes les qualités, qu'elle en avait fait une sorte d'idéal.

« Et toi, midinette comme pas deux, dès que tu l'as vu… »

Elle se déshabilla, enfila un vieux tee-shirt sans couleur à force d'être lavé, et se glissa entre les draps. Par jeu, elle donna un coup de pied à une grande poupée de laine posée sur la couverture. Sa mère avait tricoté ce jouet pour elle quinze ans plus tôt.

— Arrête de te lamenter, dit-elle à mi-voix en tapotant son oreiller.

Non, elle n'était pas malheureuse. Elle ne l'était plus depuis longtemps. À force de volonté, c'était devenu une réalité. Demain matin, elle serait au bureau, elle retrouverait un métier qu'elle aimait et où elle prenait peu à peu de l'importance. Mariannick lui donnait volontiers des responsabilités et Joël tenait compte de ses avis. Les employés eux aussi la sollicitaient souvent. Quant à son salaire, il était vraiment confortable après ce qu'elle avait connu. Au sein de l'armement Carriban, ce n'était pas la carrière de Mme Heulin qu'elle ferait, elle se l'était juré ! Elle avait la possibilité d'y exister pour de bon et d'y gravir les échelons, elle saurait saisir sa chance. À condition de ne pas faire n'importe quoi…

Ramassant la poupée qui avait atterri sur la carpette, elle la prit contre elle et l'étreignit.

Des galopades résonnaient au-dessus de leurs têtes, attestant du déroulement plutôt mouvementé de la partie de cache-cache improvisée par les enfants.

— Bon, dit Mariannick, si on en croit ce truc, c'est là et nulle part ailleurs.

— Eh bien, on vérifiera dimanche !

Joël tenait les deux bouteilles de bordeaux qu'ils étaient censés remonter de la cave.

— Servane et moi, nous emmènerons les enfants au cinéma. Pendant ce temps-là vous n'aurez qu'à creuser, Benoît et toi, décida-t-elle.

— D'accord mais, d'ici là, tu vas me confier ce fichu bracelet pour qu'Armelle puisse le retrouver ! Parce que ça devient une obsession, on dirait un chien de chasse ! Et j'ai peur qu'elle ne finisse par m'obliger à aller brûler un cierge à son saint Antoine de…

— De Padoue.

— C'est ça.

Le détecteur de métaux leur avait appris ce qu'ils voulaient savoir en quelques minutes. Il ne s'était affolé qu'à un seul endroit, logique après tout, au beau milieu de la cave, à égale distance des quatre murs. Jaouën était un homme précis.

— Tu viens ? demanda Mariannick. On ne peut pas passer la soirée là !

Comme son frère hésitait, elle s'arrêta sur la deuxième marche de l'escalier pour l'attendre.

— Qu'est-ce que tu as ?

— Je me disais que… Écoute, ma vieille, avons-nous vraiment besoin d'argent en ce moment ?

Appuyée à la rampe de bois, elle le considérait avec curiosité.

— Non…

Quand il leva la tête vers elle, elle surprit la lueur ironique qui brillait dans ses yeux clairs.

— Et si on faisait comme papa ? Si on gardait ça pour un coup dur ?

— Une poire pour la soif ?

— Mettons un calfatage en cas de gros pépin avec l'armement ? De toute façon, je ne nous imagine pas louant des coffres à la banque et allant déposer tout ça d'un air innocent ! Le jour où on va déterrer ce magot, il faudra avoir prévu un plan quelconque parce que je te rappelle qu'il n'y a plus d'anonymat sur l'or.

— Oui, c'est vrai…

— Mais, ajouta-t-il, si tu préfères en avoir le cœur net ou si tu as des envies de dépenses, on peut très bien…

— Non, non ! C'est toi qui as raison. Si on le sort d'ici, ce sera aussi encombrant qu'un paquet de dynamite.

La porte s'ouvrit, au-dessus de leurs têtes, et la voix inquiète de Benoît leur parvint.

— Dépêchez-vous un peu !

Ils échangèrent un dernier regard, se comprenant parfaitement comme d'habitude.

— Voilà ! cria-t-elle. On arrive…

Joël la suivit et ils quittèrent la cave l'un derrière l'autre. À la cuisine, Servane avait mis le couvert sur la grande table de marbre et il déposa les bouteilles au centre.

— Est-ce que vous voulez goûter la première ?

Sur une assiette, elle lui tendait une crêpe pliée en quatre.

— J'ai peur d'avoir trop salé la pâte…

— Non, c'est parfait ! affirma-t-il. Vous les réussissez à merveille.

— Merci. Vous pouvez appeler les autres, on va commencer.

Elle portait un petit tablier qui avait dû appartenir à Liliane et qu'elle avait noué sur son jean. De dos, elle était si menue qu'on aurait dit une adolescente. Attirés par l'odeur, les enfants venaient d'entrer en se bousculant. Benoît les aida à s'installer pendant que Mariannick rejoignait Servane devant les fourneaux en déclarant :

— Allez, on vous écoute. Qui prend du jambon ? Du fromage ? Des œufs ?

Des cris fusèrent et Juliette, assise à côté de son père, le tira par la manche.

— On sert pas les filles en premier ?

— Non, ma chérie. Les invités d'abord. Et c'est toi qui reçois, n'oublie pas !

Aux anges, elle se serra contre lui. Elle lui vouait un véritable culte depuis toujours et souffrait énormément de son absence. Elle ne comprenait pas pourquoi elle ne pouvait pas vivre avec lui, dans cette maison extraordinaire, mais elle gardait pour elle son chagrin d'enfant.

— C'est beau, ici, chuchota-t-elle. Très, très beau !
Plus beau que tout ce que je connais !

— Tu diras ça à ta grand-mère, ça lui fera plaisir.
C'est elle la décoratrice.

— T'as dû t'amuser, quand t'étais petit ?

— Oh oui !

S'adressant à Mariannick, Juliette ajouta :

— C'est chouette d'avoir un frère ?

— Ton papa est le frère le plus formidable qui soit !

— Il te tirait les cheveux ?

— Bien sûr ! Il continue, d'ailleurs…

— Et les cousins aussi, ils ont le droit de tirer dessus ?

Se tournant vers ses fils, Mariannick demanda :

— Vous n'avez pas fait ça, les monstres ?

Les trois garçons riaient bruyamment mais Joël,
depuis les réflexions de sa fille, restait songeur. Une
enfant unique, fragilisée par une séparation, était forcément vulnérable. Or il ne savait ni comment la préserver,
ni même comment la consoler.

— Je veux rester à Dinard toujours, dit-elle alors.

— Il y a ta maman, chérie…

— Elle peut pas venir ? Tu veux pas, tu l'aimes plus ?

Embarrassé, Joël secoua la tête et ce fut le regard de
Servane qu'il croisa en premier. Elle eut la nette sensation qu'il était gêné mais aussi qu'il la suppliait de
quelque chose.

— Je prends la commande pour la tournée suivante,
déclara-t-elle. Saumon fumé ? Saucisse ? Beurre salé ?

Elle souriait à la petite fille qui répondit, magnanime :

— Les invités d'abord !

Incrédule, Yvon retourna plusieurs fois l'enveloppe et relut son nom. Il recevait très peu de courrier, aussi n'ouvrait-il sa boîte aux lettres que par habitude.

— J'aime pas ça…, marmonna-t-il.

Il entra dans le pavillon, ferma soigneusement la porte. Par économie, il chauffait à peine.

— Je te parie une mauvaise nouvelle, le Clebs !

Avec résignation, il ouvrit l'enveloppe, extirpa une feuille qu'il tint à bout de bras pour la déchiffrer. Parvenu en bas du texte, il recommença, certain d'avoir mal compris. Il s'agissait d'une offre d'emploi, en bonne et due forme, émanant du port marchand.

— « Au vu de votre dossier, votre candidature a été retenue pour vos compétences… » Tu parles !

Perplexe, il s'assit devant la table couverte d'une toile cirée.

— C'est quoi, ce bordel ?

Ce ne pouvait être que Servane. Excédée de le voir traîner dans les bars du matin au soir, elle lui avait déniché un travail. De quoi se mêlait-elle ? Il avait eu le temps de se faire à une existence oisive, en huit ans, et il ne demandait rien d'autre.

— Mes compétences ! On croit rêver !

Le grand chien noir ne le quittait pas du regard et Yvon sourit.

— Remarque, si c'est pour surveiller des déchargements, bien malin qui pourrait me rouler…

Malgré lui, il s'imagina au bord du quai, comptant les caisses et vérifiant les cerclages.

— Foutaises !

C'était bientôt l'heure de déjeuner et il enfila son caban.

— Allez, le Clebs, en route…

Tout le long du chemin, il fut assailli d'idées contradictoires. La lettre de la compagnie maritime était dans sa poche et il parlait tout seul, les dents serrées autour du tuyau de sa pipe. Il oublia même de l'éteindre et de la vider, ainsi qu'il le faisait chaque jour, avant de s'engager dans l'escalier de l'immeuble.

Servane protesta dès qu'il ouvrit la porte :

— Ah non, pas la bouffarde ! Si encore tu fumais des cigarettes…

— Trop chers, les clopes ! C'est bon pour les bourgeois. Et puis, aujourd'hui…

Sortant le papier, il l'étala sur la table.

— Toi, ça va pas t'étonner cette bafouille ?

Elle se pencha, lut, puis, comme lui-même un peu plus tôt, relut une seconde fois.

— Tu as trouvé un travail ? articula-t-elle, abasourdie.

— C'est plutôt lui qui m'a trouvé ! Je ne t'avais rien demandé, pas vrai ? Tu aurais dû m'en parler avant, poupette.

— Mais je n'y suis pour rien !

Réfléchissant à toute vitesse, elle se souvint qu'il était arrivé à Mariannick de faire allusion au chômage de son père, mais toujours très discrètement. Et elle n'aurait pas manqué de consulter Servane avant de tenter quoi que ce soit. Alors qui pouvait bien être à l'origine de ce courrier ? À l'évidence, la candidature d'Yvon avait été présentée avec toutes les références voulues sur sa carrière de marin.

— Tu me fais marcher…

— Pas du tout, papa. C'est peut-être quelqu'un qui te connaît ? Un de tes anciens collègues ? À moins qu'ils n'aient demandé des dossiers à l'ANPE ? S'ils voulaient engager quelqu'un d'expérience…

Son père était un homme simple, qui buvait trop, mais en aucun cas un imbécile.

— Si c'est pas toi, ma fille, faut que ce soit quelqu'un. Les cadeaux tombés du ciel, je m'en méfie !

L'idée les effleura en même temps mais il fut le premier à parler.

— J'espère que c'est pas ton Carriban de malheur ! Renseigne-toi vite parce que, dans ces conditions, je n'irai pas !

— Mais non, c'est ridicule…

— Peut-être. Faut dire qu'il aurait pas beaucoup de fierté pour faire une chose pareille.

Il avait insulté Joël en privé puis en public, lui avait donné un coup de couteau — raté mais quand même — et lui avait craché dessus ! Alors, à moins d'être tordu, ce n'était pas lui. Sauf s'il n'avait trouvé que ce moyen pour se faire bien voir de Servane ? Est-ce qu'il lui faisait la cour ? Est-ce qu'il y avait du vrai dans les racontars de ce foutu Luc ?

— Tu en sauras plus demain, dit-elle.

— À condition que j'y aille !

— Tu es convoqué à neuf heures.

— Et alors ?

Il la provoquait mais elle ne tomba pas dans le piège.

— Alors, tu as toute la journée pour réfléchir.

Sans insister, elle se mit à servir le déjeuner. La réaction de son père était difficile à prévoir. Dans quelques heures d'ici, quand il aurait atteint un certain degré d'ivresse, il verrait les choses différemment. L'idée de travailler de nouveau l'effrayait peut-être.

Un peu avant deux heures, elle gagna l'armement. Le bureau de Joël était vide, la porte ouverte comme toujours, et elle hésita longtemps. Elle ne voulait pas fouiller mais elle ne se voyait pas lui posant franchement la question. Si c'était bien lui qui avait manœuvré pour faire embaucher Yvon, il serait gêné qu'elle l'ait découvert. Et si ce n'était pas lui, il le serait davantage ! Le plus simple était d'en discuter avec Mariannick.

— Ah, vous êtes déjà là ! s'exclama Joël qui était arrivé sans bruit. Tant mieux, j'ai mille choses à vous demander. Ma sœur ne viendra pas aujourd'hui, elle s'occupe des enfants. Mon Dieu, que c'est difficile de tout concilier !

Comme il semblait un peu mélancolique, elle se souvint qu'il devait raccompagner Juliette à Paris le surlendemain.

— Votre fille est adorable, c'est une vraie poupée, dit-elle gentiment.

— J'aimerais la garder avec moi. Mais sa mère ne veut pas…

Elle nota qu'il n'avait pas utilisé le prénom de Charlotte.

— Avant tout, je monte voir Luc, j'ai des compliments à lui faire, pour une fois ! En attendant, si vous pouviez me retrouver la réponse de la direction régionale des affaires culturelles, ce serait formidable. Ils ont accepté de donner une petite subvention pour votre association et je veux mettre ça sous le nez de Mariannick ! Avec cette somme, vous allez bien nous sauver deux ou trois christs en perdition, non ? Elle n'avait jamais pensé à les solliciter, vous vous rendez compte ?

Il souriait, ravi, et Servane se dit qu'il avait pris la peine d'y songer, de son côté, pour faire une surprise à sa sœur. Il avait tout aussi bien pu s'occuper de son père, il en était capable. Depuis le temps qu'elle travaillait avec lui, elle avait compris qu'il était authentiquement gentil. Au moins autant qu'il était coléreux.

En pénétrant dans la salle de contrôle du premier étage, Joël jeta un rapide regard aux écrans, par habitude, puis se dirigea résolument vers Luc qui était absorbé dans un registre.

— Alors là, bravo ! Vraiment, je vous félicite…, dit-il d'un ton qu'il voulait enthousiaste mais qui s'avéra un peu agressif malgré lui.

La réaction de l'intéressé fut pour le moins surprenante. Au lieu d'afficher un sourire vaniteux, Luc sembla se tasser sur son siège et prit un air de chien battu.

— Vous connaissez bien les marins, c'est le moins qu'on puisse dire, poursuivit néanmoins Joël. Vous ne pouviez pas faire mieux ! Si vous avez voulu me rendre sympathique à leurs yeux, c'est réussi.

Il faisait référence au système de répartition des primes que Luc avait élaboré avec soin et qui avait été bien accueilli par l'ensemble du personnel.

— Mais non, je vous assure, ils se sont monté la tête tout seuls…

Désorienté par cette remarque incongrue, Joël dévisagea Luc qui ne soutint pas son regard et continua de se justifier.

— Je n'y suis pour rien ! Quand ils ont bu, ils mélangent tout. Collinée vous déteste, il fait une fixation sur vous… Je n'ai rien dit au sujet de sa fille ! S'il le prétend, c'est un menteur. Ou bien il a confondu. J'ai peut-être cité son nom comme ça, en passant. Mais je n'ai jamais sous-entendu qu'entre elle et vous… D'ailleurs, vous faites ce que vous voulez, n'est-ce pas ? Ce n'est plus une gamine !

Rémi, de veille à la VHF, avait son casque autour du cou et il ne put s'empêcher de couler un regard vers eux. Joël était toujours debout, muet de surprise.

— Justement, poursuivit Luc, j'ai cru qu'en vous emmenant dans ce bar, les esprits s'apaiseraient. Mais je n'aurais pas dû, ils sont incorrigibles. Alors, n'écoutez pas leurs calomnies. Ils vont vouloir me mettre ça sur le dos, bien sûr. Moi, j'ai cru bien faire…

Devant le mutisme de Joël, il reprenait confiance.

— Vous comprenez, vous êtes un objet de curiosité pour eux ! Ils me bombardent de questions et puis ils interprètent les réponses. Quant à ce Collinée, il est tellement imbibé qu'il embrouille tout ! Mais je parle trop, c'est vrai. C'est tout ce qu'on peut me reprocher. Vous êtes comme votre père, vous vous mettez en colère d'abord et vous réfléchissez après…

Cette fois il ne trouvait plus rien à ajouter. Il affronta enfin les yeux pâles de Joël. Exactement ceux de Jaouën quand il était furieux.

— J'étais monté vous féliciter au sujet des primes, laissa tomber Joël d'une voix froide. À présent, je dois aussi rendre grâce à votre franchise. Ainsi cette bagarre faisait partie de votre programme de la soirée ? Très distrayant…

Soudain blême, Luc réalisa son erreur et se mordit les lèvres.

— Descendez me voir tout à l'heure, je serai sûrement plus calme ! lui lança Joël en se détournant.

La VHF s'était mise à grésiller et un capitaine faisait un compte rendu que notait le radio. Luc, dans son affolement, faillit emboîter le pas à Joël mais il y renonça. Il ne pouvait vraiment rien ajouter à un tel désastre. Pourquoi avait-il si mal interprété le compliment du jeune homme ? Il s'était cru découvert et avait préféré prendre les devants au lieu d'attendre tranquillement l'orage. Un terrible faux pas.

Désespéré, il regarda autour de lui. C'était son cadre de vie depuis trente ans. Il avait résisté à nombre de changements et à bien des colères homériques. Il considérait qu'il n'était pas remplaçable. Toutefois, mieux valait attendre que l'effet de sa malheureuse révélation s'estompe un peu. Plus tard dans l'après-midi, il profiterait de la présence de Mariannick pour se rendre dans le bureau du patron.

Patron… Il s'étonna d'avoir pensé ce mot. Non, ce n'était que le fils Carriban ! Et il n'oserait pas le mettre dehors, il avait commis suffisamment de bêtises dans sa jeunesse ! Luc décida que, au pire, il saurait les lui rappeler.

Un étage plus bas, assis en face de Servane, Joël essayait de réfléchir. Il s'était juré de ne licencier personne mais il ne voulait plus avoir affaire à Luc. Plus jamais.

— Cette fouine, ce minable…, gronda-t-il. Mais pourquoi m'en veut-il, lui ? Qu'est-ce que je lui ai fait ?

Exaspéré, il repoussa son agenda d'un mouvement rageur.

— Je l'ai gardé ici alors qu'il ne me sert à rien ! Il…

— Ce n'est pas tout à fait juste, fit-elle remarquer.

Elle était venue avec son bloc, pour prendre en sténo un courrier qu'il n'était pas en état de lui dicter.

— Comment ça, pas juste ?

— Il vous rend des services. Il connaît la société à fond. Et il y est attaché, contrairement à ce que vous croyez.

— Il n'aime rien !

— Si. L'armement. Mais pas vous. Parce que vous êtes trop jeune pour lui, parce que vous lui faites peur, et parce que vous ne prenez jamais son avis.

— Qui me serait de quelle utilité, d'après vous ? Et ce n'est pas une raison pour me traîner dans la boue ! Et vous avec ! Qu'est-ce qu'il a bien pu aller raconter ? Vous devriez être hors de vous ! Il s'est servi de votre père ! Il comptait sur un autre parce qu'il est bien trop lâche pour me défier ouvertement. Alors il a inventé n'importe quoi jusqu'à ce que ça devienne explosif. Il s'y entend pour manipuler les gens. Ensuite il m'a entraîné là-bas… C'est vraiment machiavélique ! Je pourrais avoir la moitié de la ville à dos, aujourd'hui ! Ou bien être à l'hôpital. Dans les deux cas, ce sinistre con se serait frotté les mains ! Et si cette bagarre avait mal fini ? Est-ce qu'il y a seulement pensé ? Moi au cimetière et Collinée en taule, il gagnait quoi ?

Il quitta son fauteuil et alla se planter devant la fenêtre.

— Excusez-moi, dit-il au bout d'un moment.

Au lieu de se donner en spectacle devant elle, il fallait qu'il retrouve son sang-froid.

— Je vais le mettre à la retraite anticipée. Je ne peux pas faire mieux.

— Vous devriez d'abord appeler Mariannick.

S'arrachant à la contemplation des quais, il se tourna vers elle.

— Vous êtes d'un calme… Je vous envie ! D'accord, allez-y et passez-la-moi.

Elle composa le numéro, lui tendit le téléphone, mais lorsqu'elle voulut sortir, il lui fit signe de rester assise. Il parla deux minutes avec sa sœur, lui résumant la situation et aussi ses intentions, puis il l'écouta, sourcils froncés.

— Bon, si tu veux… Va pour demain…

En raccrochant, il haussa les épaules.

— D'après elle, la nuit porte conseil ! Je ne comprends pas pourquoi vous prenez toutes sa défense. Il a pourtant un physique de cloporte, non ?

Amusée, elle le considérait avec tant de gentillesse qu'il oublia Luc une seconde.

— Servane…, dit-il à mi-voix. Je… Euh…

— Nous en étions à cette lettre pour le chantier naval.

Déjà, elle avait baissé la tête et repris son stylo. Il ne voyait plus que ses cheveux qui luisaient comme de l'acajou sous la lampe. Pourquoi rejetait-elle la moindre de ses tentatives ? D'un pas résolu, il s'approcha d'elle et lui posa les mains sur les épaules.

— Je sais que je vous ennuie. Je suis amoureux de vous.

Il y eut un petit silence puis elle déclara, sans intonation particulière :

— Joël, lâchez-moi.

À regret, il s'éloigna, retourna vers la fenêtre. Derrière lui, il l'entendit qui se levait. Puis la porte de communication claqua. Avec un soupir, il appuya son front sur la vitre.

— Raté…, murmura-t-il.

Décidément, c'était une mauvaise journée. Et il n'était pas sûr d'en connaître de meilleure avant longtemps. « Amoureux » était un euphémisme. Servane était devenue son idée fixe. Seulement, à l'évidence, la réciproque n'existait pas.

L'arrivée sur Paris soulagea Joël. Depuis bientôt quatre heures, Juliette était inconsolable. Il avait tout tenté pour la distraire, s'arrêtant à plusieurs reprises et lui achetant toutes sortes de friandises. Mais elle s'obstinait à pleurnicher, à répéter toujours la même chose. Elle ne voulait pas rentrer chez elle, c'est à Dinard qu'elle voulait être. La maison, les cousins, et surtout son père, elle refusait de quitter tout cela. Malgré ses bonnes résolutions, elle avait craqué, s'était mise à sangloter quand elle était montée dans la voiture.

Plus malheureux qu'elle, il ne trouvait aucune solution à leur problème. À toutes les questions qu'il lui avait posées, elle avait à peine répondu. Non, Francis n'était pas méchant ; oui, sa mère s'occupait bien d'elle. Il l'avait interrogée sur son école, sur ses grands-parents, cherchant en vain une raison à son désespoir.

En se garant devant l'immeuble, il vit qu'elle s'était enfin endormie. Il regarda la façade, puis la rue tout entière et s'étonna d'avoir pu vivre là durant des années. Si sa fille était comme lui, cet endroit ne tarderait pas à lui faire horreur. C'était sale, bruyant, sans âme, et pourtant considéré par les Parisiens comme un quartier privilégié.

Il réveilla doucement la fillette, lui mit sa girafe dans les bras et s'empara de son sac de voyage. Dans l'ascenseur, il constata qu'elle gardait l'air buté et qu'elle avait les yeux gonflés. Charlotte leur ouvrit avant même qu'il ne sonne.

— Je vous ai vus arriver ! Bon voyage ? Oh, mais qu'est-ce qu'elle a, ma grande ?

Dès qu'elle la prit dans ses bras, Juliette éclata en larmes. Charlotte regarda Joël qui fit un geste d'impuissance.

— Elle voulait rester à Dinard…

Comme il hésitait, toujours sur le seuil, elle lui fit signe d'entrer.

— Viens deux minutes, on va boire quelque chose…

Dans le living, il eut l'impression d'être en visite chez une inconnue. De toutes les choses qu'ils avaient partagées, de tous les moments vécus ensemble, il ne restait rien.

Sur une table basse, il aperçut un magazine ouvert. Sans doute le dernier reportage de Charlotte.

— Tout va bien pour toi ? demanda-t-il alors qu'elle revenait avec une bouteille de champagne et des coupes.

— Je vais te raconter, je suis très contente, ça marche du tonnerre !

— Je n'ai pas vraiment soif, dit-il parce qu'il trouvait le champagne incongru.

— Allez, juste trois bulles pour boire à mes succès !

Juliette était partie en courant vers sa chambre, comme si elle ne voulait pas dire au revoir à son père.

— Elle m'inquiète, elle a pleuré pendant des heures…

— Qu'est-ce que tu veux qu'on y fasse ? Tu as toujours été son dieu ! Mais elle n'est pas la première dont les parents se séparent. C'est juste une mauvaise période. Elle oubliera.

— Quoi ? Moi ?

— Ne dis pas de bêtises. Assieds-toi.

— Tu es seule ?

Même s'il n'éprouvait plus grand-chose pour elle, il n'avait aucune envie de rencontrer Francis.

— Oui. Il travaille, tu sais !

— Qu'est-ce qu'il fait ? se força-t-il à ajouter.

— Il dirige un important groupe de presse.

— Ah, je vois…

— Non, tu ne vois rien du tout. Inutile d'être désagréable. Mais c'est vrai, il peut m'aider. Seulement, il faudrait que je voyage.

— Et ça te tente ? En ce qui concerne Juliette, je ne demande pas mieux que…

— Oui, je sais ! Tu veux à tout prix la récupérer !

— Ce n'est pas le verbe que j'aurais choisi.

Après cette passe d'armes, ils restèrent sur leurs gardes quelques instants. Puis elle lui prit la main, brusquement, et plongea son regard dans le sien.

— Tu n'as aucun regret, Joël ?

Il jugea qu'il valait mieux s'abstenir de répondre.

— J'ai trouvé un avocat qui s'occupera de nous deux…, ajouta-t-elle d'une drôle de petite voix.

La présence de son mari la troublait bien plus qu'elle ne l'aurait voulu.

— Très bien, dit-il doucement. Fais pour le mieux…

Elle le bouscula un peu, s'assit sur ses genoux et posa sa tête contre son épaule. Deux ou trois minutes s'écoulèrent sans qu'ils bougent ni l'un ni l'autre. Puis elle se releva, vexée de sa froideur.

— Va-t'en, murmura-t-elle.

— Juliette ne…

— Non, elle se remettrait à pleurer. Appelle-la ce soir.

Le visage crispé, elle attendait un signe qui ne vint pas. Il s'éloigna vers la porte sans qu'elle songe à le raccompagner. Elle s'en voulait de son moment de faiblesse et déjà la rancune reprenait le dessus. Pourtant elle s'approcha du balcon et ouvrit la fenêtre pour le regarder partir.

11

Attirée comme par un aimant, Juliette avait transgressé l'interdiction de traverser. C'était dans cet immense bâtiment de verre qu'elle avait pris le train pour Saint-Malo en compagnie de sa mère, quelques mois plus tôt.

Saint-Malo, Dinard, son père. À chaque instant, des locomotives devaient emmener des voyageurs là-bas, jusqu'à la mer.

Il y avait beaucoup de monde dans la gare et elle prit garde à ne pas se faire bousculer. Si elle n'était pas de retour à l'appartement dans cinq minutes, sa grand-mère commencerait à se faire du souci. En principe, elle avait juste le droit d'aller à la boulangerie. Mais elle avait dépassé le magasin sans même accorder un regard à la devanture pourtant appétissante.

Comme elle savait bien lire, elle se mit à déchiffrer l'immense panneau des départs qui ne comportait que des noms inconnus. Elle s'en désintéressa car ce qui la fascinait était plus loin encore. Les quais, dont elle se souvenait, avec tous les wagons bien alignés.

Elle avisa une femme qui ressemblait à sa tante Mariannick et qui était assise sur une valise. S'approchant, sans aucune timidité, elle demanda :

— C'est lequel qui va à Saint-Malo ?

La femme la dévisagea, interloquée, puis lui sourit.

— Tu es toute seule ?

D'instinct, Juliette préféra mentir.

— Maman achète les billets, répondit-elle avec aplomb.

— Alors il faut l'attendre sagement ! Tu vas te perdre, ma jolie.

Serrant dans sa main les pièces de monnaie destinées à son pain au chocolat, Juliette hocha la tête avec beaucoup de sérieux.

— Oui, je vais l'attendre. Devant le train. Mais c'est lequel ?

— Voie 23. Je le prends aussi. On se verra peut-être ?

— Peut-être…

Elle s'éloigna, le cœur battant. Pourquoi ne pas monter dans ce train ? Oui, mais qu'est-ce que c'était que la voie 23 ? Si elle hésitait trop longtemps, quelqu'un finirait par la remarquer. Il valait mieux continuer d'observer la dame qui ressemblait à sa tante.

Elle décida de se dissimuler derrière un kiosque à journaux. C'était évidemment une bêtise et tout le monde serait furieux après elle. Sauf son père, elle en était certaine. Il adorait les surprises et surtout il l'adorait, elle ! Elle s'imagina arrivant dans le grand parc, et son père debout sur le perron lui tendant les bras en riant. C'était si facile de le faire rire !

Elle risqua un regard vers la dame qui venait de se lever et qui empoignait ses valises. Affolée, elle hésita une seconde, puis la suivit à distance, plus très sûre d'elle. Elle savait bien que l'argent du pain au chocolat ne suffirait jamais pour le billet.

Sur le quai, elle vit la dame qui montait, chargée de ses bagages. Un peu plus loin, un homme en uniforme tourna la tête vers elle. Machinalement, elle s'approcha d'un couple qui poussait un chariot. L'homme regarda ailleurs et elle en profita pour se hisser dans un wagon. Elle reconnut la moquette, les sièges confortables, les petites tablettes qui l'avaient tellement amusée quand elle avait voyagé avec sa mère. Penser à elle lui fit connaître un instant de panique et elle faillit descendre. Elle était en train de faire quelque chose de mal. Et pourtant, rejoindre son père n'était pas une mauvaise action. Des gens s'installaient autour d'elle et elle eut peur de se retrouver seule, debout dans l'allée. Elle se glissa sur un fauteuil et, deux minutes plus tard, un vieux monsieur s'assit en face d'elle sans lui prêter attention. La terreur qu'elle ressentait fit place à une sourde excitation. Une fois le train parti, rien ne l'empêcherait d'arriver à Saint-Malo. Elle ouvrit sa main et regarda fixement les pièces.

Depuis quelques jours, Luc s'arrangeait pour ne pas croiser Joël. Il n'avait pas hésité à présenter des excuses, à faire valoir ses trente ans de maison, à invoquer son amitié avec Jaouën, à promettre qu'il se ferait discret puis, finalement, à supplier.

Son attitude avait écœuré Joël. Une mise à la retraite anticipée lui semblait une mesure clémente et il ne s'était pas attendu à une telle réaction. Luc ne voulait pas quitter l'armement. Ni maintenant ni jamais. À l'entendre, il mourrait là si on l'y autorisait. Au lieu du condescendant « jeune homme », il avait usé et abusé d'un très cérémonial « monsieur Carriban » durant tout l'entretien.

Prêt à une discussion violente, Joël n'avait pas su comment manœuvrer devant tant de veulerie et de fausse humilité. Il avait fini par accepter de réfléchir encore, au moins jusqu'à la fin du mois de mars. Le sourire encourageant de Servane avait pesé dans sa décision. Il ne voulait pas qu'elle puisse le croire cruel ou rancunier, aussi s'était-il résigné à patienter.

Elle n'avait fait aucune allusion à son père ces derniers temps, mais son air gai en disait long. Yvon s'était rendu à son rendez-vous d'embauche — Joël se l'était fait confirmer par téléphone — et n'avait pas produit une trop mauvaise impression. Il devait commencer son nouveau travail d'ici peu et, à moins qu'il ne se ravise, sa vie allait se trouver transformée. Certes, il ne s'agissait que d'un modeste emploi de surveillance, mais c'était enfin une possibilité de regagner un peu de dignité. Joël n'avait pas hésité à enjoliver les états de service dénichés dans le dossier Collinée et à se porter garant de l'ancien marin des Carriban.

Dans sa volonté d'aider Yvon, il n'y avait pas uniquement cette dette qu'il s'était juré de régler, mais aussi le désir secret de libérer Servane. Il voulait lui faire plaisir, et surtout qu'elle n'ait plus d'excuse pour refuser de déjeuner avec lui. À force d'obstination, de moments d'intimité et de fous rires partagés, peut-être deviendrait-elle moins sauvage ? Quoi qu'il en soit, il était décidé à utiliser n'importe quelle arme. La présence de la jeune fille lui devenait indispensable, ce qui le surprenait beaucoup. Durant des années, il avait apprécié la compagnie de Charlotte, lorsqu'il rentrait chez lui le soir, mais elle ne lui avait jamais manqué dans la journée. Au contraire, leur entente n'avait duré que grâce à leur indépendance professionnelle. Ils avaient été des amants enthousiastes, des parents unis, parfois même des amis, mais avaient-ils été mari et femme ? Après quelques mois de séparation, Joël s'apercevait que Charlotte n'avait quasiment laissé aucune trace dans son existence. Seule Juliette témoignait d'une union aujourd'hui défaite, et la facilité de cette rupture était la preuve même de sentiments superficiels. L'un et l'autre s'étaient vite consolés, tout comme ils avaient fait passer leurs aspirations personnelles avant leur couple. Lui ses bateaux, elle ses articles, mais aucun des deux pour sauver la famille qu'ils avaient fondée.

Avec Servane, il avait la certitude qu'il pourrait partager bien d'autres choses. À condition qu'elle le veuille ! Il se demandait parfois, en l'observant discrètement, si elle n'avait pas peur de lui. Sinon, comment expliquer ces refus systématiques, cette barrière infranchissable qu'elle mettait entre eux alors qu'elle était si chaleureuse avec n'importe qui d'autre ? Or c'est à elle qu'il mourait d'envie de se confier, c'est d'elle qu'il voulait tout connaître, c'est près d'elle qu'il voulait s'endormir.

— La gare de Rennes vous demande, c'est urgent...

Sur le pas de la porte, Servane lui désignait le téléphone d'un air inquiet.

— La gare ? Mais nous n'avons aucune marchandise qui...

— Prenez-les, je crois que c'est grave.

Il remarqua son regard affolé, sa voix altérée, et il décrocha.

— Joël Carriban, se présenta-t-il.

— Monsieur Joël Carriban, à Saint-Malo ? s'enquit son interlocuteur. Ici la gare de Rennes. Nous avons recueilli une petite fille de six ans qui se prénomme Juliette. Elle était dans le TGV de 11 heures.

— Juliette ? s'écria-t-il, stupéfait.

— Est-ce qu'il s'agit de votre enfant ? Elle a pu nous dire son nom, citer Dinard et aussi Saint-Malo…

— C'est ma fille ! Où est sa mère ?

— La petite était seule, apparemment.

— Comment ça, seule ? Mais c'est inouï ! On ne peut pas prendre le train seul à son âge ! Il y a forcément quelqu'un de la famille ! Elle est avec vous ?

— Oui, dans mon bureau. Et…

— Elle va bien ? Elle doit être morte de peur !

— Non, je ne crois pas. Nos hôtesses veillent sur elle.

— Je pars maintenant, tout de suite. Est-ce que vous pouvez me la passer ?

— Bien sûr, monsieur. Munissez-vous d'une pièce d'identité.

Joël attendit un instant, incrédule, puis il perçut une toute petite question chuchotée.

— Papa ?

— Mon amour !

Étranglé par l'émotion, il n'arrivait pas à dire quelque chose.

— T'es fâché ?

— Pas du tout ! Je suis ravi. Tu as entrepris ce grand voyage pour moi ? C'est drôlement gentil. J'arrive, ma chérie. Le temps de faire la route…

Il raccrocha, prit une profonde inspiration et leva les yeux vers Servane qui n'avait pas bougé.

— Ma fille est à la gare de Rennes…, dit-il bien qu'elle ait forcément tout entendu.

Il ne parvenait pas à réaliser. Cherchant ses clefs de voiture, d'un geste machinal, il ajouta :

— Est-ce que vous voulez bien conduire ? Au moins les premiers kilomètres, je suis un peu sonné…

— Je n'ai pas mon permis.

Rien ne pouvait plus l'étonner après ce qu'il venait d'entendre au téléphone mais il la regarda d'un air interrogateur.

— Vous n'avez pas envie d'apprendre ?

— Je… Si, sûrement, mais les leçons sont un peu… hors de prix.

Il renonça à tout commentaire et se contenta d'esquisser un sourire.

— Venez avec moi quand même, dit-il en saisissant son téléphone portable.

Comme il était déjà dans le couloir, elle se hâta de le rejoindre.

— Empêchez-moi d'aller trop vite, recommanda-t-il dès qu'il fut installé au volant. Charlotte doit être dans tous ses états. Faites-moi son numéro…

Elle le composa sous sa dictée puis annonça que la ligne était occupée. Elle dut s'obstiner durant dix minutes. La manière autoritaire dont Joël s'était adressé à elle l'avait un peu déroutée mais il semblait si inquiet qu'elle renonça à le lui faire remarquer.

— Ne quittez pas, s'il vous plaît, demanda-t-elle lorsqu'elle entendit enfin Charlotte répondre.

Sans ralentir, alors qu'il était largement en excès de vitesse, Joël coinça le téléphone contre son épaule et expliqua la situation à sa femme avec beaucoup de douceur. Elle devait être au bord de la crise de nerfs et il essayait de se montrer gentil, de ne pas l'accabler. Il dut promettre de la rappeler de la gare après lui avoir répété plusieurs fois qu'elle n'avait pas besoin de venir, qu'il se chargeait de tout.

Par habitude, il avait prononcé le mot « chérie » à plusieurs reprises. Et parce qu'il était ému, une certaine tendresse était passée dans sa voix. Servane s'était d'abord sentie gênée, puis un sentiment de jalousie impuissante l'avait envahie. Ainsi qu'elle le redoutait, Joël n'était nullement indifférent à sa femme. C'était stupide de croire qu'il l'oubliait peu à peu. Parce qu'elle refusait de venir vivre à Dinard, il se cherchait des consolations, rien de plus. Comme n'importe quel homme seul, il avait envie de compagnie, voilà tout. Eh bien, il n'avait qu'à faire signe à cette Patricia s'il voulait égayer ses soirées ! Ou à n'importe qui d'autre, les candidates ne manqueraient pas. Mais, pour sa part, elle rêvait d'autre chose que de jouer les doublures. Le rôle d'intérimaire ne la tentait pas.

— Ah non, vraiment pas !

— Non, quoi ?

Rougissant brusquement, elle s'aperçut qu'elle avait parlé à voix haute. Elle saisit la première explication qui lui vint à l'esprit.

— Vous devriez ralentir…

— D'accord, mais vous pourriez le dire plus aimablement.

— Je sais que vous êtes pressé de voir Juliette mais un accident n'arrangera rien…, murmura-t-elle.

Lorsqu'ils arrivèrent devant la gare, il n'essaya même pas de trouver une place autorisée et abandonna l'Audi devant l'entrée principale. Deux policiers, qui devaient l'attendre, l'interceptèrent dans le hall et lui demandèrent ses papiers avant de le conduire jusqu'à un bureau où Juliette patientait. Dès qu'elle vit son père, elle lâcha le jeu de cartes avec lequel elle s'amusait et se précipita vers lui. Il s'agenouilla pour la recevoir dans ses bras qu'il referma autour d'elle. Dans le silence qui suivit, on n'entendit plus que les sanglots de la petite fille et les lointains appels des trains en partance. Puis l'inspecteur toussota et Joël releva enfin la tête. Servane fut la seule à remarquer le geste furtif qu'il eut pour essuyer sa joue. Soulevant Juliette, il alla s'asseoir sur le fauteuil qu'on lui désignait.

— Si vous voulez bien répondre à quelques questions…

Il avait retrouvé son calme, en apparence, même si la peur rétrospective le bouleversait encore. Il donna les explications qu'on lui demandait, signa un procès-verbal pour la police puis un autre pour la SNCF. Épuisée par ses aventures, la petite fille s'était mise à somnoler contre l'épaule de son père. Servane, toujours debout et un peu en retrait, observait la scène. L'émotion de Joël l'avait profondément touchée mais, en même temps, elle se sentait exclue, en trop. Elle ne pouvait rien pour lui, pas plus ici qu'ailleurs, et elle était condamnée à rester en marge de sa vie.

— Venez, on s'en va…

Il était devant elle, portant toujours Juliette, et il lui tendait sa main libre qu'elle prit machinalement. Dans la voiture, il allongea la fillette endormie sur la banquette arrière, la couvrit avec son manteau puis, tout en bouclant sa ceinture, il déclara :

— Je vais l'emmener directement à la villa, elle est morte de fatigue. Est-ce que vous voulez bien nous accompagner ?

Très embarrassée, elle se taisait et il insista :

— Pour nous faire des crêpes ?

— Je suis désolée, répondit-elle très vite, j'ai un rendez-vous ce soir, je dîne avec Thierry.

Le plus simple était de le dire, même si c'était un peu gênant. Elle avait accepté cette invitation quelques jours plus tôt, après une agréable promenade en mer, et parce qu'elle ne pouvait pas refuser une fois de plus. La réaction de Joël fut immédiate.

— Thierry ? Alors que vous me dites toujours non ? Pourquoi lui ? Très bien, nous allons l'appeler, lui annoncer qu'il y a un contrordre et que c'est lui qui vient à Dinard. Voilà !

Son air furieux fit plaisir à Servane mais elle s'en voulut aussitôt de cette satisfaction puérile.

— Il ne sera peut-être pas d'accord ? suggéra-t-elle.

— Tant pis !

Jetant un coup d'œil dans son rétroviseur, il s'assura que Juliette dormait toujours.

— Est-ce qu'il vous plaît ? Est-ce qu'il a quelque chose de plus, de particulier ?

La question, trop directe, fut mal accueillie.

— De quoi vous mêlez-vous ? Il est très gentil !

— Pas moi ?

— Écoutez, ça n'a rien à voir…

— Je ne peux pas supporter l'idée qu'il vous drague ! D'ailleurs, je vais lui en parler.

— Vous plaisantez ou quoi ?

Pour ne pas réveiller la fillette, ils discutaient à voix basse. Joël fit craquer la boîte de vitesses et il poussa un bref soupir excédé.

— Très bien, je vous dépose à Saint-Malo. Chez lui ou chez vous ?

— Chez moi.

Quelques minutes de silence leur permirent de se calmer l'un et l'autre. Puis, délibérément, Servane prit le téléphone portable et composa le numéro de Thierry. Elle lui résuma les événements, terminant par la proposition de dîner à la villa. Dès qu'elle coupa la communication, elle sentit la main de Joël qui se posait sur son bras.

— Je vous dois des excuses. Vous n'auriez pas dû m'écouter. Je suppose que ce n'est que partie remise ? Thierry vous inviterait volontiers tous les soirs de la semaine, j'imagine…

Ignorant la réflexion, elle l'interrompit :

— Vous vouliez savoir ce qu'il a de différent ? Eh bien, il n'est pas marié, il n'a pas d'enfants, il n'est pas mon employeur. C'est beaucoup !

Interloqué, il ne trouva aucune repartie sur le moment et ce fut elle qui reprit la parole.

— Voulez-vous que j'appelle Mariannick ?

— S'il vous plaît… Racontez-lui ce qui se passe, je n'aime pas téléphoner en conduisant. Ensuite vous préviendrez Luc, inutile qu'il nous attende pour partir.

Il avait adopté un ton neutre, presque distant, et il fut surpris de l'entendre rire.

— Bien, monsieur Carriban !

Tournant la tête vers elle, il croisa une seconde son regard gris où dansait une lueur moqueuse. Tandis qu'elle bavardait avec Mariannick, il vérifia une nouvelle fois le sommeil de sa fille. Il allait devoir parler sérieusement à Charlotte. Même s'il ne s'agissait pas vraiment d'une fugue, Juliette ayant agi sur une impulsion, il n'était pas question qu'elle reparte pour Paris dans l'immédiat. Au besoin, il ferait superviser la situation par un juge pour enfants. S'il fallait en arriver là, peu lui importait. Avec l'aide de sa sœur, d'Armelle, de sa mère, il pouvait concilier son travail et son rôle de père.

Devant la villa, il réveilla Juliette doucement. Il la regarda courir jusqu'au perron, battre des mains, renverser la tête en arrière pour contempler la façade.

Dès qu'il ouvrit la porte, elle fila vers la cuisine en criant qu'elle avait faim. Servane la suivit et, les entendant rire, il en profita pour gagner son bureau. Charlotte décrocha à la première sonnerie, répondant d'une voix haletante.

— Tout va bien, nous sommes à la maison. Elle va manger et puis elle t'appellera elle-même…

— Comment ça s'est passé ?

— Les flics ont été compréhensifs.

— Tu ne peux pas savoir ce que j'ai vécu !

— Si, j'imagine… Mais pourquoi ne m'as-tu pas prévenu tout de suite ?

— J'ai averti la police d'abord. Ensuite je n'ai pas osé occuper la ligne. De toute façon, je croyais qu'elle était à Paris. Perdue dans les rues, ou enlevée, ou écrasée ! J'ai été odieuse avec maman, et pourtant c'est moi qui avais donné l'autorisation. La boulangerie est juste à côté, tu te souviens ? Elle y était déjà descendue dix fois toute seule !

— Calme-toi, Charlotte… Ta mère n'y est pour rien. Personne ne pouvait prévoir ce qu'elle allait faire. Les enfants sont tellement… impulsifs ! Et ils n'ont aucun sens du danger à cet âge.

— J'ai fait une réservation pour un avion, demain matin.

— Ce n'est pas la peine.

— Tu veux rire !

— Écoute-moi… Tu viens si tu veux, bien sûr. Mais elle ne repartira pas avec toi. Elle n'a pas fait tout ça pour qu'on la renvoie dans l'autre sens. Elle veut être ici.

— Ne profite pas de la situation, ne…

— Je ne *profite* de rien ! Mais c'est à elle que nous devons penser d'abord. Juliette n'est pas un paquet. Elle a le droit de choisir.

— Choisir ? Entre toi et moi ?

— Non, évidemment non ! Entre Paris et Saint-Malo. Entre un appartement et une maison. Entre ses cousins et ton amant !

Gagné par la colère, il avait élevé la voix. Il entendait la respiration de Charlotte et il fit un effort pour se reprendre.

— Où en sommes-nous en ce qui concerne notre divorce ? demanda-t-il plus doucement.

— Je te l'expliquerai demain en détail et en personne ! répliqua-t-elle.

— Parfait.

— Et ne te dérange surtout pas, je prendrai un taxi ! cria-t-elle en raccrochant.

Songeur, il resta assis quelques instants. Elle allait lui faire tous les ennuis possibles, c'était évident. Il n'aurait jamais dû lui parler sur ce ton, elle était trop rancunière pour lui pardonner. Et, dans l'intérêt de Juliette, il allait falloir qu'il compose.

— Papa ! Tu viens manger les crêpes ?

La fillette avait ouvert la porte et se tenait sur le seuil. Accrochée à la poignée, elle lui parut toute petite. Il revit Mariannick au même âge, dans la même position, passant toujours la première lorsqu'ils allaient faire signer leurs carnets de notes à Jaouën.

— J'arrive, mon amour !

Il la rejoignit, la prit par la main.

— Toute la maison est à toi, dit-il gentiment, mais ici c'est mon bureau et il vaut mieux frapper avant d'entrer parce que, parfois, je travaille…

Hochant la tête, elle l'observait gravement.

— Tu voudrais vivre à Dinard avec moi, mon lapin ?

— Oui !

— Mais maman préfère Paris, commença-t-il.

— Alors je reprendrai le train !

Pour mieux le défier, elle avait tapé du pied. Il s'arrêta au milieu du hall et s'agenouilla devant elle.

— Non, répondit-il patiemment. Tu ne reprendras pas le train seule. C'était une énorme bêtise et tu le sais. Je ne t'en veux pas, je suis heureux quand tu es là. Maman arrive demain matin et nous allons discuter tous les trois. Il y a toujours une solution. Peut-être pourras-tu rester ? Mais je ne veux pas que tu me désobéisses parce que c'est trop dangereux. Et je n'accepte pas non plus que tu trépignes quand tu me parles.

Elle baissait la tête, l'air boudeur, et il lui releva le menton.

— Regarde-moi, Juliette. J'ai eu très peur pour toi. Ta maman et ta grand-mère aussi. Tu comprends ?

— Oui, papa…

— Est-ce que je peux avoir confiance en toi ?

— Oui !

— Bon… Alors allons dîner ! Le premier arrivé à table…

Avant qu'il ait fini sa phrase, elle était partie comme une flèche. Il la suivit en souriant mais il s'arrêta net à l'entrée de la cuisine. Servane et Thierry étaient debout côte à côte devant les fourneaux. Leurs deux mains, l'une sur l'autre, entouraient le manche de la poêle car elle était en train de lui apprendre à faire sauter les crêpes. Cette vision lui fut tellement désagréable qu'il dut faire un effort pour avancer vers eux en gardant un air naturel.

— Voilà l'heureux papa de la grande voyageuse ! s'exclama Thierry.

Il s'était écarté de Servane et Joël lui serra la main, un peu trop fort.

— Navré d'avoir dérangé tes plans pour ce soir, dit-il d'un ton abrupt.

Servane lui lança un regard outré qu'il ignora.

— Je meurs de faim ! ajouta-t-il gaiement.

Dès qu'ils furent installés à table, il se montra enjoué et bavard, comme s'il voulait racheter son mouvement d'humeur. Juliette riait aux éclats, serrée contre lui, tout en engloutissant ses crêpes. Elle semblait si heureuse d'être là qu'elle en devenait attendrissante. Lorsqu'elle commença à bâiller, Servane proposa d'aller la baigner et Joël promit qu'il monterait lui lire une histoire.

Restés seuls, les deux hommes échangèrent d'abord un long regard, puis esquissèrent ensemble un sourire amusé.

— Je sais ce que tu vas me dire, prévint Thierry.

— Vraiment ?

— Oh, tu es très éloquent, même quand tu te tais ! Mais tes désirs ne sont pas des ordres.

— Non…

— Elle me plaît aussi, figure-toi. Je me demande à qui elle ne plairait pas ! Alors on peut considérer que c'est à elle de choisir ?

— Oui.

— Arrête de répondre par monosyllabes. Si tu as quelque chose sur le cœur, vas-y !

— Je suis amoureux.

— Mais je ne…

— Attends ! Amoureux pour de bon. C'est même une… découverte. Si, si… Je n'ai jamais ressenti ça pour personne, je n'en reviens pas.

— Et ta femme ?

— Oh, ça n'avait rien à voir. Là, j'en suis malade… C'est la première fois que ça m'arrive.

— Qu'est-ce qu'elle en pense ?

— Rien. Je crois qu'elle ne veut pas.

— Alors sois beau joueur !

— Mais je ne joue pas ! C'est ce que je suis en train de t'expliquer. J'ai des soucis par-dessus la tête, une vie compliquée qui empêcherait n'importe qui de dormir, et je suis béat, aux anges, complètement obnubilé ! Il ne se passe pas cinq minutes sans que j'en revienne à elle, c'est une obsession !

— Tu ne peux pourtant pas l'obliger à…

— Non, je sais ! Je te demande seulement un peu de temps. Pour savoir ce qu'elle a dans la tête et pourquoi elle m'ignore.

Reculant sa chaise, Thierry alluma une cigarette et aspira une longue bouffée.

— Écoute, Joël, sois réaliste, il est possible que tu ne lui plaises pas ? Qu'elle n'aime pas les blonds ?

— Oh, ne me prends pas pour un mégalo ! Elle a le droit de me trouver con, moche, prétentieux…

— Coléreux ?

— N'importe ! Je veux quand même du temps. Tu n'es pas fou d'elle, toi ? Tu peux bien attendre un peu pour tenter ta chance ? Je ne vais pas te supplier ou te menacer, mais je suis très sérieux.

Dans le passé, ils avaient toujours pris soin de ne pas se mettre en rivalité. Leur amitié n'avait connu aucune ombre en dehors de l'épisode du *Nadir*. Et, malgré les années de séparation, il y avait une réelle affection entre eux et pas seulement des souvenirs. La manière dont Joël venait de s'exprimer avait quelque chose d'inattendu qui déroutait Thierry.

— Si c'est tellement important pour toi…, commença-t-il prudemment.

— Bien plus que ça !

— Bon. Je ne ferai rien pour… Mais si c'est elle qui me cherche, je ne pourrai jamais résister, je te préviens ! Disons que je vais l'éviter, pendant un moment. Est-ce que ça te va ?

— Tu es un frère.

Il était sincère et Thierry, que la discussion avait vaguement agacé, eut soudain un élan de sympathie.

— Eh, tu es vraiment mordu, toi !

— Mordu de quoi ? demanda Servane en entrant.

— De la mer, répondit aussitôt Thierry.

— Votre fille voulait son histoire mais elle s'est endormie dès que je l'ai couchée. Quand on pense à tout ce qu'elle a vécu aujourd'hui…

Joël songea que le lendemain serait pire avec l'arrivée de Charlotte mais il s'abstint de le dire.

— Est-ce que tu nous offrirais un petit alcool ?

— Volontiers. Et je peux même vous faire une flambée dans la bibliothèque.

D'un clin d'œil, il remercia Thierry de prolonger ainsi la soirée. Réclamer à boire ici au lieu d'aller prendre un verre en ville en raccompagnant Servane était une preuve de sa bonne volonté.

Il s'affaira devant la cheminée puis alla chercher une bouteille de vieille prune. Il servit chacun et s'installa sur le canapé.

— Qu'est-ce que tu comptes faire de ta fille ?

— La garder, de gré ou de force.

— Tu es sûr qu'il ne s'agit pas d'un caprice ?

— Non. Tu imagines le courage qu'il lui a fallu pour entrer dans la gare Montparnasse alors qu'elle n'a même pas le droit de traverser seule une rue ?

— Et surtout pour monter dans le train, je suppose, ajouta Servane. Mon Dieu, si j'avais fait ça à mon père !

Son étourderie la fit rougir. Elle n'avait pas l'intention de parler d'Yvon.

— Il était sévère ? lui demanda Thierry en riant.

— Oh, il était si souvent absent ! En réalité, il est très gentil mais aussi très… irritable.

Malgré elle, elle regarda Joël. La trace du coup de couteau avait presque disparu. Yvon avait commencé à travailler depuis deux jours. Il avait décidé qu'avec sa première paye il s'offrirait un nouveau caban.

— Demain matin, annonça Joël, je ne serai pas au bureau. Mais j'appellerai nos avocats pour leur raconter ce qui s'est passé avec la petite et leur demander ce que je peux faire, légalement, si ma femme ne veut rien entendre.

— À mon avis, tu n'as aucune marge de manœuvre ! Si tu ne veux pas que ta fille reparte entre deux gendarmes, tu as intérêt à amadouer Charlotte, à lui faire ton numéro de charme…

Haussant les épaules, Joël se demanda s'il en serait capable. De toute façon, la présence de Servane le gênait pour en discuter. D'autant plus qu'elle l'observait avec curiosité, guettant sa réaction.

— Dans l'intérêt de l'enfant, la justice doit bien avoir des solutions ?

— L'intérêt de l'enfant, à six ans, est rarement de se trouver loin de sa mère, rappela Thierry.

Dans le silence qui suivit, le bois se mit à crépiter et à siffler.

— J'adore votre maison, dit Servane d'une voix douce.

Ses grands yeux gris étaient toujours posés sur Joël comme pour le rassurer ou l'encourager. Il lui sourit et, l'espace d'une seconde, ils oublièrent complètement Thierry.

— C'est un endroit privilégié, approuva-t-il. Avec Mariannick, nous n'avions jamais envie de partir en vacances, d'aller ailleurs.

— Et votre père, comment était-il avec vous ?

C'était la première fois qu'elle parlait délibérément de Jaouën.

— Merveilleux. Il aimait sa femme, ses enfants, ses bateaux. Il avait mauvais caractère mais beaucoup d'humour. Têtu comme un Breton, ce n'est pas un vain mot, et fou de la mer. Il prétendait qu'il ne pouvait pas passer un seul jour sans aller la regarder de près.

— Vous aussi ?

— Oui. Moi aussi…

Et c'était vrai, il en prit conscience en le disant. À un moment ou à un autre, il trouvait toujours le temps de grimper sur les remparts ou au contraire de descendre sur la plage de l'Éventail. Les quais et les bassins ne lui suffisaient pas. Il voulait voir le large, la ligne d'horizon. Comme bon nombre de Malouins, il ressentait le besoin d'échapper à la citadelle. Servane avait remarqué ses escapades quotidiennes, ce qui le fit jubiler. Si elle l'observait, c'est qu'elle n'était pas aussi indifférente qu'elle le prétendait.

— Stendhal a écrit que cette ville est une prison mais c'est faux, reprit-il. Je ne déteste pas son austérité militaire… Même si je préfère habiter Dinard !

— Pas Dinard en général, souligna Thierry, ta villa en particulier. Évidemment, d'ici tu domines tout ! C'est très Carriban, non ?

— Quoi ?

— Contempler les choses d'en haut !

Ignorant la provocation, Joël remit un peu de prune dans les verres. Il constata que Servane n'avait pas touché au sien. L'alcoolisme de son père devait la traumatiser.

— Les beaux jours ne vont plus tarder, je vais pouvoir entreprendre de longues sorties avec le bateau, déclara Thierry avec enthousiasme. Est-ce que je compte sur toi pour un week-end ?

— Je ne sais pas…

— Allez, mon vieux, la terre ne va pas s'arrêter de tourner si tu t'offres deux jours de croisière !

— Tu as des courses en vue ?

— Oui, mais des fonds en baisse !

Quelque part dans le grand hall, une horloge sonna minuit et Thierry se leva.

— Nous allons rentrer.

Ce pluriel fut désagréable à Joël mais il s'efforça de rester souriant en les raccompagnant. Quand les feux arrière de la voiture eurent disparu, il ferma soigneusement la porte puis fit le tour du rez-de-chaussée pour éteindre les lumières. Là-haut, dans le lit de Mariannick, Juliette devait dormir en serrant contre elle sa girafe.

Il monta lentement l'escalier. Servane avait laissé toutes les petites lanternes de la galerie allumées, ce qui évoquait la coursive d'un paquebot dans la nuit. Même si Juliette semblait à l'aise dans la villa, c'était quand même une très grande bâtisse où il ne fallait pas qu'elle ait peur.

« Mais ce n'est pas la mienne, c'est toujours celle de maman… »

Sa mère qui ne reviendrait jamais, à présent il en était certain. Qui allait finir sa vie — et elle était encore jeune — dans un appartement loué.

Au lieu de se diriger vers sa chambre, il gagna l'aile droite et ouvrit les portes les unes après les autres. La chambre de ses parents, leur salle de bains et leur dressing, le boudoir de Liliane, la chambre d'amis. Armelle continuait d'y faire le ménage et il n'y avait pas la moindre trace de poussière. Cette partie de la maison ne devait pas devenir un sanctuaire. Or les vêtements de Jaouën étaient encore à leur place, alignés sur des cintres. Sur sa table de nuit, le livre qu'il devait lire la veille de sa mort et d'où dépassait un marque-page. Mariannick avait proposé d'attendre le printemps pour tout trier, donner, ranger. Laissant ainsi à Liliane le temps de réfléchir et à Joël celui de s'installer pour de bon.

En revenant sur ses pas, il se souvint qu'Yvon ne s'était pas trompé de chambre lorsqu'il était venu déposer les trois bougies. Comment pouvait-il aussi bien connaître les lieux ? Est-ce qu'il avait pris le temps de tout visiter ? Et pourquoi avait-il affirmé qu'un oiseau mort ferait « piailler » Armelle ? Il connaissait son nom ?

Ses pensées l'avaient ramené à Servane, comme toujours. Et en s'asseyant au bord du lit de Juliette, c'est toujours à elle qu'il songeait. Il arrangea l'édredon, caressa tendrement les cheveux de la fillette. Elle n'était pas en âge de comprendre mais elle avait pourtant accompli quelque chose d'exceptionnel en prenant ce train. Quelle serait sa réaction devant le divorce de ses parents ? Serait-elle prête à accepter ce qu'il souhaitait le plus au monde, un autre mariage et d'autres enfants ?

— Pour le moment, la question ne se pose pas…, murmura-t-il en fermant la porte de communication.

Entre ses rêves et la réalité, il y avait une jeune femme qui le repoussait. Il s'approcha du bow-window, ouvrit l'une des fenêtres latérales. Le bruit du ressac envahit aussitôt la pièce et il l'écouta longtemps. Tout ce qu'il démolissait, il lui fallait le rebâtir. L'armement, sa propre famille, son avenir. Jaouën prétendait qu'il suffisait de vouloir les choses avec assez de force pour les obtenir. C'était peut-être vrai et, en tout cas, ça valait la peine d'être vérifié.

Le temps était clair, le ciel dégagé, avec un délicieux petit vent frais. Benoît avait choisi de faire le détour par la pointe du Grouin. Même si la route était plus longue, la vue le dédommageait amplement et il ne prenait un chemin direct pour gagner Cancale que lorsqu'il était pressé.

Son petit déjeuner lui restait sur l'estomac. C'était la première fois qu'il se disputait avec sa femme et il le regrettait amèrement. Mais la veille, comme tous les autres jours depuis des mois, il n'avait été question que de Joël. Et il avait craqué, avoué que son beau-frère lui sortait par les yeux, qu'il avait l'impression de ne plus exister, que c'était pire que du temps de Jaouën !

Mariannick avait d'abord essayé de plaisanter, de minimiser les choses. Mais elle était fatiguée, il suffisait de la regarder. Alors, quand elle avait proposé de prendre en charge la petite Juliette ! En plus de ses trois enfants, de Liliane, de l'armement, de ses christs mutilés et de sa maison…

— Et moi, dans tout ça ? avait demandé Benoît.

Bien sûr, c'était maladroit. Mariannick avait un sens aigu de la famille, de ses devoirs. Elle aimait l'armement et s'y était totalement investie. Mais elle aimait trop de gens et trop de choses. Au moins Jaouën l'avait compris lorsque Benoît s'en était ouvert à lui. Libérant sa fille de la comptabilité, il lui avait rendu la possibilité d'élever ses trois enfants. À ce moment-là, Liliane venait rarement leur rendre visite, ne quittant presque jamais sa maison où, en revanche, elle accueillait volontiers les garçons. Une époque bénie.

« Oui, mais elle s'est dépêchée de fonder son association… Elle ne peut pas tenir en place… »

Ému, Benoît eut envie de faire demi-tour, de rentrer chez lui et de prendre sa femme dans ses bras. Cependant il avait du travail et ne pouvait compter sur personne pour le faire à sa place. D'ailleurs Mariannick était sûrement déjà partie pour le bureau.

Prenant la direction du petit port de la Houle, il se sentit vraiment culpabilisé. La générosité n'étant pas un défaut, il était fou d'accuser sa femme. Tout comme il se rendait ridicule en manifestant à Joël une jalousie de mauvais aloi. Il avait même failli proférer cette ânerie : « C'est lui ou moi ! » Heureusement qu'il s'en était abstenu. Il était assez calme, à présent, pour comprendre qu'il se trompait de cible en visant son beau-frère. Il l'enviait, voilà tout. Oui, il l'enviait, tandis que Mariannick le plaignait. Joël et ses chalutiers, ses vertigineux découverts bancaires, les femmes qui lui pardonnaient tout et qui se taisaient dès qu'il ouvrait la bouche ! Même les trois garçons qui admiraient leur oncle ostensiblement ! *Pauvre* Joël dans sa somptueuse mais trop grande baraque, *pauvre* Joël qui n'osait plus faire de la voile après avoir failli couler la société de son père, *pauvre* Joël qui se retrouvait seul après avoir posé un ultimatum à sa femme en vingt-quatre heures… Alors que ce type avait tout pour lui, tout ! Il était né fils d'armateur, il était aussi intelligent qu'ambitieux, aussi charmeur que despotique. Et depuis qu'il était revenu à Saint-Malo, on n'entendait parler que de lui.

« Mais moi, tout le monde s'en moque ! Mes huîtres ont failli geler au moment de Noël et personne ne s'en est soucié… »

Pourtant il conduisait bien son affaire. Sans l'aide financière de personne, il était arrivé à développer son élevage en eau profonde. Il avait aussi d'excellentes idées commerciales comme d'approvisionner tous les restaurants de Cancale — et Dieu sait qu'ils étaient nombreux, sur le port ! —, ou encore d'assurer des livraisons aux particuliers grâce à un petit camion acheté l'année précédente.

« Tout juste si on ne me reproche pas d'être un gagne-petit ! »

Certes, il savait en entrant dans la famille Carriban qu'il ne serait pas toujours facile d'être le gendre de Jaouën. À contrecœur, il avait accepté d'habiter la maison qui venait d'être offerte à Mariannick, et d'y effectuer tous les travaux nécessaires. Ses économies avaient été englouties dans la réfection de ce petit hôtel particulier dont il n'appréciait pas le charme. Les remparts l'étouffaient et il fallait grimper au dernier étage pour apercevoir enfin la mer. Pourtant il avait accompli des prodiges, mettant lui-même la main à la pâte, s'attachant à la restauration des hautes fenêtres à petits carreaux, passant la brosse métallique sur toutes les pierres apparentes, veillant au moindre détail, et sa femme se plaisait infiniment là-bas. Il l'aimait assez pour avoir renoncé à son vieux rêve secret : une maison isolée au-dessus de la mer. Chaque fois qu'il longeait l'anse

Du Guesclin, il lorgnait vers une extraordinaire demeure juchée sur une presqu'île rocheuse. Et il s'attristait de devoir regagner les rues étroites et sombres de la forteresse malouine. Qui, de surcroît, grouillaient de touristes dès les premiers beaux jours !

Dans sa jeunesse, Benoît avait aimé naviguer, comme presque tous les jeunes gens. Mais il n'avait jamais eu de bateau et il s'était contenté d'aller pêcher avec des copains. Sa famille ne manquait pas d'argent mais les Quillivic ne pouvaient en aucun cas se comparer aux Carriban. D'ailleurs ils ne se fréquentaient pas. Ses parents s'étaient retirés à Rennes peu après le mariage. Mariannick, toujours adorable, leur téléphonait régulièrement et leur écrivait. C'était encore une de ses qualités, la simplicité de ses rapports avec les gens quels qu'ils soient. Comme avec Servane, dont Benoît appréciait la gentillesse, et qui avait été tout de suite à l'aise avec eux.

« Mais celle-là aussi est en extase devant le beau-frère, comme les autres ! »

Malgré ses efforts pour rester discrète, il avait remarqué la manière dont elle le regardait à la dérobée.

« Eh bien, qu'elle l'épouse et qu'elle se charge de lui ! »

Mais déjà sa colère était tombée. Joël avait peut-être tout dans la vie mais il n'avait pas une femme comme Mariannick. Elle n'était *que* sa sœur.

« Et toi, qu'est-ce que tu fais ? Tu la critiques, tu l'accables ! Elle ne laissera jamais tomber son frangin, c'est bien normal. Ni sa nièce. Ce dont elle a besoin, c'est être soutenue… »

Soudain pressé, il se gara à la hâte, salua de loin le chauffeur de son camion qui arrivait, et se précipita dans son petit bureau. Il appela l'armement où Mme Heulin le fit patienter quelques instants.

— Mon chéri ? dit enfin la voix inquiète de Mariannick. Quelque chose ne va pas ?

C'est parce qu'il ne l'appelait jamais qu'elle s'inquiétait ainsi, il en prit conscience et se sentit encore plus fautif.

— Oui, oui, j'ai un très gros souci, je me suis montré désagréable et je m'en veux ! Alors, ça ne pouvait pas attendre, il fallait que je te dise à quel point je t'aime et que, même si tu avais une douzaine de frères, on arriverait à s'occuper de tout le monde !

Le rire clair de sa femme lui rendit toute sa gaieté.

— Bon, mon chéri, j'ai beaucoup de travail et…

— Et à l'heure du déjeuner, tu me rejoins ici, je t'invite à un tête-à-tête amoureux ! C'est possible ?

— Aucun problème, je serai là vers midi et demi.

En raccrochant, il se promit de ne plus l'embêter. Il avait la chance de vivre auprès d'une femme qui n'avait jamais « aucun problème », sinon ceux des autres. À lui d'y faire attention. Pour commencer, il réserva une table dans le meilleur restaurant.

À vingt kilomètres de là, assise à son bureau, Mariannick considérait le téléphone avec perplexité. Est-ce que Benoît s'était montré odieux ? Elle n'en avait pas souvenir. Mais elle était toujours tellement pressée le matin qu'elle n'écoutait personne.

Servane lui tendit une tasse de café et elle la remercia d'un sourire. Ah oui, Benoît avait ronchonné au sujet de Joël, comme d'habitude. Rien de bien méchant.

— J'espère que Charlotte se montrera compréhensive, soupira-t-elle.

Son frère était parti avec Juliette attendre l'avion à Saint-Servan. Et son absence la contraignait à affronter seule le banquier en fin de matinée, ce qui ne l'enchantait guère. Elle connaissait les affaires Carriban aussi bien que Joël mais elle ne possédait ni son assurance ni sa faconde, elle en était consciente.

— Eh bien, ma pauvre, dit-elle, il faut absolument qu'on finisse ce rapport. Je vais avoir besoin de chiffres en acier trempé…

Derrière l'écran de son ordinateur, Servane lui adressa un clin d'œil complice.

— Ce sera au point dans un quart d'heure.

— Magnifique ! En attendant, je vais monter voir Luc puisqu'il ne descend plus jamais. Remarque, s'il veut éviter son départ à la retraite, il a intérêt à se faire tout petit.

Ensemble elles se mirent à rire, comme deux gamines. Mais, malgré les apparences, elles travaillaient avec beaucoup de rigueur.

— Tu vois, ajouta Mariannick en se levant, je crois que l'armement est en train de se redresser. Joël avait raison, il faut savoir prendre des risques. Et maintenant, avec un peu de chance, nous sommes sur la bonne voie !

D'un geste irréfléchi, Servane tendit la main et toucha le rebord du bureau.

— Du bois rond…, murmura-t-elle.

Et, parce qu'elles étaient aussi superstitieuses l'une que l'autre, elles échangèrent un regard entendu.

12

Dans l'aérodrome de Saint-Servan, Joël s'était fait interpeller par Antoine Girard. Le pilote avait insisté pour lui tenir compagnie au bar en attendant l'avion de Charlotte. Juchée sur un tabouret entre eux, Juliette sirotait son jus de fruits à l'aide d'une paille et les écoutait en ouvrant de grands yeux.

— Les types se sont vite habitués, il y a une ambiance formidable ! Que ce soient ceux qui y vont ou ceux qui en reviennent, vos marins ne sont pas tristes, je n'ai pas le temps de m'ennuyer !

Les rotations d'équipages, assurées par le Cessna, étaient maintenant très au point. Et le rôle de convoyeur amusait beaucoup Girard.

— On peut dire que l'armement a changé, ces derniers temps ! J'espère qu'ils seront nombreux à suivre votre exemple. Je suppose que c'est rentable pour vous et, pour le moral des hommes, ce n'est pas comparable ! Quand ils ont fini leur temps de pêche, ils savent qu'ils seront le soir même chez eux…

Il ne cachait pas son admiration pour la logistique sans faille que Carriban avait instaurée.

— On a fini par sympathiser, je les appelle tous par leur nom !

Un haut-parleur annonça l'atterrissage de l'appareil en provenance de Paris et Joël régla les consommations.

— Si ça fait plaisir à la petite de faire un tour, dites-le-moi. Je vous ferai survoler la côte… Ou plutôt en hélico. J'ai obtenu le brevet l'année dernière, j'adore ça. Et je peux vous garantir une belle promenade, pleine de sensations fortes !

— Oh oui ! s'écria Juliette en battant des mains.

Décidément, la vie avec son père était remplie de surprises merveilleuses. À l'idée que sa mère allait peut-être l'empêcher de rester, elle eut tout de suite les yeux pleins de larmes. Elle baissa la tête pour que personne ne la voie pleurer et elle suivit son père, cramponnée à sa main. De l'autre côté de la vitre, sur la piste, Charlotte leur adressait de grands signes. Quelques instants plus tard, Juliette se retrouva dans ses bras.

— Bon voyage ? demanda poliment Joël en la débarrassant de son sac.

Sans répondre, elle couvrait sa fille de baisers. Mal remise de la journée atroce qu'elle avait passée, la veille, elle s'était appliquée à soigner son maquillage pour être à son avantage malgré tout. Joël constata que, finalement, il préférait les femmes naturelles.

— Où allons-nous ? demanda-t-elle.

— À la maison, nous serons plus tranquilles pour parler.

Elle s'installa à l'arrière de l'Audi afin de rester avec Juliette. Tout le long de la route, elle la câlina en lui murmurant des mots tendres sans adresser la parole à son mari. Lorsqu'ils furent arrivés, Joël les conduisit directement dans le salon. Charlotte retrouva la place qu'elle avait occupée, sur le même canapé, quelques mois plus tôt. L'enterrement de son beau-père lui paraissait très lointain à présent.

— Bonjour, madame ! lança Armelle en faisant irruption dans la pièce. J'ai du café frais, quelqu'un en veut ?

Ils refusèrent ensemble et, dès qu'elle fut sortie, Charlotte eut un petit rire.

— Elle est stylée, ta Bigouden !

— Parle moins fort ! Si elle t'a entendue, elle sera furieuse. D'autant plus qu'elle est née ici, pas dans le Finistère !

— C'est Armelle…, dit Juliette d'un air boudeur. Je l'aime beaucoup.

Ce qu'elle redoutait était en train de se produire, sa mère allait tout critiquer et, immanquablement, son père se fâcherait.

— Maman, attaqua-t-elle en rassemblant son courage, je veux rester ici.

— Le roi dit nous voulons ! Mais pas les petits enfants. Sois gentille, chérie, va jouer et laisse-nous discuter, papa et moi.

À contrecœur, en traînant les pieds, Juliette quitta la pièce. Charlotte attendit encore quelques instants, puis elle se tourna vers Joël.

— Tu es responsable. Nous devrions être à Paris tous les trois, chez nous. Mais tu en as décidé autrement, tu as saccagé nos vies, et surtout la sienne…

Il se demanda si elle avait préparé ces phrases ou si elle était sincère.

— À présent tu souhaites la garder. Il te faut vraiment tout…

— Seulement ce qu'il y a de mieux pour elle.

— Tu n'auras pas le temps de t'en occuper !

— Pas moins que toi.

Fouillant dans son sac, elle sortit un petit miroir et, posément, remit du rouge à lèvres.

— Tu es très belle, dit Joël d'un ton poli.

La phrase, trop banale, lui fit hausser les épaules.

— Ne te fatigue pas, répliqua-t-elle froidement.

Elle s'était promis de ne pas faiblir devant lui. Il avait une mine superbe et même l'air rajeuni. Peut-être parce qu'il avait maigri ou parce qu'il n'avait pas le temps de se faire couper les cheveux. À moins que ce ne soit sa manière de s'habiller. Elle détailla son col roulé en cachemire bleu nuit, son jean assorti, l'écharpe écossaise qu'elle ne lui connaissait pas. Il ressemblait au jeune homme qu'elle avait rencontré à Rennes bien des années plus tôt, avec son allure nordique et son sourire charmeur. Elle se sentit plus vieille que lui, alors qu'ils avaient le même âge. Et, pour la toute première fois, elle eut l'impression de se trouver en état d'infériorité. Il s'était détaché d'elle, il était devenu quelqu'un d'impossible à manipuler. Les mains dans les poches, debout devant elle, il ne manifestait aucune impatience.

— Puisque le printemps arrive, inscris-la dans une école, décida-t-elle. Ensuite ce sera l'été, nous pourrons faire le point.

Sans entrain, elle prononçait les mots que Francis lui avait ressassés. Pour le bien de Juliette. Et aussi pour simplifier le voyage qu'ils allaient entreprendre aux États-Unis.

— Merci, Charlie…

Spontanément, il était venu près d'elle et lui avait déposé un baiser au coin des lèvres. Il paraissait heureux comme un gamin, ce qui était le pire affront qu'il pouvait lui faire. Un bonheur où elle n'avait aucune place.

— Oh, ne rêve pas ! Je ne te fais pas un cadeau. Et puis c'est provisoire. Mettons que ça tombe bien. Je vais partir quelque temps, à peu près deux mois.

— Alors tout s'arrange, pour elle, pour toi et pour moi.

— Si l'on peut dire... Mais j'ai autre chose à t'apprendre, qui va te faire moins plaisir.

Elle éprouva le besoin de se lever, de s'éloigner de lui. Elle alla jusqu'à la grande baie vitrée et contempla la mer, au loin, avec indifférence.

— Tu vas recevoir une lettre de mon avocat. Nous sommes mariés sous le régime de la communauté des biens, tu t'en souviens ? Et, dans le cadre de notre divorce, j'ai droit à la moitié de tout...

Un peu surpris, il était sur le point de répondre qu'il lui abandonnait volontiers l'appartement en pleine propriété mais elle le devança.

— De la société Carriban aussi.

Comme il se taisait, abasourdi, elle ajouta :

— Ainsi que ta part dans cette maison.

D'un mouvement lent, calculé, elle lui fit face. Il avait voulu la guerre, à présent il l'avait. En visant l'armement, elle était sûre de le toucher à son point faible. S'il avait cru pouvoir se débarrasser d'elle, il allait devoir déchanter. Et en passer par ses volontés. Cette fois c'est elle qui le regardait de haut, guettant sa réaction.

— Tu plaisantes, j'espère ?

Il lui laissait une chance de se rattraper, de faire marche arrière, mais elle tenait à sa vengeance.

— Non. Je suis désolée, chéri, ce n'est pas moi qui ai voulu ce divorce. Mais la loi est ainsi. La moitié de tout.

Le regard pâle de Joël était plus songeur que furieux, et elle fronça les sourcils.

— Tu es d'accord ? demanda-t-elle, incrédule.

— Oui. Bien sûr…

Quittant le canapé, il alla ouvrir la porte et appela Juliette. Elle arriva presque tout de suite, comme si elle avait attendu à proximité du salon.

— Viens, ma chérie… Nous avons discuté, maman et moi, et tu vas rester ici quelque temps…

— C'est vrai ? C'est vrai ?

Extasiée, la fillette dansait d'un pied sur l'autre.

— Dans cette maison ? Ici ?

— Oui. Et tu iras à l'école avec tes cousins.

— Maman, maman !

Elle s'était jetée sur sa mère pour l'embrasser, puis elle se mit à sauter sur le canapé.

— Descends de là, dit machinalement Charlotte.

Le comportement de son mari la laissait perplexe, dépitée. Il n'avait même pas protesté et elle ne comprenait pas.

— Nous irons t'inscrire cet après-midi, comme ça maman rencontrera l'institutrice…

— Mais ce n'est pas pour toujours, rappela Charlotte d'une voix atone.

Juliette se moquait de l'avenir, un mot dénué de sens à son âge. L'important était de rester, d'avoir gagné.

— Tu viendras souvent, dis ? interrogea-t-elle dans un élan de tendresse.

— Bien sûr, ma chérie… Mais je vais faire un grand voyage, avec Francis. Pour mon travail. Alors, en attendant, papa veillera sur toi.

Quelque chose clochait, mais quoi ? Joël n'avait pas changé de caractère à ce point-là, c'était impossible. Ils ne s'étaient que rarement disputés mais elle savait très bien à quel point il était coléreux. L'idée de perdre une partie de ses bateaux, de son capital, ne pouvait pas le laisser indifférent.

— Combien de temps comptes-tu rester ? lui demanda-t-il.

— Francis me rejoint ce soir, en train.

— Ah bon ?

— Il a supposé que notre discussion pourrait être… orageuse.

— Et il avait l'intention de faire l'arbitre ?

Amusé, un peu hautain, Joël secoua la tête.

— Je t'héberge volontiers, toutefois tu comprendras que…

— Nous avons réservé une chambre !

— Parfait… Mais tu sais…

Il s'assura que Juliette n'était plus là. Elle avait dû filer annoncer la bonne nouvelle à sa girafe.

— Il n'y aura pas d'orage et pas de querelle entre nous, Charlotte.

Le fait qu'il ait abandonné le diminutif pour utiliser son prénom lui sembla de mauvais augure.

— La société Carriban et cette villa appartiennent à ma mère.

Elle eut besoin de plusieurs secondes pour réaliser ce qu'il venait de dire. Puis elle se remémora les conseils de son avocat et elle essaya de le contrer.

— Impossible ! Pas entièrement. On ne peut pas déshériter ses enfants au profit de son conjoint. Il y a une quotité non disponible. Et d'ailleurs…

— La société Carriban est sous forme d'actions. Ce sont ma mère et ma sœur qui les détiennent toutes depuis bien des années. Et mon père a mis la villa au nom de sa femme le jour où il a eu des problèmes financiers. Il n'y a pas de succession et pas d'héritage. Ma mère a l'usufruit de tout le reste. Pour chaque décision que je prends, en tant qu'armateur, il me faut sa procuration et celle de Mariannick. Tu tombes mal.

Il songea qu'au contraire elle avait bien fait d'abattre ses cartes. Liliane le suppliait de régulariser leurs affaires chez le notaire. Elle voulait tout donner à ses enfants pour se simplifier la vie. Jusqu'ici, ils avaient eu trop de travail pour se pencher sur ce problème. Heureusement ! Quant à Jaouën, malin, il avait exigé un contrat de séparation de biens pour Mariannick et Benoît. Évidemment, il n'avait pas pu suggérer la même prudence à son fils qui s'était marié loin de lui.

Humiliée comme elle ne l'avait jamais été, Charlotte évitait de le regarder. Si ce qu'il prétendait était vrai, elle venait de se ridiculiser. Il avait obtenu Juliette tandis qu'elle restait frustrée de sa vengeance. Et, bien pis, Joël savait maintenant qu'elle était devenue son ennemie.

— Les hommes de loi vont régler toutes ces histoires, conclut-il avec le même calme.

S'il devait quelque chose à sa femme, il y avait encore l'appartement parisien. Qu'il n'était plus disposé à lui offrir sans contrepartie désormais.

— Tu devrais appeler ton Jules... Sa présence n'est peut-être pas nécessaire ?

— Fous-moi la paix ! cria-t-elle en éclatant en sanglots.

Il n'avait aucune envie de la consoler. Ni de crier victoire. Elle pouvait annuler son voyage aux États-Unis, revenir sur sa décision et garder sa fille malgré sa promesse. Elle était capable de tout, il en était conscient, aussi se força-t-il à faire un geste. Il prit un mouchoir en papier, dans la poche de son jean, et vint s'agenouiller devant elle.

— Ne pleure pas… Ton maquillage coule… Mais tu es belle quand même… Pas tendre, mais vraiment belle…

C'était vrai mais ça le laissait indifférent. Il saisit le petit miroir qu'elle avait laissé à côté de son sac et il le lui tendit.

— Tiens… Juliette va revenir, elle ne comprendra pas.

À travers ses larmes de rage, elle parvint à sourire. Ce n'était pas de cette façon qu'elle l'aurait voulu à genoux devant elle.

— Je vais téléphoner, tu as raison. Inutile qu'il se dérange pour rien ! On passe la journée ensemble tous les trois et je prendrai un train demain matin à la première heure.

Déjà, elle s'était ressaisie. Il espéra qu'elle n'avait pas d'autres idées saugrenues en tête. Comme de partager son lit par exemple. Mais, quoi qu'il en soit, il faudrait bien tenir jusqu'au lendemain.

— Je vais vous emmener déjeuner au restaurant. Et puis, si vous voulez vous promener dans Saint-Malo cet après-midi, j'ai beaucoup de travail. Mariannick pourra sûrement vous accompagner, et aussi vous montrer l'école…

Son avocat à lui avait été formel, il fallait l'autorisation des deux parents pour scolariser un enfant où que ce soit. Ils s'étaient donc renseignés, chacun de leur côté et en secret, mais pas sur les mêmes problèmes.

L'aidant à se lever, il proposa de la conduire jusqu'à une salle de bains. Dieu sait qu'elle n'était pas fragile mais il avait décidé de la traiter comme une porcelaine. Pour Juliette, il aurait pu faire bien davantage encore.

Tirant des bouffées régulières sur sa pipe, Yvon déambulait au milieu des stocks de bois qui encombraient le port marchand. Le chien noir, sur ses talons, semblait investi d'un rôle de gardien lui aussi. À l'usage, le travail se révélait assez simple et laissait à Collinée le loisir de bavarder avec des marins du matin au soir. Il avait retrouvé de l'assurance, ce qui lui permettait d'entrer dans les bars la tête haute. Il n'était plus un chômeur de longue durée, un ivrogne désœuvré. On l'avait sollicité pour cet emploi, lui et pas quelqu'un d'autre, et lorsqu'il descendait ses bières les unes après les autres, c'était avec la satisfaction d'une journée bien remplie.

Aux questions de ses copains, il répondait avec philosophie. Il attribuait sa chance à l'intervention de sa fille. Après tout, elle avait un poste important au sein de l'armement le plus en vue de Saint-Malo. Il était légitime qu'elle ait donné un coup de pouce à son vieux père. Bien entendu, personne ne faisait allusion à Joël. Yvon avait prouvé qu'il n'avait pas peur du fils Carriban, qu'il savait régler ses comptes et sortir le couteau. Très curieusement, cette bagarre leur avait profité à tous deux. Yvon parce qu'il était passé à l'acte — chose peu fréquente pour un poivrot — et Joël parce qu'il avait su se défendre sans massacrer son adversaire.

Luc évitait soigneusement certains établissements où il se sentait indésirable. Trop de gens auraient pu attester qu'il avait délibérément provoqué la fureur du pauvre Collinée avant de lui servir son ennemi sur un plateau. Le patron du bar, qui ne buvait pas, n'avait pas la mémoire courte. Et tout ce qu'il retenait de l'incident était que la facture des dégâts avait été réglée rubis sur l'ongle par l'armement Carriban.

Comme il arpentait les quais à longueur de journée, Yvon apercevait souvent sa fille quand elle se rendait au bureau. Deux fois par semaine, elle venait le chercher et ils allaient déjeuner chez elle. Les autres jours, il mangeait sur place, partageant un casse-croûte avec le Clebs et bavardant avec ses collègues. Servane était toujours aussi gentille, gaie, naturelle avec lui. Il avait beau chercher les signes d'un changement sur son visage ou dans ses attitudes, elle restait elle-même. Contrairement à ce qu'il avait pu craindre, elle n'affichait pas de nouveaux vêtements, ne se maquillait pas davantage, ne parlait pas de son patron à tout bout de champ. Pourtant, d'instinct, Yvon la devinait amoureuse. Une expression rêveuse, trop fugitive pour être relevée, une trace de mélancolie à peine perceptible, ou encore un regard furtif vers sa montre ne le trompaient pas. Sa fille allait avoir vingt ans et elle passait ses journées en compagnie d'un type assez riche et assez séduisant pour faire tourner n'importe quelle tête. Même aussi solide que celle de Servane. Mais, d'un autre côté, il y avait ce dentiste avec qui elle se promenait parfois en mer. Un bon skipper, à ce qu'on racontait. Et célibataire, ce qui était rassurant. Pour rien au monde Yvon n'aurait abordé ce sujet avec elle, mais l'idée qu'elle puisse épouser un jour quelqu'un d'aussi respectable qu'un dentiste, possédant de surcroît un bateau, le faisait rêver chaque nuit. Si une chose aussi extraordinaire se produisait, il abandonnerait peut-être sa hargne à l'égard de Joël Carriban et cesserait de penser à lui. D'ici là… Quand par hasard il apercevait l'Audi verte ou encore la silhouette de l'armateur dans son pardessus bleu nuit, il grinçait encore des dents sur le tuyau de sa pipe.

Et justement, c'est ce qu'il était en train de regarder, au loin sur le quai. Monsieur et madame — une surprise, car on ne la voyait guère — avec la petite fille, descendant de voiture. Une belle femme, indiscutablement, élégante et distinguée.

— S'il récupère sa bourgeoise, il tournera plus autour de la rouquinette, hein, le Clebs ?

Reprenant sa ronde, Yvon entreprit de compter une nouvelle fois les piles de bois.

Même si Charlotte n'était pas dupe, l'attitude de son mari la flattait. Il avait été prévenant et amusant durant tout le déjeuner au café de Paris. Juliette rayonnait de bonheur en écoutant son père qu'elle ne quittait pas des yeux.

Ponctuelle, Mariannick les attendait dans le bureau de Joël. Il l'avait appelée une heure plus tôt et elle avait parfaitement compris la situation. Elle accueillit sa belle-sœur avec un grand sourire, proposa un peu de shopping pour commencer l'après-midi, puis une visite à l'école et ensuite une tasse de thé chez elle. Charlotte ajouta qu'elle aimerait bien saluer Liliane, ce qui était plutôt surprenant, mais Mariannick l'approuva gaiement.

Lorsqu'elles sortirent, bras dessus, bras dessous, emmenant Juliette avec elles, Joël poussa un soupir de soulagement et alla ouvrir la porte de communication. Sagement assise derrière son ordinateur, Servane lui adressa un regard indifférent qui le contraria.

— Bonjour ! Comment s'est passée la matinée ?

— Très bien. Vous avez plein de messages sur votre bureau. Vous devez joindre les Affaires maritimes d'urgence. J'ai pris votre agenda pour donner un rendez-vous à M. Legrand la semaine prochaine. C'est lui qui vient, il veut connaître Saint-Malo. Le capitaine Le Gall aimerait vous parler, et Patricia Le Goar a téléphoné trois fois. Ah, ils ont eu des avaries sur le *Sans-Souci* mais Luc s'en occupe…

— Graves ?

— Non, je pense que les mécaniciens du bord répareront eux-mêmes. Antoine Girard va convoyer les pièces détachées.

Le téléphone sonna et elle alla décrocher.

— Un instant, je vous le passe…

Lui tendant l'appareil, elle annonça Patricia et il leva les yeux au ciel.

— Comment vas-tu ? demanda-t-il en prenant néanmoins la communication.

Il écouta avec agacement son joyeux bavardage.

— Non, je suis désolé, c'est impossible pour le moment. D'abord ma femme est là, ensuite j'ai du travail par-dessus la tête. La semaine prochaine ? Je ne sais pas. Je te rappellerai… C'est ça, tu en parles à Thierry et on verra… À bientôt… Oui, je t'embrasse aussi.

Les yeux rivés sur l'écran, Servane continuait son travail. Embarrassé, il chercha quelque chose à lui dire mais ce fut elle qui parla, sans le regarder.

— Vous avez aussi un courrier du conseil général au sujet du voilier de Patricia Le Goar et d'un éventuel partenariat.

— Il n'en est pas question ! Si je devais sponsoriser quelqu'un un jour, ce serait plutôt Thierry ! D'ailleurs c'est ce que je compte dire au président du conseil départemental d'abord.

— Ah oui, vous les voyez demain, il y a un cocktail. C'est noté sur votre planning.

— Est-ce que vous pourrez m'accompagner ?

— Non ! s'écria-t-elle avec véhémence.

Il contourna le bureau pour se trouver face à elle.

— Qu'est-ce qu'il y a ? Vous êtes de mauvaise humeur ?

— Pas du tout ! Mais vous n'avez pas à trimballer votre secrétaire dans les réceptions ! Pour qui me prenez-vous ? Allez-y avec votre sœur, ou avec Thierry si vous devez parler de lui.

Exaspérée, elle frappa rageusement le clavier. La présence de Charlotte et les appels réitérés de Patricia lui avaient rappelé, depuis des heures, qu'elle n'était qu'une employée. Même Mariannick, lorsqu'elle avait fermé la porte de communication au moment où Joël arrivait, lui avait signifié ainsi qu'elle était exclue de la vie privée des Carriban.

— Excusez-moi, murmura-t-elle. Je suis un peu fatiguée, je vais aller prendre l'air cinq minutes si vous le permettez.

Au moment où elle passait devant lui, il lui saisit le poignet.

— Servane, attendez une seconde…

Même en sachant qu'il avait tort, il l'attira contre lui. Il éprouvait un besoin irrépressible de la consoler, tout en ne comprenant pas pourquoi elle était en colère. Ses cheveux le frôlèrent et en même temps il perçut un effluve de son parfum. Elle restait crispée entre ses bras, figée, sans se débattre. Quand il se pencha pour l'embrasser, elle détourna la tête mais appuya sa joue sur son épaule. Immobile, incapable de faire un geste, il la sentit trembler et il attendit qu'elle se calme. Une ou deux minutes s'écoulèrent dans un silence absolu. Puis soudain elle lui échappa pour s'élancer hors du bureau, le laissant complètement désemparé.

Ce ne fut que vers deux heures du matin qu'il réalisa ce qui lui manquait et qui l'empêchait de s'endormir. Comme il avait laissé sa chambre à Charlotte, il s'était réfugié dans la chambre d'amis, donnant sur le parc, et il n'entendait pas le bruit de la mer. Ni le ressac de la marée haute, ni les cris des oiseaux, ni le vent du large, rien qu'un bruissement persistant dans les grands arbres du parc.

La soirée s'était déroulée sans heurt. Ils avaient dîné au restaurant en compagnie de Mariannick, de Benoît et des quatre enfants. Joël s'était comporté en mari, mais en se jurant que c'était la dernière fois qu'il transigeait avec Charlotte. Les regards des hommes sur elle ne lui apportaient aucune satisfaction d'orgueil. Cette femme désirable n'était plus sa femme. C'était la mère de Juliette, et à ce titre il la respectait, mais c'était aussi quelqu'un d'assez calculateur pour avoir souhaité lui faire vendre la société Carriban de gré ou de force. La moitié de tout ! Et, de préférence, tout de suite ?

Jamais, même en la haïssant, il ne se serait attaqué à son travail. Cette manière de nuire le dégoûtait profondément. Sans doute ne mesurait-elle pas la passion qui le liait à ses bateaux et à ses hommes, ni les risques insensés qu'il avait pris pour relancer l'affaire. Malgré tout, elle était sans excuse. Elle était venue jusqu'à Saint-Malo pour *monnayer* Juliette. Un comportement indigne.

Quand il lui avait souhaité une bonne nuit et qu'elle avait compris qu'il ne dormirait pas avec elle, son attitude était devenue carrément provocante. Elle avait exigé qu'il lui tienne un peu compagnie, qu'il aille lui chercher à boire. Lorsqu'il était revenu avec un plateau, docile, elle était assise sur son lit, à moitié nue, superbe. Elle avait eu le culot de parler de Francis, énumérant sans vergogne ses innombrables qualités. Il était resté silencieux, attentif en apparence mais pourtant très loin d'elle. Il avait trouvé des accents convaincants pour lui promettre qu'ils seraient toujours bons amis, toujours unis par Juliette. Tandis qu'il parlait, elle s'était contentée de l'observer avec, au fond des yeux, un authentique désir qu'il avait ignoré sans peine. Pour ne pas la vexer, il était parvenu à afficher un petit air triste en la quittant.

La chambre d'amis était accueillante et disposait de sa propre salle de bains. Comme il n'y avait jamais dormi, il eut l'impression de se trouver à l'hôtel. À peine se glissa-t-il sous l'édredon que l'image de Servane vint l'envahir. En la tenant dans ses bras, l'après-midi même, il avait éprouvé quelque chose de si intense qu'il en était encore ébloui. Même si elle l'avait fui, comme toujours.

Avec un soupir, il tassa son oreiller jusqu'à n'en faire qu'une boule. Cette fille le rendait fou et son état empirait de jour en jour. Thierry n'attendrait pas mille ans et, pendant ce temps-là, il ne progressait pas d'un pas. Hormis cette brève étreinte muette...

— Tu dors ? demanda la voix de Charlotte.

Sans même lui laisser le temps de répondre, elle avait allumé la lampe de chevet. À son air conquérant, il devina qu'il allait vivre un moment difficile.

— Presque...

— Ce bruit de vagues est obsédant.

— Veux-tu qu'on change de chambre ? proposa-t-il, sans illusion.

301

— Fais-moi plutôt une petite place.

— On ne peut pas laisser Juliette là-bas toute seule. Si elle se réveille…

— Elle dort à poings fermés, j'en viens ! Et puis ne commence pas à la surprotéger. Tu vas en faire une poule mouillée.

Le peignoir de satin avait glissé au sol et elle était déjà couchée près de lui.

— Est-ce que tu es amoureux, mon chéri ? Est-ce que tu m'as trouvé une remplaçante ?

Sa voix était enjouée mais il ne voulut pas tomber dans le piège qu'elle lui tendait.

— Non.

Les mains de Charlotte s'aventuraient sur lui, de façon plutôt agréable.

— Nous n'avons jamais pris le temps de nous dire vraiment au revoir, murmura-t-elle. Et si nous nous offrions une belle nuit de clôture ?

— Écoute-moi, Charlie…

Il s'était un peu reculé.

— Tu m'as rendu assez malheureux comme ça.

Quelques mois plus tôt, c'était encore vrai. À présent elle ne comptait plus mais il ne pouvait pas le lui dire sans la vexer. Elle franchit l'espace qu'il avait mis entre eux, se colla contre lui. Puis elle chercha sa bouche et l'embrassa longuement. Elle n'avait rien oublié de ce qu'il aimait, elle le lui fit comprendre en quelques gestes précis, insistant jusqu'à ce qu'il réagisse. Même s'il n'avait plus aucun sentiment pour elle, il s'étonna de pouvoir la désirer.

— C'est vraiment ce que tu veux ? demanda-t-il à mi-voix.

— Je te déteste, chuchota-t-elle en l'attirant sur elle.

— Moi aussi…

Encore une vérité inutile. Il était prêt à lui faire l'amour malgré tout. Peut-être pour le plaisir de la dominer parce qu'il venait de découvrir à quel point elle avait envie de lui. Francis ne devait pas la combler. Et le désir de vengeance qu'elle avait manifesté avec tant d'agressivité n'était en somme qu'une frustration de femme abandonnée. Cette constatation ne lui procura rien d'autre qu'un sentiment d'amertume. C'est Servane qu'il aurait voulu voir dans cet état d'excitation, pas Charlotte. Mais puisqu'elle l'avait obligé à jouer la comédie toute la journée, puisqu'elle se croyait arrivée à ses fins, il saisit sans scrupule la possibilité de revanche qu'elle lui offrait, car lui aussi la connaissait très bien.

À bord du *Glémarec*[1], le réveil de Fernando fut brutal. Précipité à bas de sa couchette, il heurta rudement le sol de la cabine. Le temps qu'il se relève, hébété, un nouveau coup de boutoir ébranla le chalutier.

— Sainte Mère…, maugréa-t-il avec son accent portugais.

Il était sept heures et son temps de repos était fini depuis longtemps. S'appuyant à la cloison, il essaya de trouver son équilibre.

— Mais qu'est-ce qu'y foutent, là-haut ?

Lorsqu'il avait quitté le pont, la veille, du gros temps menaçait. L'orage devait être sur eux à présent. Mais, quelles que soient les conditions climatiques, il fallait qu'il aille au boulot. Le capitaine ne plaisantait pas, son

1. *Glémarec* : vaillant cavalier, en breton.

second non plus. C'était déjà miraculeux que personne ne soit venu lui botter les fesses.

Le bateau roulait sous ses pieds de façon affolante. La journée s'annonçait cauchemardesque. Comme beaucoup d'autres. La mer du Nord leur faisait toutes sortes de caprices, depuis le début de la semaine.

Au point où il en était, il décida de s'offrir un détour par les cuisines avant de s'atteler à la tâche. Un grand café serait le bienvenu, ensuite il prendrait ses pots et son pinceau. Du matin au soir, il étalait des couches de peinture qui, invariablement, finissaient par se tacher de rouille. Mais, comme chacun sait, il n'y a qu'en peignant et repeignant un bateau qu'on parvient à le préserver.

Dans la coursive, une gamelle se promenait bruyamment d'un bord à l'autre. Fronçant les sourcils, il la ramassa. Si les ustensiles étaient en vadrouille, c'était vraiment mauvais signe. En se redressant, il faillit tomber et se rattrapa de justesse à la main courante.

— Un vrai coup de chien, on dirait…

Il acheva de boucler son ciré. Il avait dormi tout habillé, trop fatigué pour enlever ses vêtements mouillés. À présent qu'ils avaient séché, le sel les durcissait.

La cuisine était déserte. Pas trace de Saad qui, en principe, ne quittait pas sa cambuse. Tant pis, il se servirait tout seul. Un abominable craquement précéda une nouvelle gîte du chalutier.

— Et merde ! cria-t-il en recevant sur l'épaule le contenu d'une cafetière.

Est-ce qu'ils étaient tous ivres, sur la passerelle ? Son envie de petit déjeuner ayant disparu, il courut aussi vite qu'il le put jusqu'à une échelle. Lorsqu'il émergea à l'air libre, il s'immobilisa, bouche bée. Le spectacle était tellement hallucinant qu'il en oublia de jurer. Le pont, balayé par d'énormes vagues de façon intermittente, était absolument désert. Aucun câble ne grinçait sur les treuils, pas un seul coup de Klaxon ne retentissait, les planches du chalut étaient relevées. Au pupitre, personne. Là où dix hommes coiffés de leurs casques de sécurité auraient dû se trouver, il n'y avait rien. Rien du tout.

Le regard incrédule de Fernando erra du gigantesque portique immobile jusqu'à la timonerie. Il n'y avait pas âme qui vive sur ces cinquante mètres de bateau fantôme.

C'était tellement inconcevable qu'il restait sans réaction. Mais brusquement la porte, qu'il tenait toujours, lui échappa des mains. Il se retrouva allongé, glissant à toute vitesse. Sa solitude, inexplicable, lui avait fait oublier le reste. Or la mer était vraiment mauvaise, à en juger par la manière dont il était trimballé au ras du sol. Il parvint à agripper un manchon et il se mit à genoux, cherchant sa respiration. Le ciel était sombre, menaçant, et le vent soufflait avec violence.

— Force 10, je te fiche mon billet, marmonna-t-il pour entendre le son de sa propre voix.

Visant la porte tribord, il se demanda s'il aurait le temps de l'atteindre avant la prochaine lame de fond. Par prudence, il resta là où il était et, deux secondes plus tard, un paquet d'eau arriva sur le pont, le trempant des pieds à la tête.

— Maintenant ! cria-t-il en s'élançant.

Il rata la première marche de l'échelle et la dégringola sur le dos. Une sourde terreur l'avait envahi à présent. Anticipant sur les mouvements désordonnés du chalutier, il gagna un couloir étroit et ouvrit une cabine au hasard. Une odeur épouvantable de vomi le prit à la gorge. Deux marins gisaient sur leurs couchettes et, malgré sa répulsion, il s'en approcha. Il reconnut Loïc, qui semblait inconscient et qu'il secoua par l'épaule, sans résultat. Épouvanté, il quitta précipitamment le réduit et se rua sur la porte suivante. Il eut beaucoup de mal à l'ouvrir car un marin était étendu de tout son long à même le sol.

— Au secours ! hurla-t-il d'une voix de fausset, à peine audible.

Son cerveau refusait de fonctionner et de lui fournir des explications. Il n'avait aucune envie de continuer ses recherches, sachant d'avance ce qu'il allait trouver. S'écartant de la cloison, il fit un ou deux pas mal assurés, puis s'arrêta pour surmonter une nausée. Le chalutier continuait de tanguer d'un bord sur l'autre et il prit brutalement conscience du fracas des vagues contre la coque métallique. Il s'obligea à avancer, un pied après l'autre, sans lâcher la main courante. Parvenu à la dernière porte, il fit quand même une ultime tentative. Dès qu'il ouvrit, la même odeur épouvantable le saisit à la gorge. Il crut entendre un gémissement qui acheva de le paniquer. Il tira sur son col roulé pour se couvrir la bouche et le nez, puis il s'obligea à respirer profondément. Les yeux fermés, il compta jusqu'à dix. Quand il se sentit moins mal, il s'approcha d'une des silhouettes recroquevillées. Il toucha une joue brûlante, des cheveux trempés de sueur.

— Eh ! Tu m'entends ? Alan ! Alan, ça va pas ?

Il n'obtint pas de réponse, mais il eut l'impression que l'autre faisait un mouvement, remontait davantage ses genoux contre sa poitrine. Surmontant sa répulsion, il se pencha et entendit un drôle de bruit, comme si Alan grinçait des dents. Indécis, il attendit encore un peu puis fit un pas en arrière, oubliant de se tenir à quelque chose. Le bateau plongea et Fernando se sentit projeté en avant. Il agrippa le rebord d'une couchette, se tordit le pouce, mais parvint à sortir. Sa seule idée cohérente était de trouver le capitaine. À condition qu'il ne soit pas dans le même état ! Que tout ça ne soit pas un mauvais rêve, que le chalutier ne se retourne pas, que... Il stoppa net sa progression désordonnée. Au bout de la coursive, une silhouette avançait vers lui.

— Fernando ? Ah, putain de putain de bordel de Dieu...

Reconnaissable à son grand tablier, Saad se déplaçait lentement afin de garder l'équilibre.

— Toi non plus ? Alors on est deux !

Depuis plus d'une heure qu'il explorait le bateau, Saad avait eu le temps de comprendre, lui.

— T'en as pas bouffé ?

Fernando, médusé, le regardait stupidement.

— Réponds-moi, crétin ! T'en as pas bouffé, dis ?

— Quoi, de quoi ? bredouilla le Portugais.

Ignorant sa question, le cuistot continuait.

— Et pourquoi t'en as pas bouffé ? T'es pas musulman, toi ! Hein ?

C'était presque une accusation, pourtant il était très soulagé de ne plus être le seul rescapé.

— Je vois que ça..., poursuivit-il. C'est leur merde de conserve de porc... Ils sont tous HS ! Je me demande s'ils vont pas en crever ! Et nous avec parce que ce rafiot est devenu une savonnette tombée dans la baignoire !

Comme pour lui donner raison, un abominable mélange de tangage et de roulis les précipita l'un vers l'autre.

— Qui est aux commandes ? demanda Fernando en se raccrochant au cuisinier.

— Personne.

— Tu veux dire que…

— La timonerie est vide, j'en viens !

Ils se regardèrent, toujours cramponnés l'un à l'autre, essayant de se jauger mutuellement. Fernando, à dix-huit ans, était émoulu de fraîche date du lycée d'enseignement maritime et aquacole. Il avait son CAP de marin et aucune connaissance réelle car c'était son premier embarquement, Saad le savait et il précisa, afin que les choses soient claires :

— Que toi et moi pour piloter l'engin, tu mords le style ?

Secouant la tête, Fernando refusait l'évidence avec horreur.

— Où est le capitaine ?

— Dans son jus. Comme les autres.

Le regard fixe du Portugais l'inquiéta.

— Perds pas le nord, c'est pas le jour ! Viens avec moi.

Tanguant d'une cloison à l'autre, ils firent quelques pas.

— Toi, t'as dix ans de métier, tu dois bien pouvoir faire quelque chose, supplia Fernando.

— Rien du tout ! Nib, que dalle ! Y a rien sur mon disque dur. Je suis cuistot, un point, un trait. Tout ce que je sais, c'est qu'on est dans la merde. J'ai déjà entendu des histoires comme ça… Le botulisme ou la salmo… quelque chose.

— Et alors ?

— Alors, c'est pas la joie ! Faut plus compter sur eux. Si t'as une bonne étoile, c'est le moment de l'astiquer !

Ils mirent presque dix minutes à gagner la timonerie. Le chalutier, privé de direction, se laissait ballotter comme un bouchon de liège et subissait de sévères à-coups qui le faisaient vibrer du haut en bas. À l'intérieur du poste de pilotage, Fernando mesura confusément l'ampleur du désastre. Des dizaines d'écrans, de cadrans, de micros, d'appareils sophistiqués auxquels il ne pouvait même pas donner un nom, semblaient le narguer. Cet endroit, il l'avait pourtant souvent vu, c'était le cœur même du bateau. Mais, à présent, c'était devenu un lieu inconnu, hostile, aussi incompréhensible qu'un vaisseau spatial.

— Alors tu crois toujours que je vais remplacer le boss ? T'as vu la Vierge ou quoi ? interrogea Saad.

Pour une fois son langage imagé ne fit même pas sourire Fernando.

— Où sommes-nous ? demanda-t-il machinalement.

— En mer ! ricana Saad qui s'était approché des consoles.

La VHF, au moins, était reconnaissable. Il prit le temps de réfléchir, se retenant des deux mains au fauteuil du radio. Au bout d'un moment, il se hissa sur le siège, tendit la main vers une manette.

— Ici le *Glémarec*…, dit-il à tout hasard.

Bien entendu, rien ne se produisit. Saad ne pouvait compter que sur lui-même, un regard vers le Portugais le lui confirma. Celui-ci n'était pas seulement novice, il était aussi mort de trouille.

À force de tripoter des boutons, un grésillement aigu se fit entendre. Sans s'énerver, il recommença vingt fois sa tentative. Derrière lui, Fernando respirait bruyamment.

— *Glémarec* à vous ! annonça soudain le haut-parleur.

— Vas-y ! Vas-y ! hurla Fernando. Demande du secours, magne !

— Ici le cuisinier du *Glémarec*…

Un sifflement strident l'interrompit mais il entrevoyait une lueur d'espoir et il persista.

— Nous sommes en détresse…

Il y eut un silence oppressant puis, à l'instant où ils allaient se décourager, une voix s'éleva.

— Appuyez sur le bouton noir pour parler. À droite du micro. À vous.

— On a un sacré gros problème ! Que des malades ! On veut du secours.

Malgré la gravité de la situation, il essayait de garder son sang-froid.

— Le *Glémarec*, pouvez-vous donner votre position ?

— Je suis le cuisinier, répéta Saad. J'ai un mousse avec moi, Fernando. À part ça, personne n'est valide.

— … noir pour parler. À vous.

— On n'est que deux !

Enfonçant rageusement le satané bouton, Saad reprit sa litanie.

— Personne ne pilote le bateau. Les moteurs semblent arrêtés. Nous sommes deux dans la timonerie. Il nous faut du secours d'urgence. Il n'y a que des malades à bord.

— Très bien. Gardez votre calme. On va vous aider. Qu'est-ce qui s'est passé ?

Une brusque envie de pleurer obligea Saad à avaler sa salive plusieurs fois. Puis une vague plus forte que les autres, et sans doute prise par le travers, projeta Fernando sur la console. Lorsque le Portugais se redressa, du sang coulait de son nez.

— Assieds-toi ! lui cria-t-il.

— Le *Glémarec* ? demanda une autre voix dans le haut-parleur. Vous êtes Saad, le cuisinier, c'est ça ? Ici Joël Carriban, nous organisons immédiatement les secours, ne paniquez pas. Un capitaine va venir au micro, pour vous guider. En attendant, dressez-nous un bilan de la situation. À vous, Saad.

— C'est l'armateur ! s'exclama Fernando qui avait fini par s'installer à la place du second.

— Tout le monde est dans les vapes, c'est pas beau à voir. Sûrement une intoxication alimentaire, mais cognée ! La mer est très mauvaise et je ne sais pas où nous sommes. On dérive sec…

— Nous allons faire le point ensemble. Le capitaine Kerven va vous donner la marche à suivre. Vous serez forcément seuls pour quelques heures encore. Alors tenez bon !

Il y avait quelque chose de très chaleureux dans la voix de leur interlocuteur et ils échangèrent un coup d'œil.

— Je ne crois pas aux miracles, murmura Fernando.

Les fenêtres, tout autour de la timonerie, offraient le spectacle apocalyptique d'une mer démontée.

— J'crois bien que c'est la tempête, souffla Saad.

Comme il écrasait toujours le bouton noir, la réponse arriva aussitôt.

— La météo n'est pas formidable, c'est vrai ! Mais vous avez sûrement connu pire ? Et puisque vous voilà commandant, je vous avertis que je tiens à ce bateau ! Si vous le coulez, je suis ruiné.

Ahuris, Fernando et Saad se consultèrent de nouveau du regard. Ils ne rêvaient pas, le type, à terre bien loin de là, prenait les choses sur un ton de plaisanterie ! D'un revers de manche, Fernando essuya son nez qui laissa une longue marque rouge sur le ciré jaune.

— Lâchez ce bouton et décrochez le téléphone blanc, sur votre gauche. Ah, voilà le capitaine Kerven qui va jouer à la bataille navale avec vous…

Brusquement la tension nerveuse de Saad se relâcha et il laissa échapper quelques sons qui pouvaient évoquer un rire. Si c'était le dernier jour de sa vie, autant finir en beauté. Il prit l'appareil indiqué mais, avant de le porter à son oreille, il esquissa un discret signe de croix sur son front puis sur ses lèvres.

13

Comme il avait donné sa parole et qu'il était honnête, Thierry était venu consulter Joël. Ce week-end en mer, auquel il avait convié Servane, devenait indésirable depuis leur discussion. À moins que Joël n'accepte de les accompagner.

En pénétrant dans le grand hall de l'armement Carriban, il fut tout de suite frappé par l'atmosphère survoltée qui y régnait. Chacun commentait l'invraisemblable catastrophe du *Glémarec*, mais il eut à peine le temps de réaliser la situation que déjà Mariannick l'entraînait au premier étage qui bourdonnait comme une ruche. Le capitaine Kerven, assis à la place du radio, semblait donner un cours de navigation dans son micro. Luc, Servane et Rémi étaient au téléphone pendant que Joël allait de l'un à l'autre, le visage creusé par l'angoisse, distribuant des ordres brefs.

— Girard s'occupe des autorisations, il vous attendra sur la piste ! lança Servane. Le docteur Le Nédélec vous rejoint à l'aérodrome, il part maintenant.

Tournant la tête vers sa sœur, Joël découvrit Thierry et marcha droit sur lui.

— Tu tombes bien, tu viens avec moi, dit-il d'une voix oppressée. La marine a trouvé un bâtiment qui ne pourra rejoindre le *Glémarec* que d'ici une quinzaine d'heures au mieux, c'est trop long. Les deux types sont complètement paniqués. Je t'expliquerai.

— Joël…, murmura Mariannick en tendant la main vers son frère.

Mais il était déjà penché vers Luc à qui il donnait ses dernières consignes. Quand il se redressa, il fit signe à Rémi.

— Trouvez une fréquence pour rester en liaison avec nous. Leur point est vraiment approximatif, vous me donnerez des nouvelles au fur et à mesure.

Thierry commençait à comprendre ce qui l'attendait mais il n'essaya même pas de protester.

— Allons-y ! dit Joël en lui prenant le bras.

Ils dévalèrent l'escalier, traversèrent le hall au pas de course. La voiture n'était pas loin et Joël démarra sur les chapeaux de roue en s'exclamant :

— J'espère vraiment que nous ne serons pas les premiers ! Mais ils ont beaucoup dérivé et ils sont assez loin des deux bateaux qui font route vers eux. Un hélico des Écossais va tenter l'approche mais, d'après eux, ce sera trop périlleux. Alors, par précaution, j'en ai frété un qui nous attend à Newport. Mon pilote accepte le risque. Tu verras, c'est un vrai casse-cou.

— Si tu m'expliquais…

— Dans l'avion. Je te raconterai tout. Mais ce n'est pas difficile à comprendre : si le *Glémarec* sombre, l'armement suit. Qu'il arrive quoi que ce soit à ce chalutier et je peux m'inscrire au chômage, juste après avoir déposé mon bilan.

Les yeux rivés à la route, il ajouta, très sérieusement :

— À nous deux, on s'en sortira, non ?

— Tu es complètement cinglé. Je n'ai *jamais* barré un chalutier de ce tonnage. Je n'y connais rien et toi non plus !

— Mais si, mais si… C'est toujours pareil.

— Joël !

— Quoi ? Tu as peur ?

— Pauvre con ! Bien sûr que non ! Mais pourquoi n'as-tu pas envoyé un vrai capitaine ?

— Parce que je n'en ai pas trouvé, tiens ! Le seul que j'avais sous la main, c'est Kerven. Et, crois-moi, il ne peut pas lâcher les deux zigotos cinq minutes. Ils sont tétanisés. On dirait qu'il leur parle en hébreu alors qu'il les traite comme des enfants de cinq ans ! Le petit bouton blanc, au-dessous de la manette noire, à gauche… Hallucinant ! Quand tu penses que ces malheureux tiennent entre leurs mains un bahut de cinquante-cinq mètres pour lequel je suis endetté jusqu'au cou ! Mais ce n'est pas ça le pire, ils auraient pu s'en sortir, peut-être, s'ils n'étaient pas dans cette sacrée tempête. Il y a belle lurette qu'un hélico leur aurait déposé des marins écossais. Seulement voilà, quand tout s'en mêle…

— Ah, je vois ! C'est ça qui nous attend ? Hélitreuillés sur le pont de ton rafiot en perdition ? Tu as pété les plombs ?

— Si tu as une autre idée, j'achète !

Après un petit silence, Joël ajouta, très bas :

— Je dois le faire. Et le pilote est d'accord.

— Ton pilote accepte là où tout le monde renonce, c'est ça ?

— Oui. Il est gonflé. Et je le paie bien ! Mais l'argent ne change rien, dans ce cas précis. C'est un défi.

— On ne doit pas lancer de défi à la mer. Tu le sais.

— Mais je n'ai pas le choix ! Est-ce que tu comprends ? En ce moment, je n'ai jamais le choix…

Ils étaient arrivés sur le parking de l'aérodrome et Thierry n'avait toujours rien trouvé à répondre. Il suivit Joël qui se débarrassa en hâte des formalités avant de gagner la piste au bout de laquelle le Cessna les attendait. Antoine Girard les accueillit joyeusement, comme s'ils allaient faire une simple promenade, et leur présenta le docteur Le Nédélec qui était déjà sanglé dans son fauteuil. C'était un jeune médecin, installé depuis peu, qui leur apprit immédiatement qu'il était fils de marin-pêcheur, que l'aventure ne lui déplaisait pas et qu'il fallait l'appeler Marc.

— Je n'ai aucun détail à vous donner, avoua Joël. Le cuisinier pense qu'il s'agit d'une intoxication alimentaire parce qu'ils sont tous malades comme des chiens, sauf lui et un Portugais, les seuls à n'avoir pas mangé la même chose.

— Ça veut dire quoi, « malades comme des chiens » ?

— C'est sûrement dramatique. Pour qu'un capitaine abandonne son poste et laisse le bâtiment à la dérive, je vous assure qu'il en faut beaucoup !

— Botulisme ou salmonellose, je ne vois que ça, déclara le médecin.

Le bruit des moteurs couvrit leurs paroles au moment du décollage.

— Où allons-nous ? cria Thierry.

— Ils sont en mer du Nord, à l'est de l'Écosse. On va se poser à Newport. J'espère qu'ils ont pu être repérés précisément.

Débouclant sa ceinture de sécurité, il se rendit à l'avant de l'appareil pour discuter avec son pilote.

— C'est vous qui allez prendre les commandes du chalutier ? demanda Marc Le Nédélec à Thierry.

— Moi ? Sûrement pas !

— C'est Carriban lui-même ?

— Non, pourquoi ? On ne vous a pas prévenu que c'était vous ?

Éclatant de rire, Marc lui donna une claque vigoureuse sur le bras.

— Vous êtes un marrant ! Je sais très bien que vous passez votre vie en mer, chaque fois que je veux vous adresser des patients, ils sont découragés par votre répondeur !

— J'ai un voilier, un First 35 bricolé. Et il y a autant de différence entre mon bateau et le *Glémarec* qu'entre une moto et un train !

Joël revenait, le visage soucieux, et le jeune médecin l'apostropha :

— Comment ça se présente ?

— Le plus mal possible.

— Ah ! vous êtes un comique aussi ?

— La météo est mauvaise, avec un baromètre en chute libre. Il faut quand même que je vous prévienne, ce ne sera pas une partie de plaisir.

— C'est pour ça que j'ai accepté !

— Si nous parvenons à nous faire déposer sur le chalutier, j'essaierai de le ramener dans des eaux plus tranquilles. Là, on pourra évacuer les malades et se faire relayer par des marins. Mais, entre-temps…

Son angoisse était tellement évidente que Thierry lui adressa un sourire.

— On fera ce qu'on pourra, on a connu bien pire. Tu t'en souviens ?

Il faisait allusion à toutes les avaries subies en course lorsqu'ils étaient coéquipiers sur le *Nadir*. La mer ne leur avait jamais fait peur, même lorsqu'il leur était arrivé de se retourner et de démâter. Même quand ils étaient restés deux jours en perdition sans savoir si leurs balises avaient fonctionné. Même l'année où ils s'étaient risqués dans le Pacifique Sud et où ils avaient essuyé le pire ouragan de leur vie. Mais le *Nadir* appartenait alors à Jaouën et les deux skippers étaient insouciants. Ce temps-là était révolu depuis longtemps. Le *Glémarec* représentait un tout autre enjeu.

— Kerven n'a pas fini de donner des instructions dans son micro, dit Joël d'une voix crispée.

Piloter le chalutier ne l'effrayait pas pour le moment. En théorie, il savait à peu près comment s'y prendre, et pour la pratique il verrait une fois sur place. Le plus difficile serait d'arriver à bord.

Un sac de sandwiches était posé sur l'un des fauteuils vides et Marc s'en saisit.

— Profitons-en pour manger quelque chose.

Joël faillit refuser mais, se ravisant, il tendit la main. Leur départ avait été si précipité qu'ils étaient tous en tenue de ville. Il espéra que quelqu'un penserait à mettre des vêtements appropriés dans l'hélicoptère. Sinon ils allaient se balancer au bout d'un filin, en pleine tempête, avec la cravate au vent !

— Tu es sûr de ce que tu fais ? s'inquiéta Thierry à mi-voix.

— Je ne suis sûr de rien. Mais je ne peux pas attendre l'accalmie !

Il aurait fallu le tuer pour l'empêcher de rejoindre le *Glémarec* coûte que coûte.

— Quand je pense que je suis passé te voir par hasard… Que j'aurais aussi bien pu ne venir que cet après-midi…

En s'asseyant enfin, Joël demanda :

— Au fait, oui… Pourquoi étais-tu là ?

— Oh, ça n'a plus grande importance. Je voulais te convier à une petite promenade en mer ! Pour ne pas te faire le coup du tête-à-tête avec ta Dulcinée. Ce week-end est au programme depuis des semaines. Mais comme tu n'apprécierais pas que je l'embarque, je venais t'offrir de partager la virée. Seulement, maintenant, je me sens ridicule avec mon petit First et ma brise légère ! Toi, tu nous fais du grand spectacle… Tu n'as jamais pu t'empêcher de surenchérir !

C'était une autre allusion, qui visait cette fois le penchant de Joël pour les jeux de hasard, les casinos et les parties de poker.

— Décidément, on partage les mêmes goûts, conclut Thierry d'un air malicieux. La voile, la roulette, et la petite Collinée !

— En ce qui la concerne, elle, je t'ai déjà prévenu, je ne partage pas.

— Bien, capitaine ! À tes ordres, capitaine !

Indiscutablement, il y avait un peu d'amertume dans son ironie. Joël se pencha vers lui, soudain inquiet.

— Thierry… Tu fais ce que tu veux. Je ne te force à rien. Je…

— Laisse tomber, c'était juste une plaisanterie. En revanche, j'ai quelque chose à te demander.

— Quoi ?

— Je te suis toujours, vieux ! Tu as remarqué ? Les yeux fermés, je t'accompagne où tu vas. Même si tu dois nous noyer tous les deux, et le toubib en prime.

— Qu'est-ce que…

— Attends ! Un marché est un marché. Tu me dis « viens » et je ne pose pas de question. On va faire les acrobates au-dessus des rouleaux pour sauver ta baraque, d'accord. Tu joues les apprentis sorciers et moi je fais semblant de croire aux miracles. Alors en échange, si on sort indemnes de ton équipée sauvage, tu participeras à une course avec moi.

— Mais…

— Dis oui, sois loyal.

— Oui.

Un sourire lumineux apparut sur le visage de Thierry.

— Tu es mon mauvais ange, lui reprocha Joël.

— Ou ton ange gardien, va savoir !

— Pourquoi tiens-tu tellement à naviguer avec moi ?

— Je pourrais prétendre que c'est pour te faire plaisir. Mais en fait, je n'ai plus les moyens d'entretenir le First.

Le moment était mal choisi pour cette confidence mais Joël s'y attarda quelques instants malgré tout.

— Le pilote vous appelle, signala le médecin.

D'un bond, Joël se remit debout et fila vers l'avant. Le chalutier d'abord. Et les deux hommes qui devaient vivre l'enfer, suspendus aux paroles de Kerven.

Lorsque Servane quitta l'armement, l'heure de déjeuner était passée depuis un moment. Elle courut, le long des quais, pour essayer de retrouver son père. Il avait dû l'attendre, inquiet, puis se résigner à manger sans elle.

— Poupette ! Poupette !

La voix forte d'Yvon la fit se retourner. Déjà le chien noir était près d'elle et lui léchait la main.

320

— Tu m'avais oublié ?

— Non, non…

— Oh, pardon, s'excusa-t-il, tu n'aimes peut-être pas que je t'appelle poupette en pleine rue ?

— Papa…

En lui souriant, elle se disait qu'elle pouvait tout lui pardonner ou presque. Leurs marques de tendresse étaient rares et ne la gênaient en aucune manière.

— On a un gros problème, là-bas.

Elle désignait la lointaine façade sur laquelle s'étalaient les lettres « J. Carriban ».

— Quoi donc ? Avec tout ce pognon qui coule à flots, je vois pas ce qui peut vous arriver.

— Eh bien, c'est arrivé quand même…

L'air anxieux de Servane étonna son père parce qu'elle prenait toujours les choses légèrement et ne confiait pas volontiers ses soucis.

— Tu vas me raconter ça, mais si on se tapait un casse-croûte dans un bistrot ? proposa-t-il. Je reprends dans une demi-heure.

Elle l'entraîna vers les remparts sans qu'il proteste. En principe, il n'aimait pas les établissements trop touristiques ou trop élégants de la vieille cité. Mais il supposa qu'elle y avait ses habitudes, maintenant qu'elle était devenue quelqu'un d'important. D'une voix oppressée, elle lui donna tous les détails de la catastrophe survenue à bord du *Glémarec*. Prodigieusement intéressé, il l'écouta sans l'interrompre puis, à la fin du récit, se contenta de dire :

— Et il espère quoi, ton Carriban de malheur ? Être le sauveteur de l'impossible ?

— Papa ! Il veut seulement arriver là-bas le plus vite possible.

Yvon ricana sans cacher son mépris.

— Et la marine ? L'armée ? Il est plus fort que tout le monde, le gamin ?

— Non, répondit-elle patiemment. Mais les conditions de vol sont mauvaises et les hélicoptères de l'aéronavale resteront cloués au sol tant que la tempête durera. Ils disent que l'équipage n'est pas en perdition pour le moment. Le chalutier est encore intact.

— Il ne va pas le rester longtemps !

— C'est bien pour ça qu'ils sont partis. Nous avons la chance d'avoir un pilote qui est un vrai risque-tout. S'il y a la moindre possibilité, il la saisira.

— « Nous » ? Te voilà dans leur camp ?

— Évidemment !

— Et toute retournée à l'idée que ton patron joue les héros dans la tourmente ? Qu'est-ce que t'es restée gamine ! Oh, c'est pas croyable !

Dégoûté, il tendit un morceau de son sandwich au chien.

— Tiens, le Clebs, à la santé du dernier des Carriban, disparu en mer…

— Papa !

Elle était pâle, soudain, et il regretta sa plaisanterie.

— Oh, il s'en sortira… Y a de la veine que pour la canaille, c'est bien connu. Remarque, la mer du Nord est mauvaise. J'sais pas où il pourra rapatrier son bâtiment mais il ne va pas rigoler. Une fois, j'ai essuyé un vrai coup de tabac…

Même si elle conservait un air attentif, elle ne l'écoutait plus. Elle connaissait ses histoires par cœur. Elle patienta jusqu'à la fin, posa un billet sur la table et se leva.

— Il faut que j'y retourne, dit-elle.

Ils quittèrent la cité par la porte Saint-Louis, silencieux l'un et l'autre. Il l'observait, sans en avoir l'air, et constatait sa réelle angoisse. En l'embrassant, il ne put s'empêcher de demander :

— C'est pour ce salopard que t'as peur comme ça ?

Contrarié, il la vit hocher la tête. Elle était toujours aussi franche, c'était déjà ça. Lorsqu'elle s'éloigna, il la suivit des yeux, le plus longtemps possible. Dieu qu'elle était jolie, sa fille ! Et c'était quand même une pitié qu'elle se torture pour un homme comme le fils Carriban.

« Si t'avais été moins bourré, tu l'aurais crevé pour de bon ! » se dit-il.

Mais au fond, il n'en était plus vraiment convaincu.

À un mètre au-dessus du pont, Thierry sentit les mains de Joël qui l'agrippaient fermement. Dès que ses pieds touchèrent le chalutier, il déboucla à la hâte son baudrier. Le rotor de l'hélicoptère faisait un bruit infernal qui ne couvrait pourtant pas entièrement le grondement de la mer. Le filin remonta aussitôt. Antoine Girard devait être pressé de se débarrasser du médecin pour pouvoir repartir. Il ne réussissait à maintenir l'appareil à l'aplomb du chalutier qu'au prix d'un gros effort et en prenant des risques considérables. Le vent était fort mais constant, heureusement sans rafales. D'énormes nuages noirs semblaient sur le point de crever et limitaient la visibilité.

Girard observa la descente du toubib avec impatience. Il avait failli rebrousser chemin à deux reprises. Au dernier moment, pourtant, il avait aperçu le long chalutier qui se balançait comme un jouet sur les vagues. Si près du but, il n'avait pas voulu renoncer.

Les trois hommes lui adressèrent de grands signes et il appuya sur le bouton du treuil. Dans quelques secondes, il allait pouvoir mettre le cap sur la côte. Et lorsqu'il se poserait enfin, sur la base, il serait bien obligé de reconnaître que l'entreprise était trop risquée pour le moment. Les militaires continueraient d'attendre une fenêtre météo et il ne pourrait pas leur donner tort. Après un dernier regard au bateau, il s'éloigna enfin.

Sur le pont du *Glémarec*, le médecin s'était cassé la figure mais Thierry était parvenu à bloquer la précieuse trousse de secours qui contenait les sérums, les anatoxines et la pharmacie ambulante d'urgence. Le vent hurlait dans les superstructures du bâtiment. Joël était déjà à l'entrée de la timonerie au moment où une vague s'abattit sur eux, les inondant d'eau glacée. Saad, qui maintenait ouverte la porte, tendit la main à Joël.

— Bienvenue à bord ! cria-t-il en le tirant à l'intérieur.

Thierry et Marc surgirent juste après, hors d'haleine.

— On est heureux de voir du monde, vous avez pas idée !

— De ça non plus…, dit Joël qui regardait autour de lui.

Résolument, il gagna le fauteuil que le cuisinier avait occupé depuis des heures. Toujours affalé à la place du second, Fernando n'avait pas réagi à leur arrivée. Marc se dirigea vers lui, arborant son sourire le plus rassurant.

— Il est choqué, avertit Saad.

La voix de Kerven s'éleva de nouveau dans le haut-parleur.

— Bon voyage, monsieur Carriban ? Je suis content que vous soyez aux commandes. Est-ce que les moteurs sont repartis ?

— Non.

— Je vais vous indiquer la procédure pour les relancer sans les noyer.

— D'accord. Évitons de noyer quoi que ce soit ! Thierry va faire un point précis pendant ce temps-là.

— Merveilleux ! On saura enfin où vous êtes !

Là-bas, à Saint-Malo, le capitaine breton gardait son humour malgré la fatigue.

— Dès que vous démarrerez, vous devriez pouvoir stabiliser le bateau. Où en sont les réservoirs ?

— Ce sera suffisant, répondit Joël qui avait repéré les jauges.

Il se détourna un instant du micro pour jeter un coup d'œil au médecin et au matelot.

— Il va mieux ?

— Oui. N'est-ce pas, Fernando ?

Le Portugais hocha la tête. Son regard avait perdu son inquiétante fixité.

— Alors il va vous conduire auprès des malades. Pendant ce temps-là, Saad fera un tour complet du bateau. Je veux être certain qu'il n'y a aucun dégât, aucune voie d'eau nulle part.

Penché sur les instruments électroniques, Thierry était en train de relever leur position lorsqu'un éclair aveuglant illumina toute la timonerie. Le bruit du tonnerre couvrit aussitôt le grondement de la mer autour d'eux. Marc prit Fernando par le bras et l'aida à quitter son siège.

— Allons-y !

Dès qu'ils furent sortis, suivis de Saad, Joël reprit son dialogue avec Kerven.

— C'est en train de se creuser bigrement !

À travers le pare-brise, devant lui, il vit un mur d'eau, haut comme un immeuble, qui fonçait vers eux. La lame déferla sur le chalutier avec une violence inouïe.

— Kerven, je n'ai aucune pratique de ce fer à repasser et la mer grossit trop vite pour moi ! annonça Joël d'une voix crispée.

— Vous ferez mieux que le cuistot, j'en suis sûr ! riposta le capitaine. Vous êtes au combien ?

— Au 76.

— Gouvernez au 80 si vous le pouvez. Mais restez face aux vagues tant que vous n'aurez pas redémarré. Qu'est-ce qu'affiche le radar ?

— Qu'on est seuls au monde ! répondit Thierry. Au moins, on ne risque pas la collision !

— Force du vent ?

— Presque 12.

Kerven donna quelques consignes que Joël essaya d'appliquer au mieux et, brusquement, il se produisit sous leurs pieds une vibration différente.

— Je crois qu'il est parti ! cria Thierry.

— C'est l'auxiliaire, prévint Joël, les yeux rivés sur les cadrans.

Un coup-de-bélier prit le chalutier par le travers, provoquant toute une série de craquements sinistres.

— Merde !

— T'affole pas, murmura Thierry, redresse-le…

Il se parlait à lui-même, cramponné au dossier de Joël, conscient de leur incapacité à comprendre le comportement du bateau.

— On est pile dans le grain, il faut se tirer de là…

La concentration de Joël était si intense qu'il ruisselait de sueur malgré la température plutôt froide qui régnait dans la timonerie. Kerven posait inlassablement des

questions précises et donnaient des ordres en conséquence mais il ne pensait pas toujours à simplifier
certains termes techniques et Joël s'énervait. Thierry
avait posé une main sur son épaule, comme si ce geste
pouvait les aider tous les deux à garder leur sang-froid.

— Le bâtiment de la marine est à deux heures de vous,
avertit Kerven.

Il pouvait arriver n'importe quoi en deux heures avec
des lames pareilles. Un coup de tonnerre les assourdit un
instant puis Joël annonça que la visibilité était tombée à
moins d'un mille en raison du déluge de pluie qui s'abat-
tait soudain.

— On s'en fout ! riposta Kerven. Surveille juste la
prochaine. Si tu fais du surf et que le gouvernail sorte,
inverse tout immédiatement !

La familiarité soudaine du Breton avait quelque chose
de réconfortant. Il continuait d'égrener ses consignes
d'une voix forte, dans le haut-parleur.

— C'est pire que de piloter un avion les yeux bandés,
marmonna Joël.

— Moi aussi, je suis aveugle ! riposta le capitaine.

— Mais au moins, il est sur la terre ferme et il ne
mesure pas sa chance, chuchota Thierry.

Sa main broyait toujours l'épaule de Joël qui ne s'en
apercevait même pas. Le chalutier retrouvait à peu près
son assiette après chaque vague franchie.

— Tu t'en sors bien, mon petit Jezequel…

Cette traduction de son prénom fit sourire Joël malgré
lui.

— Arrête de me parler, espèce d'emmerdeur ! Tu n'as
vraiment rien de mieux à faire ?

La porte s'ouvrit brusquement et le vent s'engouffra
avec Saad.

— Tout est OK, le bahut tient bon !

Son long tablier était déchiré, maculé, dégoulinant.

— Que fait le toubib ?

— Il essaie de piquer tout le monde mais il dit que vous conduisez très mal, qu'on devrait vous sucrer le permis de naviguer !

Brandissant une bouteille, il ajouta :

— Y a des amateurs ? Du chouchen de Rosporden, rigoureusement interdit d'embarquement !

— Un coup d'hydromel, c'est ça, on y verra plus clair ! railla Thierry.

Néanmoins, il lâcha Joël et s'empara de la bouteille. Ils en burent chacun une rasade, portant un toast à Kerven qui leur conseilla de s'étouffer avec.

Liliane ne pouvait pas choisir un plus mauvais moment pour prendre la décision inattendue de rendre visite à son fils.

Le deuil de Jaouën lui procurait toujours une souffrance aiguë, mais elle commençait à connaître quelques moments d'apaisement au cours desquels elle réalisait la cruauté involontaire dont elle avait fait preuve envers Joël. Elle s'en voulait beaucoup d'avoir trop parlé et surtout de l'avoir repoussé au nom de sa ressemblance avec son père. Bien sûr qu'ils étaient pareils ! Merveilleusement semblables ainsi qu'elle l'avait toujours souhaité.

Sa résolution avait mûri peu à peu. Du vivant de son mari, elle se rendait rarement à l'armement et n'y avait guère de souvenirs. Mariannick lui avait expliqué que tout était changé, que l'ancien bureau de Jaouën avait

disparu. Ainsi elle pourrait regarder Joël sans lui superposer l'image de son père.

Après quelques jours d'hésitations, elle s'était donc
décidée et, quittant les murs de la cité, elle s'était aven-
turée sur les quais. Devant la haute porte cochère, elle
avait pris le temps d'examiner l'enseigne, J. Carriban,
avant d'entrer. Non seulement elle n'avait pas reconnu le
hall, mais les employés qu'elle avait croisés lui avaient
semblé survoltés. Dans le couloir désert, elle avait hésité
devant les portes ouvertes, puis visité le bureau de son
fils et celui de sa fille.

Comme c'était étrange de songer que ses deux enfants,
qu'elle verrait d'ailleurs toujours comme des enfants,
dirigeaient à présent l'armement ! Qu'ils avaient pris ici,
à en juger par le nombre de papiers qu'elle avait dû
signer, toutes sortes de décisions.

Elle était en pleine rêverie lorsque Mariannick, stupé-
faite, la découvrit. Spontanément, elle la mit au courant
de la situation sans même chercher à l'enjoliver. Trop
inquiète pour son frère, elle n'eut pas le courage ou la
présence d'esprit de mentir. Liliane exigea aussitôt de
monter au premier, là où Kerven, depuis des heures,
guidait tant bien que mal le *Glémarec*.

Un peu dégagé du gros de la tempête, le chalutier
venait d'être repéré par le bâtiment de la marine qui, dans
l'immédiat, ne pourrait que l'escorter. Le relais radio
était en train de s'établir entre les deux bateaux, ponctué
d'ordres et d'exclamations peu réglementaires.

Même si tout danger n'était pas complètement écarté,
une atmosphère de liesse régnait dans la salle où tout le
monde parlait en même temps. Ce n'était pas seulement
le chalutier que Joël avait sauvé mais bien l'avenir de
l'armement.

— Luc ! s'exclama Liliane.

Elle avait immédiatement reconnu le visage familier de l'ancien collaborateur de Jaouën. Avec une déférence exagérée, il s'empressa de la saluer. Et il prononça alors une phrase tellement incongrue que Mariannick en resta saisie.

— M. Carriban a été fantastique ! Personne ne pourra croire tout ce qu'il a fait, c'est époustouflant ! Mais asseyez-vous, madame, je vous en prie. Il y a si longtemps que je tremble pour ce bateau que j'ai la tête à l'envers…

Qu'il ait utilisé ce « Monsieur Carriban » pour parler de Joël, devant Liliane, était vraiment stupéfiant. D'autant plus que son ton n'avait rien eu de forcé ou d'artificiel. Il ne provoquait personne, n'ironisait pas non plus, pour une fois. Il s'inclinait, tout simplement. Mariannick éprouva envers lui une bouffée de sympathie, la première depuis des mois.

— Je ne veux pas m'asseoir, protesta Liliane. Est-ce que je peux… communiquer avec lui ? Vous l'avez en ligne ?

Kerven avait enfin laissé sa place à Rémi qui se retourna.

— Vous souhaitez lui parler, madame ?

Intimidée, elle s'approcha du micro.

— Le *Glémarec*, un message pour vous, avertit le radio.

— Je vous écoute, répondit Joël.

— Mon grand ? C'est ta mère… Il paraît que tu fais des choses formidables, alors bravo, continue !

Elle se recula, soudain très gênée de s'être exprimée d'une manière aussi ridicule. Il y eut un instant de silence puis la voix de Joël s'éleva dans le haut-parleur.

— Merci, maman !

Elle perçut des rires, d'autres voix, mais n'y prêta pas attention. L'essentiel était cette réponse joyeuse qu'il venait de lui faire. Elle eut soudain la certitude qu'il ne courait plus aucun risque, quoi qu'il arrive désormais sur ce fichu chalutier.

— Où sont-ils ? demanda-t-elle à Luc.

— Au large de l'Écosse. Ils sont en train de quitter la zone de tempête. Le commandant Irwen va faire envoyer une navette avec deux officiers de marine dès que l'état de la mer le permettra.

— Ils ont vraiment pris leur temps ! soupira Kerven.

— Eh bien ici, on n'a pas chômé ! s'écria Mariannick.

Son air vindicatif ne surprit personne. En l'absence de Joël, elle s'était montrée efficace, déterminée, pleine de sang-froid. Et elle était parvenue à rassembler un équipage de secours en bouleversant tous les plannings. Les hommes quitteraient Saint-Servan le soir même pour rejoindre le chalutier, avec ordre de rattraper le temps perdu.

Servane, de son côté, s'était chargée de toutes les formalités administratives, veillant à ce que les malades soient bien pris en charge dès leur débarquement, puis assurant la liaison entre les autorités maritimes françaises et écossaises. Elle avait aidé Mariannick de son mieux, avait pris des initiatives sans ennuyer personne, avait parlementé des heures au téléphone. Et tout ça discrètement, efficacement, comme une bonne secrétaire, dissimulant le mieux possible ses sentiments. À quel titre se serait-elle mise à pleurer, comme elle en mourait d'envie ? Qui, dans cette salle, aurait pu comprendre qu'elle soit la plus affolée ou la plus anxieuse ? À travers les haut-parleurs, elle avait suivi, seconde après seconde, l'épopée du *Glémarec*, obnubilée par la voix de Joël. Elle en connaissait la moindre intonation, pouvait deviner mieux que personne son angoisse. Même lorsqu'il avait plaisanté, même lorsque Thierry avait pris le relais, à certains moments elle avait gardé une conscience aiguë de la peur qu'il devait ressentir. Peur de la tempête, de ce bateau qu'il ne connaissait pas, des hommes dont il avait pris la responsabilité, de la catastrophe financière qu'il frôlait. Néanmoins elle était parvenue à tenir son rôle, à faire son travail. En gardant pour elle cette merveilleuse révélation : elle l'aimait comme une folle. Inutile de continuer à se raconter des mensonges, de prendre des résolutions qu'elle ne pouvait tenir. Elle l'aimait, voilà tout, et dans l'état d'esprit où elle se trouvait, elle était enfin prête à l'admettre.

Antoine Girard avait passé son temps à réclamer des nouvelles par radio. Il voulait absolument accueillir Joël, quel que soit l'endroit où il toucherait terre. Il avait décrété que personne d'autre que lui ne ramènerait l'armateur à Saint-Malo. Ce n'était plus son patron, c'était son dieu. Et, en attendant son retour, il se livrait à des tests comparatifs sur les whiskies écossais.

— Tu ne peux pas savoir ce que j'ai vécu…, chuchota Mariannick à l'oreille de sa mère.

Liliane déposa un baiser furtif sur la joue de sa fille. Elle était assaillie de pensées contradictoires. Joël avait donné la mesure de son courage, de son esprit de décision, et elle s'en réjouissait sincèrement. Il était dans l'ordre des choses qu'un jour ou l'autre il éclipse la mémoire de Jaouën, et prenne sa place au sein de la lignée Carriban. En peu de temps, il avait d'ailleurs tout bouleversé dans l'armement afin d'en assurer la continuité. Et il était capable de n'importe quoi, exactement comme lorsqu'il était jeune, pour atteindre les buts qu'il se fixait. Elle constatait tout cela avec plaisir, et pourtant une petite pointe de jalousie, diffuse et sournoise, la mettait très mal à l'aise. Qu'est-ce que Jaouën aurait fait à la place de Joël ? Elle n'en savait rien et ne comprenait pas grand-chose aux problèmes des bateaux, mais la phrase de Luc résonnait toujours dans sa tête. « M. Carriban a été fantastique ! » Avait-il eu l'occasion de prononcer ces mots, du vivant de Jaouën, avec le même enthousiasme ? Ne serait-ce qu'une fois ?

Elle s'efforça de rejeter ces questions insidieuses et de ne plus penser à son mari. Cette lancinante comparaison entre le père et le fils était d'une injustice redoutable pour Joël et la rendait malade. Après tout, il avait gagné le droit à la paix. Il avait bouleversé toute sa vie pour reprendre le flambeau. Et, après toutes ces années d'absence, elle aurait dû le choyer et profiter de lui au lieu de le fuir. Elle n'était pas venue jusqu'ici pour en repartir honteuse d'elle-même. Au contraire.

— Qui s'occupe de tes fils et de la petite ? s'enquit-elle calmement.

— Benoît.

— Eh bien je vais aller le libérer, le pauvre !

— Mais, maman…

— Quoi donc ? Tu crois que je ne peux pas surveiller quatre garnements à la fois ? Détrompe-toi, ma chérie ! Tiens, je vais les emmener au cinéma…

Tête haute, elle traversa la longue salle et trouva même la force de sourire à Luc lorsqu'elle passa devant lui.

14

En quittant le restaurant La Duchesse Anne, Bernard Legrand était un homme heureux. Non seulement parce que les huîtres plates et le homard grillé l'avaient comblé, mais aussi parce que sa collaboration avec l'armement Carriban s'annonçait sous les meilleurs auspices.

Joël et Servane l'escortèrent jusqu'à la tour Quic-en-Groigne qu'il observa avec intérêt.

— Je me suis pris de passion pour votre ville, soupira-t-il. Je crois que je viendrai y passer mes vacances ! En attendant, il faut que je rentre à Paris…

Il sourit à Servane dont il avait apprécié la compagnie, puis serra chaleureusement la main de Joël.

— Je suis vraiment très confiant dans l'avenir. Je crois que nous allons faire de grandes choses ensemble. En tout cas, c'est un plaisir de travailler avec vous. Je n'entends que des compliments sur la qualité de vos produits.

Ouvrant la portière de sa voiture, il déposa sa mallette sur le siège passager. Le récit du sauvetage du *Glémarec* l'avait passionné mais Joël n'avait donné que peu de détails.

— À bientôt, dit-il en s'installant au volant.

Par discrétion Servane était restée à l'écart et il en profita pour ajouter, plus bas :

— Elle est charmante, vraiment ! Vous avez de la chance… Vous verriez la mienne !

Après un clin d'œil appuyé, il démarra. Joël le regarda manœuvrer, s'engager sous la porte Saint-Vincent et disparaître. Il se retourna, observa Servane qui attendait.

— Ouf ! s'écria-t-il. Il est content, moi aussi, mais prions pour qu'il ne nous envahisse pas cet été !

La prenant par le bras, il s'engagea dans l'escalier des remparts.

— On fait quelques pas ? Le temps de digérer…

Un soleil radieux se réfléchissait en mille éclats aveuglants sur la mer et ils marchèrent un moment sans parler. Joël était rentré deux jours plus tôt et il avait été accaparé par tout le monde. Au lieu de se jeter dans ses bras, comme elle se l'était promis, Servane était restée tout intimidée devant lui. Peut-être parce que c'était vers elle qu'il était allé en premier.

— C'est vraiment le printemps, aujourd'hui, dit-il pour rompre le silence.

Quelques voiliers avaient quitté le port et évoluaient au large. Les désignant d'un geste, il ajouta :

— J'ai fait une promesse à Thierry. Je lui dois une course. C'était le tarif pour qu'il m'accompagne sur le *Glémarec*. On va sélectionner une épreuve en juillet ou en août.

— Je suis sûre que ça vous plaît !

— Franchement, oui. Mais lui aussi m'a promis quelque chose.

— Quoi donc ?

— De ne pas vous tourner autour. Seulement… J'ai peut-être eu tort de le lui demander ?

Appuyée au mur de pierre, devant elle, elle chercha en vain une réponse amusante, n'importe quoi qui puisse la tirer d'embarras.

— Je dois aller passer vingt-quatre heures à Paimpol, déclara-t-il d'un ton brusque, et j'aimerais que vous veniez avec moi. J'ai un rendez-vous jeudi après-midi et un autre vendredi matin.

— Et vous avez besoin de moi ? s'étonna-t-elle.

Lorsqu'il lui avait proposé, le matin même, de l'accompagner à ce déjeuner avec Bernard Legrand, il avait eu l'honnêteté de préciser que ce n'était pas une obligation mais qu'il n'avait pas très envie d'être seul avec son commanditaire. La présence d'une ravissante jeune femme facilitait toujours ce genre de repas d'affaires, il le lui avait expliqué sans ambiguïté.

— Non, je n'ai pas *besoin* de vous. J'ai envie de passer une soirée avec vous, loin de Saint-Malo puisque vous avez peur d'être vue en ma compagnie.

— Mais je ne…

— Laissez-moi essayer ! S'il vous plaît, Servane. Je ne vous demanderai rien d'autre, c'est promis. Juste de m'écouter et de me répondre. Ce n'est pas un piège. Vous n'avez aucune raison d'avoir peur. Je rêve d'un dîner en tête à tête depuis que je vous connais.

Elle se tourna vers lui et il soutint son regard.

— Très bien, répondit-elle. Puisque ce n'est pas un piège, je suis d'accord.

Le sourire de Joël la rassura. Il n'y avait pas trace de triomphe ou d'orgueil mais seulement l'expression d'une joie de gamin.

— Avec vous, fit-il remarquer, c'est toujours très vite oui ou non, mais ce n'est jamais peut-être. J'adore ça. Je vais m'occuper de l'hôtel.

Cette précision la ramena à la réalité. Elle venait d'accepter une confrontation qui la terrorisait. Deux jours avec lui, une nuit à l'hôtel. Jamais elle ne pourrait lui résister. S'il insistait tant soit peu, elle céderait. Et il n'avait pas caché son intention, c'est exactement ce qu'il allait faire. Mais peut-être était-ce inutile de reculer davantage.

Relevant les yeux sur lui, elle constata qu'il l'observait toujours et qu'il avait conservé son sourire.

— On va travailler ? proposa-t-elle d'une voix mal assurée.

Il ne pouvait pas ignorer à quel point elle était troublée.

— On va où vous voulez, lui dit-il gentiment.

Parce qu'il était parvenu à l'émouvoir, il éprouva soudain un désir si violent qu'il se força à regarder de nouveau vers la mer. Sa victoire était trop fragile pour qu'il commette la moindre maladresse maintenant.

Quittant la cité pour rejoindre les quais, ils ne remarquèrent pas Yvon qui, bien à l'abri derrière l'une des nombreuses piles de bois du port marchand, les surveillait depuis un moment. Le visage crispé du vieux marin reflétait toute sa rage. Carriban était revenu d'Écosse auréolé d'un prestige exaspérant. Lui et son copain dentiste avaient piloté un bahut sous l'orage, la belle affaire ! Après tout il s'agissait de deux marins, deux skippers malouins qui n'avaient plus à faire leurs preuves. Pour Yvon — et il l'avait dit ironiquement à sa fille —, le gamin avait été surveiller son pognon de près, voilà tout. Bien entendu, Servane avait protesté, prenant la défense de son patron. Mais Yvon avait continué à persifler, juste pour la faire réagir. Sa haine de Joël, qui l'avait galvanisé durant des années, commençait à s'affaiblir et il en éprouvait un manque, presque un regret. Alors quand Servane baissait sa garde en faisant l'éloge de Joël, quand il se remettait à craindre le pire pour elle, il se sentait revivre.

Lorsque la porte cochère de l'armement se referma, Yvon abandonna son poste d'observation et reprit son travail. Jamais sa fille ne lui ferait croire qu'une promenade romantique sur les remparts faisait partie de ses obligations professionnelles. Et il ne se priverait pas de lui en parler, tant pis si elle faisait la grimace !

Trop excité pour se coucher tôt, Joël était redescendu travailler dans son bureau. Juliette dormait sagement, sa girafe dans les bras, et il avait laissé la lumière du couloir au cas où elle se réveillerait. Il s'appliquait à la rassurer mais elle n'était décidément pas effrayée par la démesure de la villa, ni par ses longs couloirs, ses tourelles et ses recoins. Au contraire, c'était pour elle un inépuisable terrain de jeux. Dans quelques jours, avec l'arrivée du printemps, elle allait pouvoir coloniser le parc de la même manière, en compagnie de ses cousins. Jacques, Gilles et Laurent l'avaient adoptée pour de bon et se querellaient entre eux pour obtenir ses faveurs. Mariannick s'était engagée à ne pas modifier ses habitudes et à venir passer tous les dimanches ensoleillés à Dinard, comme avant le décès de Jaouën. Benoît lui-même appréciait de quitter les murs et les remparts de ce qu'il appelait la « forteresse » pour faire du vélo avec ses fils. Et Joël lui avait promis quelques courses de hors-bord pour achever de le convaincre.

Ouvrant la fenêtre, il tendit l'oreille mais la marée était basse et les oiseaux étaient couchés. Demain soir, il dormirait face au port de plaisance, à Paimpol. Dormirait ? Il espérait bien que non ! Mais plus il y réfléchissait, plus il se demandait ce qu'il allait trouver pour la convaincre. Toutes les formulations lui paraissaient plates ou saugrenues. Il ne s'était jamais posé autant de questions avant de passer une soirée avec une femme. Pour Charlotte, les choses s'étaient déroulées très simplement et il s'en souvenait à peine. Il était étudiant, elle était journaliste stagiaire en mission à Rennes, et il faisait chaud dans sa chambre sous les toits. Elle était sûre d'elle, très libre, ils s'étaient plu immédiatement.

Mais Servane était différente. Et Joël n'était pas certain d'être le même homme que huit ans plus tôt. C'est Charlotte qui avait voulu un enfant. Elle n'avait jamais parlé de contraception. Elle avait décidé pour eux deux et il avait été émerveillé à la naissance de Juliette.

Assis près de la cheminée éteinte, la joue appuyée sur sa main, Joël évoquait le passé sans émotion. Il avait cru aimer Charlotte parce qu'il l'avait beaucoup désirée, et aussi parce qu'il venait de quitter sa famille, et qu'il se sentait seul. Aujourd'hui, plus rien n'était pareil. Servane, qu'il n'avait jamais touchée, avait envahi toute sa vie. Il la voulait avec autant de détermination qu'il avait voulu, en d'autres temps, gagner des courses ou obtenir des diplômes. Mais pour elle, il n'avait pas de mode d'emploi. Près d'elle, il ne possédait plus l'aisance d'un barreur expérimenté ou d'un étudiant brillant. Elle le déroutait, l'inquiétait, parvenait à le rendre maladroit, voire stupide. Il ne savait jamais quoi lui dire, alors qu'il mourait d'envie de lui parler et de l'écouter. Mais elle se réfugiait toujours derrière un mur infranchissable où il ne pouvait pas l'atteindre.

— Demain…, murmura-t-il, songeur.

Il disposerait enfin de quelques heures d'intimité, loin du bureau, et il n'avait encore prévu aucun plan. Exactement comme pour le *Glémarec*, vers lequel il avait foncé tête baissée en se disant qu'il réfléchirait après.

Réfléchirait après… Quelqu'un le lui avait fait remarquer récemment… Oui, Luc. Luc avait prétendu qu'il était comme son père : la colère d'abord, la réflexion ensuite. Un défaut des Carriban, en somme.

La fenêtre, qu'il avait laissée entrebâillée, s'ouvrit toute grande sous une poussée du vent. Une odeur d'iode mêlée de varech lui parvint. L'aube n'était plus très loin et il fallait qu'il dorme. En se levant, il réalisa qu'il était enfin chez lui dans ce bureau, que la dernière pièce de la maison avait rendu les armes.

Mariannick n'avait pas su quoi faire. Elle se laissait rarement prendre au dépourvu, mais là elle s'était sentie dépassée.

La veille, Joël l'avait avertie de son départ pour Paimpol. Il souhaitait visiter le lycée professionnel maritime et le marché au Cadran, mais surtout rencontrer le responsable d'une entreprise artisanale. Les petits patrons ayant privilégié une pêche journalière et de proximité, il voulait comprendre leur réussite. Négligemment, il avait ajouté que Servane l'accompagnerait. Mais Mariannick le connaissait trop bien, et cette fausse désinvolture ne l'avait pas trompée un instant. Son frère était amoureux comme un collégien, ça crevait les yeux, et

Servane éprouvait probablement la même chose, malgré ses efforts pour se convaincre du contraire.

Leur escapade attendrissait Mariannick tout en l'inquiétant. Le divorce de Joël était à peine engagé, et sa garde de Juliette dépendait du bon vouloir de Charlotte. Quant à Servane, son caractère entier l'empêcherait sans aucun doute d'accepter une situation précaire. Elle était inexpérimentée mais pas naïve. Elle rêvait du grand amour, d'un bonheur absolu et sans partage, pas d'un week-end à la sauvette.

Consulté, Benoît avait bougonné qu'il ne s'intéressait pas aux histoires de cœur de son beau-frère. Qu'en revanche Servane était quelqu'un d'adorable mais de fragile, pour qui il avait beaucoup d'estime, et à qui il espérait que personne ne ferait de mal, sinon il serait le premier à prendre sa défense.

Ce fut au beau milieu de cette discussion que Charlotte débarqua. Affable, volubile, elle prétendit faire coïncider un reportage à Saint-Brieuc et quelques jours près de sa fille. Néanmoins, elle n'avait pas annoncé son arrivée. Pour en faire la surprise à Juliette, affirma-t-elle. Et, n'ayant trouvé personne à Dinard, elle était venue tout droit chez les Quillivic.

Très ennuyée, Mariannick expliqua l'absence de son frère en se gardant bien de préciser où il était.

— En principe, il rentre demain soir.

— Oh, parfait ! Je suis là jusqu'à dimanche. Je suppose que vous avez les clefs de la villa ?

— Bien sûr, mais vous pouvez loger ici, nous avons une chambre d'amis, intervint Benoît qui n'appréciait pas du tout l'intrusion de sa belle-sœur.

— Non, non ! Ne vous dérangez surtout pas pour moi. Je serai très bien là-bas. Plus tranquille pour travailler. Et puis, franchement, j'ai envie de me retrouver un peu seule avec ma fille…

À bout d'arguments, Mariannick dut s'incliner, même si l'installation de Charlotte à Dinard, en l'absence de Joël, la contrariait beaucoup. Elle l'accompagna jusqu'à l'école et bavarda avec elle en attendant la sortie des enfants.

— Je suis venue en voiture, pour une fois, et finalement c'est assez rapide, cette autoroute… Comment vont vos affaires ? Est-ce que Joël est content ?

— Oui. L'armement tourne bien. Grâce à lui. Il est vraiment fait pour ce métier…

— Oh, je crois qu'il pourrait faire n'importe quoi ! plaisanta Charlotte. Il a le sens du commerce. Et aussi beaucoup d'ambition, n'est-ce pas ?

Elle en parlait avec tendresse, sans ironie. Elle ajouta soudain, sur un ton de confidence :

— Vous savez, tous les couples traversent des crises. Je ne vous le souhaite pas, avec Benoît, mais c'est presque inévitable au bout de quelques années. L'usure… Seulement, dès qu'on est loin, on s'aperçoit à quel point l'autre vous manque…

Embarrassée, Mariannick esquissa un sourire poli.

— Avant de rentrer à Dinard, je vais aller saluer votre mère, avec Juliette.

Le mot « rentrer » sonnait mal, comme si elle était chez elle et avait déjà ses habitudes. D'autre part, ce brusque intérêt pour Liliane était incompréhensible. Perplexe, Mariannick l'observait. Elle la trouvait antipathique, trop élégante et trop arrogante. Elle n'avait même pas envie de lui raconter les exploits de Joël sur le *Glémarec*. Il le ferait s'il en avait envie. Mais que pourrait-elle comprendre à cette histoire de chalutier en perdition ? Peut-être voudrait-elle en faire un article à sensation. Le professeur machin interrogé sur les dangers des conserves avariées et les diverses manifestations pathologiques du botulisme. Un armateur malouin transformé en capitaine courageux. Drame en mer du Nord. Non, mieux valait se taire. En souhaitant que Liliane, d'instinct, en fasse autant.

Des cris d'enfants annoncèrent la sortie de l'école. Juliette arriva, au milieu de ses trois cousins, ravie de découvrir sa mère. Mais lorsqu'elle comprit qu'elle ne dormirait pas chez Mariannick, contrairement à ce qui était prévu, elle se rembrunit un peu.

Les deux belles-sœurs s'embrassèrent du bout des lèvres, et se hâtèrent chacune de leur côté.

Au repaire de Kerroc'h, sur le quai Morand, Joël et Servane avaient pris possession de leurs chambres juste avant le dîner. Tout l'après-midi avait été consacré à des visites, des rendez-vous, des discussions animées.

Après s'être douché et changé, Joël descendit le premier au restaurant. Il choisit avec soin une table un peu isolée mais près des fenêtres pour pouvoir profiter du port et de la baie. Le cadre de cet hôtel, vieux de deux siècles et construit comme une malouinière, lui parut idéal pour la soirée qu'il s'apprêtait à passer.

Deux étages plus haut, Servane venait d'enfiler un chemisier blanc, une jupe gris clair et un gilet assorti. Elle avait fait dix fois le tour de la chambre et de la salle de bains attenante, émerveillée par ce luxe auquel elle n'était pas habituée. La télévision, le bar, les draps de bain moelleux, les échantillons déposés au bord du lavabo, l'épaisseur de la moquette et le bouquet de fleurs fraîches l'avaient charmée. Elle prit le temps d'essayer une ou deux coiffures mais laissa finalement ses cheveux libres. À force d'entendre des compliments sur leur couleur, elle avait oublié le complexe de son enfance et trouvait même amusant que son père l'appelle la « rouquinette ». Mais, durant des années, elle s'était sentie différente des autres à cause de cette chevelure flamboyante, à peine bouclée, et qu'elle avait longtemps dissimulée sous des bonnets.

Constatant qu'il était vingt heures passées, elle quitta la chambre à regret. Sur le seuil de la salle à manger, un peu intimidée, elle fut accueillie par un maître d'hôtel qui la conduisit jusqu'à la table de Joël. Celui-ci se leva, souriant, et attendit qu'elle ait pris place. Ne sachant pas comment elle choisirait de s'habiller, il avait adopté une tenue sobre et décontractée, un blazer bleu sur une chemise blanche, sans cravate. Il la trouva superbe, pas seulement belle mais racée, et il se demanda une fois encore comment elle pouvait être la fille d'Yvon Collinée.

— Est-ce qu'un peu de champagne vous ferait plaisir ?

— Je ne bois pas…

— Je sais. Vous préférez un jus de fruits ?

— Non. Je veux bien vous accompagner.

Après avoir commandé, il lui tendit le menu.

— J'ai déjà fait mon choix, mais prenez tout votre temps.

Même sans aucune habitude de ce genre d'endroit, elle semblait à l'aise. Pendant qu'elle lisait, il la détailla avec plaisir. Il ne voyait pas ses yeux mais seulement ses longs cils qui faisaient une ombre sur ses joues. Elle ne s'était pas maquillée, comme à son habitude, et elle ne portait pas de bijoux car elle ne devait pas en posséder. La tête un peu penchée sur le côté, ses cheveux croulant sur une épaule et dégageant son cou mince, elle était irrésistible. Il aurait pu rester des heures à la contempler mais le maître d'hôtel disposait déjà des coupes devant eux.

— À vous, dit-il en prenant la sienne.

Elle goûta, but une deuxième gorgée, puis se décida à lever les yeux vers lui. Leur situation avait quelque chose de gênant car ils savaient très bien, tous les deux, pourquoi ils étaient là. Mais c'était beaucoup plus compliqué de l'exprimer à voix haute.

— Pourquoi me fuyez-vous ? demanda-t-il gentiment.

— Moi ? Je suis au bureau toute la journée !

— Oui, vous êtes là. À distance. Ce que vous m'accordez ce soir, vous me l'avez refusé cent fois. Je ne peux pas vous inviter, je ne peux même pas vous approcher, en général. Si je dis une phrase tant soit peu personnelle, vous vous volatilisez. Je vous fais peur à ce point-là ?

— Non... Enfin, si ! Un peu.

— Bon, alors vous allez voir, c'est très simple. En ce moment, de nous deux, c'est sûrement moi le plus inquiet. Je vous ai extorqué un tête-à-tête durant lequel je suis censé plaider ma cause. J'ai essayé de vous le faire comprendre depuis des semaines, je suis éperdument amoureux de vous.

— Non.

— Ah, écoutez, vous n'êtes pas à ma place ! À trente ans, je vous assure que je suis en mesure de choisir mes mots.

— Éperdument, c'est beaucoup. Amoureux, peut-être. Je ne sais pas.

Déconcerté, il fronça les sourcils. Il trouvait leur dialogue très mal engagé.

— Je suis sincère, Servane. Et très embarrassé de l'être. Mais si je vous déplais, si je vous ennuie, ne me laissez pas me ridiculiser davantage. On peut parler d'autre chose.

Pour se donner une contenance, elle reprit sa coupe. Ses grands yeux gris s'étaient détournés vers les autres tables, comme si elle cherchait du secours.

— Je suis navré, murmura-t-il. Il fallait que je vous le dise.

— Vous avez bien fait ! Mais je ne sais pas quoi vous répondre. Vous ne me déplaisez pas, évidemment ! Vous n'êtes pas assez bête pour le croire.

Elle mit ses mains sur ses joues qu'elle sentait devenir brûlantes, cependant elle poursuivit :

— Au contraire, j'ai beaucoup de mal à vous résister.

D'un geste spontané, elle posa sa main sur la sienne au moment où il prenait une cigarette.

— Je ne connais rien à ces jeux-là. Vous devez avoir l'habitude, mais pas moi.

— Ce n'est pas un jeu. Ni une habitude. Je suis très sérieux. Je vous aime, et ce n'est pas pour passer le temps.

— Oui, oui, c'est ça la question ! Combien de temps ? Un week-end, une saison ? Et ensuite ?

Elle voulut enlever sa main mais il l'en empêcha.

— Pour la vie, ça vous va ?

— Joël !

— Mais je ne plaisante pas ! Je ne suis pas en train de vous draguer, là. Je vous fais une déclaration. Je veux vivre avec vous. Toujours.

Cette fois elle recula et il la lâcha. Appuyée au dossier de son siège, très droite, elle le dévisagea.

— Avez-vous fait votre choix ? interrogea le maître d'hôtel qui s'était approché.

Après une hésitation, Joël commanda des fruits de mer et des soles, avec un bourgogne blanc.

— J'espère que vous aimez ? demanda-t-il dès qu'ils furent seuls.

Au lieu de répondre, elle continuait de le fixer.

— Servane ?

— Oui, c'est très bien…

— Quoi ? Le menu ?

Il lui souriait si gentiment qu'elle se détendit un peu.

— Le menu, l'hôtel, vous.

— Enfin un compliment !

— Un second tout de suite : je trouve cette soirée agréable.

C'était beaucoup plus que tout ce qu'il avait obtenu d'elle jusque-là.

— Il ne tient qu'à vous d'en faire votre quotidien.

— Vous allez trop vite.

— Pourquoi ? Nous n'avons pas perdu assez de temps comme ça ?

Elle jouait machinalement avec son couteau et il reprit sa main, d'autorité.

— Est-ce que je peux vous tutoyer ?

— Si vous voulez mais, en ce qui me concerne, je n'y arriverai jamais.

— Oh si ! Essaie.

— Non.

— Très bien, nous attendrons, mademoiselle Collinée ! Il n'y a vraiment qu'avec moi que vous refusez la familiarité. C'est plus facile avec Benoît, avec Thierry ?

La question n'était pas anodine, elle le devina et se mit à rire.

— Ne me dites pas que vous êtes jaloux de lui ?

— Si. De tous les hommes à qui vous souriez. Même de cet abominable Luc quand vous plaisantez avec lui, c'est dire…

Un serveur apporta le plateau de fruits de mer puis fit goûter le vin à Joël qui insista pour que Servane en prenne un peu.

— Vous voulez me faire boire ?

— Non. Surtout pas. Je tiens à ce que vous restiez lucide.

Comprenant mal le sens de sa phrase, elle rougit de nouveau. Elle n'avait pas oublié que, tout à l'heure, ils quitteraient cette table pour remonter jusqu'à leurs chambres. Qu'est-ce que Joël allait lui demander, à ce moment-là ? De partager son lit ? Ou, plus hypocritement, de « prendre un dernier verre » ?

— Vous pensez à quelque chose de désagréable ? Vous devriez goûter ce chablis.

Rassemblant son courage, elle choisit d'être franche, ce qui était somme toute le plus simple.

— Quelle est la suite du programme, Joël ? Après ce merveilleux dîner ?

— La suite ? Drôle de question… Je ne suis pas le grand méchant loup, mais je mentirais si je prétendais aspirer à une bonne nuit de sommeil seul dans ma chambre.

— Et si je ne veux pas ?

— Oui, eh bien ? Je ne vous en aimerai pas moins.

Il se pencha au-dessus de la table pour articuler, détachant ses mots :

— Qu'est-ce que vous croyez ? J'ai envie de vous pour la vie, pas seulement ce soir.

— Mais vous n'en savez rien ! Rien du tout ! Je peux être…

— Quoi ? Bossue ? Avec une jambe de bois ?

S'il avait voulu la faire rire, il en fut pour ses frais. Très grave, au bord des larmes, elle murmura :

— Je n'ai jamais passé la nuit dans un hôtel avec un homme.

Incapable de deviner ce qu'elle voulait lui faire comprendre, il attendait la suite. Elle acheva bravement :

— Plus exactement, je n'ai jamais passé la nuit avec personne, nulle part.

Stupéfait, il se sentit soudain tellement stupide qu'il ne trouva rien à répondre. Jamais ? À vingt ans ? Belle comme elle l'était ? Il secoua la tête et s'efforça de sourire.

— Je ne sais pas quoi dire, commença-t-il. Mais, de vous à moi, ça change quoi ? J'ai passé la soirée à vous expliquer que je vous aime, que je veux vivre avec vous, que je me dépêche de divorcer pour pouvoir vous demander en mariage… À votre père, s'il le faut ! Ce qui risque d'être… mouvementé.

Une larme coulait sur la joue de Servane. Il devina qu'elle avait honte d'elle-même, peut-être de lui, qu'en tout cas elle était malheureuse. Il regarda ailleurs et vit qu'un homme les observait, à une table voisine, d'un air réprobateur. Comment pouvait-on faire pleurer une si jolie jeune femme ?

— Allons nous promener, proposa-t-il.

— Pas maintenant. J'ai faim.

Elle saisit une langoustine et s'appliqua à ôter la carapace. Il prit une huître, un quartier de citron, les déposa dans son assiette sans y toucher. Même si elle acceptait, à présent, est-ce qu'il saurait se montrer à la hauteur ? Il allait lui falloir une patience infinie. Ne rien brusquer, ne rien gâcher.

— Monsieur Carriban ? On vous demande au téléphone.

Surpris, Joël murmura une phrase d'excuse et se leva. On lui passa la communication dans le hall et, dès qu'il entendit la voix de sa sœur, il eut peur pour Juliette. Mariannick le rassura aussitôt, s'excusa de le déranger, et lui apprit que Charlotte s'était installée à Dinard pour trois jours.

— Alors, fais attention en rentrant…

— Il ne manquait plus qu'elle ! s'exclama-t-il amèrement. Merci de m'avoir prévenu.

— Comment ça va, pour toi ?

— Je te le dirai demain. Mais pense à moi !

— Promis. Je croise les doigts pour vous deux.

— Au revoir, la puce. Tu es ma sœur préférée, tu sais !

— Je sais.

Elle raccrocha la première mais il garda quelques instants le téléphone à la main. La présence de Charlotte chez lui était désagréable. Pourtant, ce n'était pas le moment d'y penser.

Lorsqu'il regagna leur table, Servane le regarda approcher. Elle avait retrouvé un air gai qui l'émut.

— Pas de mauvaise nouvelle, j'espère ?

— Non. Pas de botulisme ou de salmonellose en vue. Le Nédélec et Girard peuvent dormir tranquilles. C'était Mariannick.

Il en resta là. Parler de Charlotte aurait été maladroit. Servane mangeait de bon appétit et il se décida à grignoter pour lui tenir compagnie, même s'il n'avait vraiment pas faim. Il massacra sa sole tandis qu'elle dévorait la sienne, et la regarda savourer une crème brûlée pendant qu'il buvait un café.

— Et maintenant, est-ce qu'une petite balade vous tente ?

C'est lui qui reculait le moment de monter, à présent, mais elle refusa son offre. Nerveux, il signa l'addition et la suivit vers le hall. Négligeant l'ascenseur, ils prirent l'escalier l'un derrière l'autre. Parvenue à sa porte, elle s'arrêta, se retourna. Il y eut un insupportable silence.

— C'est à vous de me dire ce qu'on fait, dans ces cas-là, murmura-t-elle enfin.

— Euh… Je ne suis pas un expert. Et vous avez l'art de me rendre idiot !

Renonçant à la prendre dans ses bras, à l'embrasser dans ce couloir d'hôtel où n'importe qui pouvait passer, il se contenta de déclarer :

— Je vais faire monter du champagne dans ma chambre. Ensuite je vous attendrai. C'est vous qui décidez, Servane. Je… Je me sens vraiment transformé en petit garçon. J'espère que vous aurez envie de me rejoindre.

— Oui, répondit-elle très sérieusement. Mais j'ai la trouille.

— Oh, moi aussi, rassurez-vous !

Il s'éloigna de quelques pas mais elle le rattrapa.

— Je ne peux pas venir tout de suite, ça ne se fait pas ?

Interloqué, il n'hésita qu'une seconde.

— Bien sûr que si ! C'était juste… par politesse.

Ouvrant sa porte, il s'effaça pour la laisser entrer. Il alla droit au téléphone, passa sa commande au bar, puis se retourna vers elle. Immobile, debout, elle semblait indécise. Sans la quitter des yeux, il s'approcha lentement. Puis il la prit par les épaules pour l'attirer contre lui. Il attendit qu'elle se détende et qu'elle cesse de trembler avant de l'embrasser.

Yvon était passé et repassé devant l'immeuble. Aucune lumière ne brillait aux fenêtres de sa fille. Peut-être dormait-elle déjà ? Mais non, il était sûr de ce qu'il avait vu, elle était montée dans la voiture de Carriban avec un sac de voyage. Voyage ! Où l'avait-il donc emmenée pour la culbuter, ce fils de pute ?

Dans les bars, c'était la même rengaine tous les soirs. Carriban sauvant son chalutier en mer du Nord. Un récit qu'Yvon aurait pu apprécier à sa juste valeur sans Servane. Il se serait même fait raconter les détails, encore et encore. Seulement l'armateur, c'était aussi l'homme qui voulait séduire sa fille.

— Viens par là, le Clebs…

Il se décida à entrer dans le hall et à grimper l'escalier. Il n'était jamais venu ici la nuit mais il connaissait si bien les lieux qu'il ne prit même pas la peine d'allumer. Il sonna longtemps à la porte de Servane, écouta, patienta, puis renonça. Elle n'était pas là.

— Et elle est où, hein ? Dans quels draps sales ?

Il imagina brusquement des images si précises qu'il chancela. Pas elle ! Pas sa rouquinette. Elle avait beau prendre des allures affranchies, elle était pucelle, il l'aurait parié. Elle se gardait pour le grand amour, en brave fille pas sotte, et l'autre salopard avait dû la traîner dans son petit adultère si honteux qu'il était aller se cacher loin de Saint-Malo !

— Fumier de fumier…

Et après ? Une fois qu'il aurait bien profité d'elle ?

— À la rue, le tendron !

Dévalant l'escalier, il se retrouva dehors, essoufflé. À eux deux, le Clebs et lui, ils n'en étaient pas venus à bout. Même bien armés. Une engeance de malheur, ces Carriban !

Il se décida à rentrer chez lui. Il avait deux bouteilles en réserve, achetées avec sa première paye. Tout comme le nouveau caban, qu'il n'avait pas encore étrenné. Il se coucha tout habillé, oubliant les bonnes résolutions qu'il avait prises depuis qu'il travaillait. Il s'offrit deux grandes rasades et enleva quand même ses chaussures. Il n'avait qu'une fille. Rien d'autre au monde que cette fille. Tout le reste, il l'avait raté. Mais pas elle !

D'un seul coup, il sombra dans un sommeil agité. Son emploi au grand air, huit heures par jour, avait diminué sa consommation d'alcool et il s'endormait plus facilement qu'avant. Il n'émergea qu'à six heures du matin, tout étonné. Il rassembla ses esprits, les yeux au plafond, sans tendre la main vers la bouteille. Puis il alla prendre une douche, ce qui lui arrivait rarement. Le chien resta assis à la porte de la petite salle de bains, inquiet, et le renifla longuement lorsqu'il en sortit. Dans l'armoire où Servane rangeait le linge, il prit des vêtements propres. Enfin il donna à manger au Clebs tandis que le café passait.

Quand il quitta son pavillon, il avait les idées claires. Il sortit sa Mobylette de l'appentis et se mit en route pour Dinard, le chien gambadant derrière ses roues. Un quart d'heure plus tard, il s'arrêta à cent mètres du grand portail qui défendait l'entrée du parc des Carriban. Les oiseaux menaient grand tapage dans les arbres, au-delà du mur d'enceinte. La journée s'annonçait belle et ensoleillée. En contrebas, entre les feuillages, la mer paraissait lisse comme un miroir.

Un bruit de pas, sur la route, attira l'attention d'Yvon. Il reconnut tout de suite la silhouette d'Armelle mais il ne bougea pas. Au contraire, il alluma tranquillement sa pipe en la regardant approcher.

— Yvon Collinée ! claironna-t-elle en s'arrêtant devant lui. Pas possible… Qu'est-ce que tu fais planté là ?

— Je me promène.

— T'en as un beau chien !

Mais ce n'était pas le Clebs qu'elle détaillait. Yvon n'avait pas beaucoup changé, en cinq ans, depuis l'époque de leur rencontre qui avait été suivie d'une brève aventure sans lendemain.

— Je travaille toujours chez les Carriban, dit-elle. Après la mort de monsieur, madame est partie. Mais il y a le fils, Joël. Tu as dû entendre parler de lui ?

— Faudrait être sourd…

— Il est gentil. Pas exigeant.

— Il est là ?

— Pas ce matin, non, il est en déplacement. Mais sa femme est arrivée de Paris. Pour garder la petite, je suppose.

Les dents serrées sur le tuyau de sa pipe, Yvon tira deux ou trois bouffées. Armelle avait encore grossi mais ça lui allait bien. En revanche, elle n'avait pas touché à son affreuse verrue. Dommage. Désignant le portail, il demanda :

— Tu t'y plais, dans cette baraque ? Moi, elle me foutrait le frisson ! Bon, je me sauve, le travail m'attend.

— Quel travail ? demanda-t-elle d'un ton ironique.

— Ben, sur le port ! J'ai retrouvé une situation… Allez, heureux de t'avoir rencontrée.

Il enfourcha dignement sa bécane et démarra. Armelle le suivit des yeux, pensive. Yvon Collinée… Haussant les épaules, elle se décida à pousser le lourd portail. Au moins, Charlotte ne laissait pas tout ouvert aux quatre vents. Se hâtant dans l'allée, elle repensa aux paroles du marin. Bien sûr qu'elle était impressionnante, cette « baraque » ! Mais il ne s'y passait plus rien de bizarre ces derniers temps. Et, d'ici peu, elle pourrait sans doute récupérer son améthyste.

Se gardant de faire le moindre geste, Joël était éveillé depuis plus d'une heure. Servane, blottie contre lui, dormait toujours. Le drap avait glissé, découvrant ses épaules, sa peau pâle, presque nacrée. Dans la lumière du petit jour, ses cheveux formaient une grande tache sombre sur l'oreiller. Il avait fallu deux coupes de champagne avant qu'elle parvienne à surmonter ses appréhensions. Ensuite elle s'était déshabillée, réfugiée sous les couvertures. Elle avait ri, puis crié en se débattant sous ses caresses, avant de se laisser guider. Il avait pris son temps, comme il se l'était juré. Jusqu'à ce qu'elle ait vraiment envie d'aller au bout de son désir.

Avec d'infinies précautions, une tendresse dont il ne se savait même pas capable, il avait patienté une partie de la nuit. Obligé d'improviser, car il n'avait jamais été le premier homme pour une femme, il était parvenu à se dominer, à s'oublier lui-même.

Elle remua un peu, dans son sommeil, et il resserra son bras autour d'elle. Il espérait qu'elle n'éprouverait ni honte ni regret, à son réveil. En attendant, il profitait de sa chaleur, de son odeur, de son abandon. Tant pis pour ses rendez-vous de la matinée, il s'en moquait éperdument. Le plus urgent était de trouver une solution pour le retour à Dinard. Avec Charlotte installée chez lui, qu'allait-il faire de Servane ? La déposer au pied de son immeuble ? C'était impensable, elle croirait qu'il était pressé de se débarrasser d'elle... Lui expliquer que sa femme occupait la villa durant quelques jours et qu'il était obligé de la ménager à cause de Juliette ?

— Joël..., chuchota Servane.

Elle se pressait contre lui, mais en enfouissant sa tête dans l'oreiller comme si elle redoutait de croiser son regard. Il bascula sur le côté, lui embrassa la nuque, s'attarda sur le dos. Dès qu'il comprit qu'elle avait envie de lui, il esquissa un sourire attendri puis il la força à se retourner.

— Bonjour, mon amour, dit-il en l'effleurant, du bout des doigts, jusqu'à ce qu'elle frissonne.

Elle s'étira, voluptueusement, venant à la rencontre de ses mains.

15

— C'est tout de même une très belle femme ! Et elle est sympathique, je t'assure, déclara Liliane en servant le thé.

— Mais Joël ne l'aime plus, alors inutile de la parer de toutes les qualités. Ils divorcent, maman !

— Quel dommage…

Mariannick ajouta du lait dans sa tasse. Sa mère avait retrouvé un peu d'entrain ces temps derniers et elle s'en réjouissait, mais il était urgent de lui ouvrir les yeux sur Charlotte. Surtout qu'elle poursuivait ses louanges.

— Elle m'a parlé en toute confiance, tu sais… Je crois qu'elle est très attachée à ton frère. Pourquoi ne fait-il pas un petit effort pour se réconcilier avec elle ? Elle serait prête à quitter Paris, elle me l'a dit. C'est une preuve d'amour, non ?

— Maman…

— Écoute, ma chérie, Joël ne pense qu'à ses bateaux, c'est de la folie ! Votre père trouvait le temps de s'intéresser à moi.

Pour l'empêcher de ramener la conversation à Jaouën, comme toujours, Mariannick fut brutale :

357

— Joël pense aussi aux femmes, sois tranquille ! Mais pas à Charlotte.

— C'est pourtant la sienne !

Ignorant l'interruption, elle poursuivit :

— Et pour ne rien te cacher, je crois même qu'il est amoureux.

— De qui ?

— Il t'en parlera.

Pressée d'aller travailler, Mariannick se leva.

— Je me sauve, je suis en retard.

— Tu cours toujours. Allez, sois gentille, qui est-ce ? La blonde qui était là au réveillon ? Non ? Alors qui ? Je la connais ? Ce n'est pas la petite Servane, quand même ?

— Maman, ça le regarde ! Il te fera des confidences s'il en a envie.

— Attends ! Rassure-moi, il ne s'est pas entiché de sa secrétaire ? C'est une gamine !

Sans répondre, Mariannick embrassa sa mère et saisit son sac.

— Tu n'as besoin de rien, aujourd'hui ?

— Non, j'irai faire mes courses tout à l'heure. Je m'habitue aux commerçants... Je suis bien, ici.

Elle suivit sa fille dans le vestibule.

— Si tu veux me confier les enfants, n'hésite pas. Les quatre ! La petite Juliette est adorable.

Dans sa voix tendue, il y avait un accent presque pathétique qui alarma Mariannick.

— Bien sûr, maman... Ce serait merveilleux si tu pouvais les emmener à la plage mercredi prochain, ils veulent essayer leur cerf-volant.

— Volontiers !

— Tu ne t'ennuies pas, en ce moment ?

— Non, penses-tu !

— Veux-tu dîner avec nous ce soir ?

Liliane n'hésita qu'un instant avant d'accepter. Elle se sentait bien chez sa fille, même si son vrai refuge était dans cet appartement où rien ne lui rappelait Jaouën.

— À tout à l'heure ! cria Mariannick qui était déjà dans l'escalier. J'essaierai d'acheter des crabes !

Dévalant les marches, elle croyait rattraper son retard alors qu'en réalité elle fuyait bel et bien. Durant toute son enfance, puis sa jeunesse et le début de sa vie de femme, sa mère avait été pour elle le modèle du bonheur accompli. Aujourd'hui, Liliane luttait pour retrouver une existence normale. Avec de laborieux petits plaisirs quotidiens. En essayant de ne pas quémander l'affection des siens. Une fois encore, elle avait répété qu'elle ne mettrait plus jamais les pieds à Dinard et que Joël pouvait faire de la villa ce que bon lui semblait. Et qu'il fallait vraiment qu'un rendez-vous soit pris chez le notaire pour clarifier les affaires de la famille. Même si elle parlait trop fréquemment de Jaouën, elle tenait à supprimer tout ce qui pouvait raviver son souvenir.

« C'est déjà difficile pour moi de regarder ton frère en face, alors épargnez-moi tout le reste ! » avait-elle avoué à sa fille.

Peut-être croyait-elle que Charlotte pourrait la distraire de son chagrin. Que cette belle-fille, qui n'avait pas connu Jaouën, allait devenir son amie et lui permettre de s'évader d'un deuil dont elle restait prisonnière.

Tout en se hâtant vers l'armement, Mariannick repensa aux paroles dures de sa mère pour Servane. Secrétaire et gamine. Ce serait sans doute le jugement que la plupart des gens porteraient sur elle, très injustement. Au contraire, Servane était peut-être la femme qu'il fallait à Joël. À condition qu'il ne la déçoive pas…

Parce que, des deux, ce serait elle la plus intransigeante, Mariannick en était persuadée.

Elle trouva sur son bureau une liste de messages déposés par Mme Heulin et elle était en train de les parcourir quand Luc frappa puis passa la tête à la porte.

— Je ne vous dérange pas ?

— Non, non ! Entrez, je vous en prie.

Depuis que Joël l'avait menacé de retraite anticipée, il ne descendait que lorsqu'il était certain de la trouver seule. Elle n'avait plus confiance en lui mais il lui faisait pitié. Elle lui sourit, s'efforçant de ne pas remarquer les lunettes sales ni le nœud papillon d'un jaune criard.

— Le transbordement vient de finir et le cargo fait route vers nous.

— Ah, très bien !

— Si M. Carriban veut les chiffres exacts... Voyez, ils sont excellents !

Il posa une feuille devant elle, avec précaution. Il semblait attendre un mot d'encouragement qu'elle ne se décida pas à prononcer.

— Bon, je remonte, dit-il d'un air penaud.

— Merci, Luc, marmonna-t-elle enfin.

Sa servilité ne changeait rien au fait qu'il avait voulu nuire à Joël. Et qu'il était capable de recommencer un jour ou l'autre. Brusquement, Mariannick se sentit inquiète. Avait-elle eu raison de défendre Luc ? Est-ce qu'il n'était pas, au sein de l'armement, leur pire ennemi à tous les deux ? Sa déférence ne dissimulait-elle pas une rancune tenace ? Et, si c'était le cas, Joël saurait-il réagir à temps ? Lors du sauvetage du *Glémarec*, Luc avait paru sincèrement admiratif. Mais c'était peut-être pour regagner les faveurs de la famille Carriban. Et continuer à préparer ses pièges dans l'ombre.

Avec un soupir agacé, elle chassa ce pressentiment. Son frère ne risquait rien, il était solide, vigilant. Il saurait faire face. Et puis, Benoît avait raison, Joël occupait beaucoup trop de place dans sa vie.

Vers cinq heures de l'après-midi, lorsque l'Audi s'engagea sur le quai, Joël aperçut tout de suite Yvon qui se tenait debout, sur le trottoir opposé, tirant tranquillement des bouffées de sa pipe, son chien près de lui.

Il venait de déposer Servane chez elle, à sa demande, et lui avait fixé rendez-vous pour dîner. Lorsqu'il lui avait appris sur la route du retour la présence de Charlotte, elle n'avait fait aucun commentaire mais n'avait pas pu dissimuler sa contrariété. D'ailleurs, elle s'était montrée nerveuse depuis qu'ils avaient quitté le repaire de Kerroc'h, comme si désormais elle ne savait pas de quelle façon se comporter. Durant les deux rendez-vous auxquels ils s'étaient rendus, elle n'avait pas dit un mot. Elle n'était plus seulement la secrétaire de Joël, mais qu'est-ce qu'elle était d'autre ? Allait-elle devoir se cacher et mentir à longueur de journée ou au contraire avait-elle le droit d'afficher son bonheur ? Et quelles seraient les réactions de Mariannick, de Liliane, des employés avec qui elle travaillait chaque jour ? Elle n'avait pas osé poser la question et lui, au lieu de la rassurer, il lui annonçait que sa femme était à Dinard ! Elle avait alors demandé à rentrer chez elle. Devant sa porte, au moment où elle s'apprêtait à descendre de voiture, il l'avait prise par le cou, un peu brusquement, et l'avait embrassée jusqu'à lui faire perdre le souffle. Puis il avait promis d'être là à neuf heures précises et elle avait compris qu'il avait besoin d'un peu de temps pour affronter Charlotte.

Impassible, Yvon continuait de l'observer. Joël ferma sa portière, se retourna, croisa le regard du vieux marin, puis, se décidant enfin, il traversa et s'arrêta devant lui, résigné à tout entendre.

— Alors, mon gars ?

L'intonation était gouailleuse, agressive, mais ne suffit pas à décourager Joël.

— Monsieur Collinée, j'ai à vous parler, annonça-t-il.

— Pas possible ! s'exclama Yvon avec un sourire de défi. Ben, au lieu de me faire un discours, dis-moi plutôt où est ma fille !

— Chez elle.

— T'es arrivé à tes fins ?

Yvon était beaucoup plus petit que Joël et, comme il n'était pas ivre, il avait conscience de son infériorité physique, de la jeunesse et de la force de l'autre. Mais il se sentait tellement dans son bon droit et tellement furieux, qu'il n'hésita pas à le saisir brutalement par le revers de son blazer.

— Tu réponds, dis ? T'as tiré ton coup, mon salaud ?

Sa vulgarité délibérée exaspéra Joël. Des passants tournaient la tête vers eux, sans s'arrêter.

— Écoutez-moi ! Je veux épouser votre fille…

Aussitôt, Yvon le lâcha. Il fit un pas en arrière afin de mieux le toiser, l'air dégoûté.

— L'épouser ? Espèce d'ordure… C'est ça que tu lui as raconté ?

— Que je lui ai demandé, corrigea Joël.

— Eh, ducon, t'es déjà marié, t'as oublié ? En ce moment, ta femme t'attend chez toi !

Les poings en avant, Yvon se précipita sur lui. Il le bouscula mais ne réussit pas à l'atteindre vraiment. Emporté par son élan, il faillit tomber et se raccrocha machinalement au bras de son adversaire. Anxieux, le Clebs s'était mis à grogner.

— Je suis en instance de divorce, dit Joël très vite. Mon avocat peut vous le confirmer. Dès que la situation sera réglée, si Servane est d'accord et si vous ne m'avez pas tué avant, je l'épouserai.

— Faudra me demander mon avis d'abord !

— Je vous le demande. Je peux même le demander au chien, si ça vous amuse. Je suis vraiment prêt à tout.

Déconcerté, Yvon considérait Joël avec méfiance.

— Règle tes affaires, grogna-t-il. On en reparlera.

Il se sentait dépassé. Quelque chose lui échappait dans cette histoire et il se contenta de lancer, comme un avertissement :

— Je serai toujours sur ta route, mon gars.

— J'espère.

— T'as tort…

Du regard, Yvon chercha sa pipe qui était tombée sur les pavés durant leur brève altercation. Joël le devança en se baissant pour la ramasser. Elle était fendue et Yvon, après l'avoir examinée, la brisa d'un coup sec.

— Tu vois, tu casses tout autour de toi, déclara-t-il avec une totale mauvaise foi. Je ne t'aime pas. Souviens-toi de ça.

Dans le mouvement qu'il fit pour se détourner, avant de s'éloigner, il y avait beaucoup de dignité, presque de la morgue. Un peu plus loin, Joël le vit balancer les deux morceaux de la pipe dans l'eau du port et ce geste le bouleversa.

Charlotte avait fureté partout dans la villa. Sans rien chercher de précis, par simple curiosité. Quelques mois plus tôt, elle avait rejeté cette maison avec horreur et, à présent, elle regrettait presque d'avoir été si catégorique. Bien sûr, c'était rococo, disproportionné et prétentieux, mais somme toute assez amusant. Et tellement vaste qu'on s'y perdait ! Les innombrables ouvertures, sur la mer ou le parc, inondaient de lumière une décoration baroque qui avait dû coûter des fortunes et qui, finalement, possédait un certain charme.

Installée dans le jardin d'hiver, elle avait réfléchi une partie de la journée. Elle n'avait plus aucun moyen de différer son choix. L'avocat de Joël harcelait le sien pour régler leur divorce. Dans quelques semaines, elle ne s'appellerait plus madame Carriban, aurait laissé échapper définitivement ce morceau de sa vie. Échapper, oui, c'était le mot qui lui venait à l'esprit, et elle se demandait avec effarement comment elle en était arrivée là.

Liliane, habilement interrogée, avait confirmé qu'elle détenait en pleine propriété tous les biens de Jaouën. Dont elle semblait d'ailleurs pressée de se débarrasser au profit de ses enfants. Joël n'effectuerait les transactions qu'après avoir recouvré sa liberté, c'était de bonne guerre. Ensuite, il s'acharnerait à faire de l'armement une entreprise prospère et il deviendrait riche.

L'argent n'était pas une obsession pour Charlotte, mais tout de même, elle n'y était pas indifférente. Ils avaient mis cinq ans à payer leur appartement de Paris et ils avaient toujours beaucoup travaillé tous les deux. Désormais, elle serait seule. Sauf si elle décidait de lier son sort à celui de Francis. Pour qui, elle l'avait constaté amèrement, ses sentiments restaient tièdes. Elle s'était jetée dans ses bras par dépit, par calcul, et n'avait jamais envisagé sérieusement l'avenir avec lui. Bien sûr, il était gentil, et il pouvait donner un sacré coup de pouce à sa carrière, mais il ne parviendrait jamais à lui faire oublier Joël. Ses yeux clairs et ses cheveux blonds qui lui donnaient cette irrésistible allure nordique, son authentique gentillesse, ses qualités d'amant, de père…

Ces constatations tardives la faisaient enrager. Le jour de l'enterrement de son beau-père, elle s'était engagée dans une bataille stupide, sans aucune tactique, en disant non à tout. Par la suite, elle avait fait souffrir Joël sans autre résultat que le détacher d'elle. Elle l'avait laissé seul, l'avait trompé, s'en était vantée et l'avait délibérément privé de Juliette. Au bout du compte, il lui avait prouvé qu'il n'avait pas besoin d'elle, qu'elle ne comptait plus. Et le plus humiliant, dans cette défaite, était d'avoir compris trop tard qu'elle l'aimait toujours. Qu'elle s'était punie, elle, sans l'atteindre. Existait-il une chance de le reconquérir ? Avait-elle encore le moindre pouvoir sur lui ? Elle avait bêtement cherché à se venger, par n'importe quel moyen, en commettant l'erreur d'oublier de quelle obstination il était capable. Il était resté brouillé huit ans avec son père, elle aurait dû s'en souvenir !

Le reportage à Saint-Brieuc n'était évidemment qu'un prétexte. Son rédacteur en chef avait été très étonné qu'elle veuille s'en charger. Mais c'était l'occasion qu'elle espérait. La possibilité d'une ultime tentative durant ces quatre jours. Et elle en avait déjà perdu un !

Si elle échouait, elle se résoudrait à accomplir le long voyage que lui proposait Francis, et elle cesserait de regarder en arrière. Le plus dur serait d'être privée de Juliette pendant plusieurs mois car elle aimait profondément sa fille. Leur fille. Ce lien indestructible qui demeurerait entre eux, quoi qu'il arrive.

Un bruit de moteur la fit se redresser d'un bond. Elle quitta le jardin d'hiver et se précipita dans la bibliothèque où Juliette regardait la télévision.

— Voilà papa ! dit-elle gaiement.

La fillette sauta sur ses pieds, s'embrouilla dans la télécommande et renonça à éteindre pour filer plus vite vers le hall. Dévalant le perron, elle courut se pendre au cou de son père. Charlotte les observa quelques instants, un peu jalouse de leur complicité, puis elle s'approcha d'eux, souriante.

— Tu as l'air en pleine forme ! s'exclama-t-elle.

C'était vrai, il semblait si radieux qu'elle en éprouva un choc. Qu'est-ce qui pouvait bien motiver son sourire conquérant ? À chaque visite, elle le découvrait plus séduisant que dans son souvenir. Comme si c'était tout naturel, elle l'enlaça, l'embrassa sur la bouche et fut très vexée de le sentir se dérober.

— Ta sœur ignorait l'heure de ton retour et je n'ai rien prévu pour le dîner. Allons au restaurant, il n'y a pas d'école demain, suggéra-t-elle.

— Oh oui, papa ! Dis oui ! s'écria Juliette.

Embarrassé, Joël secoua la tête. Il trouvait inouï d'être accueilli dans sa maison par sa femme et sa fille, exactement comme si rien ne s'était passé entre eux.

— Je suis désolé, dit-il gentiment à Juliette, j'ai un rendez-vous ce soir. Nous irons au restaurant une autre fois.

Déçue, elle lui tourna le dos et s'éloigna vers la maison.

— Tu ne peux pas remettre ? demanda Charlotte. Elle aurait été si contente ! Et moi aussi…

— Impossible. Écoute, je suis très surpris de te trouver là. C'est…

— Quoi ? Anormal ? Contrariant ? Tu devrais me remercier, au moins la petite n'était pas à la charge de ta sœur pendant ton absence ! Tu es tellement occupé que je commence à regretter de te l'avoir confiée. Si tu as trop de travail, trop d'obligations…

— Arrête un peu ! Elle est toujours avec moi. Tu es mal tombée.

— Comme par hasard !

— D'ailleurs j'aimerais que tu me préviennes, quand tu viens. C'est la moindre des choses.

— Je suis à ce point devenue une étrangère ?

Elle avait crié, furieuse, et il la prit par le coude pour l'entraîner vers une allée du parc.

— Charlie, on ne peut pas faire semblant. Même vis-à-vis de la petite, sinon elle ne va plus s'y retrouver. Nous sommes séparés. Tu as ta vie et j'ai la mienne. Je te rappelle que c'est toi qui l'as voulu.

C'était le moment ou jamais de saisir sa chance et elle répondit, d'un ton humble qu'il ne lui connaissait pas :

— C'est vrai, mais je le regrette. Je suis malheureuse, je pense tout le temps à toi, à ce que j'ai gâché. Je t'aime toujours, je crois te l'avoir prouvé la dernière fois que je suis venue ici…

Il ne pouvait pas le nier ni l'oublier : il lui avait fait l'amour. Même en songeant à une autre, ce qui n'excusait pas sa faiblesse.

— Tu m'avais présenté ça comme un adieu, ma chérie !

— Ne sois pas méchant, murmura-t-elle.

Il ne parvenait pas à s'attendrir et n'éprouvait que l'envie de regarder sa montre. Pour rien au monde il ne serait en retard à son rendez-vous avec Servane.

— Tu es là pour un reportage, non ?

— Pas vraiment. C'est accessoire. Tu me manquais. Je n'ai aucune honte à l'avouer. Je peux même te faire des excuses si c'est ce que tu attends.

— Mais non ! Pas du tout…

Navré par la tournure que prenait leur discussion, il la considéra sans aucune indulgence. La nuit tombait, elle s'était mise à frissonner et serrait ses bras autour d'elle.

— Charlie, tu ne dois pas débarquer ici comme ça, t'installer… J'aurais pu rentrer avec une autre femme, ce soir.

— Tu as quelqu'un ? C'est elle que tu vas rejoindre ? Et elle vient ici, Juliette la connaît ? Je ne veux pas que n'importe qui s'occupe d'elle !

Une bouffée de rage lui faisait élever la voix de nouveau.

— Tu crois que j'étais heureux de la savoir avec Francis ? répliqua-t-il en s'énervant à son tour.

— Alors c'est que nous sommes jaloux l'un de l'autre, et ça veut dire qu'on s'aime encore.

C'était peut-être logique mais c'était pourtant absurde.

— Viens, dit-il gentiment, tu as froid, rentrons. On parle pour rien…

Elle sentit qu'elle avait perdu. Cette manche-là et toute la partie. Elle étouffa un sanglot qui lui montait à la gorge. En haut du perron, il s'effaça pour la laisser passer la première. Dans la lumière du hall, ils se regardèrent, un peu hagards.

— Il faut que je me change, murmura-t-il. Tu devrais emmener Juliette dîner en ville. Tu as ta voiture…

Ses yeux clairs glissèrent sur Charlotte avec indifférence. Quand il se détourna pour gagner l'escalier, elle faillit lui courir après, s'accrocher à lui, mais elle resta immobile. Le bruit sourd de la télévision, en provenance de la bibliothèque, fut couvert un instant par le rire de Juliette. Une sonnerie retentit mais s'arrêta presque tout de suite. Puis elle entendit un bruit de pas dans la galerie, au-dessus d'elle, et elle leva la tête.

— C'est pour toi ! Tu peux décrocher dans le salon ou dans mon bureau. C'est Francis.

Se décidant à bouger, elle traversa le hall. Francis ! À côté de Joël, il était si balourd ! Presque insignifiant. Mais comment reculer, maintenant ? Résolument, elle s'empara du téléphone.

Servane s'examina une dernière fois dans le petit miroir, au-dessus du lavabo, puis alla jeter un nouveau coup d'œil par la fenêtre. Il était neuf heures et quart et il n'y avait toujours aucune voiture devant l'immeuble. Peut-être Joël connaissait-il un moment difficile avec sa femme ?

Sa femme, sa fille, sa maison… Sa vie sans elle. La nuit de Paimpol n'avait sans doute pas changé grand-chose pour lui. Qu'est-ce qu'il avait raconté à Charlotte ? Un mensonge ? Et pourquoi était-elle venue subitement ? Elle avait les clefs de la villa, elle était chez elle à Dinard. Mme Joël Carriban, c'était toujours elle. La maman de Juliette. Une femme d'une rare élégance.

Baissant les yeux sur sa jupe, Servane se demanda combien de fois elle l'avait mise depuis qu'elle l'avait achetée. Ensuite elle contempla ses mocassins fatigués, griffés, et poussa un long soupir. Relevant la tête, elle scruta la rue qui restait déserte. La veille, à la même heure, elle était en train de dîner, terrorisée à l'idée de ce qui allait suivre. Pourquoi avait-elle eu aussi peur ? Elle avait vécu une nuit extraordinaire. En oubliant toutes ses résolutions, comme n'importe quelle fille sans cervelle.

Neuf heures et demie. Joël ne pouvait pas se moquer d'elle. Pas avec des accents d'une telle sincérité. Mais elle n'en savait rien, au fond, elle n'avait aucune expérience.

Assise sur son lit, elle tendit la main vers la poupée de laine et, au même instant, un coup de Klaxon la fit sursauter. En deux enjambées, elle fut à la fenêtre. L'Audi était devant la porte. Le cœur battant, elle ramassa son sac et se précipita hors de l'appartement. Lorsqu'elle ouvrit la porte de l'immeuble, à la volée, elle se trouva nez à nez avec lui.

— Excuse-moi pour ce retard, dit-il en passant son bras autour de ses épaules.

Partagée entre le soulagement et l'angoisse, elle se dégagea pour pouvoir le regarder mais le réverbère n'éclairait que parcimonieusement le trottoir.

— J'ai cru que tu ne viendrais plus, souffla-t-elle.

— Servane !

— Ce serait possible, après tout. Tu aurais pu rester avec elle.

— Qui ? Charlotte ? C'est ridicule, voyons…

Parce qu'elle demeurait sérieuse, il s'abstint de sourire, cependant il savoura comme un cadeau la jalousie qu'elle venait de manifester.

— Mon amour, si nous n'allons pas dîner, tout sera fermé.

Sans bouger, elle déclara, avec la même intonation que la veille à Paimpol :

— Et ensuite ? Après le dîner ? Tu rentreras chez toi ?

— Bien sûr que non. Viens…

— Je veux d'abord savoir ce qui m'attend !

Désignant l'immeuble, il demanda :

— Est-ce que tu m'invites là-haut ?

— Non !

Sa véhémence le surprit.

— Pourquoi ?

— Parce que… Eh bien, c'est… Petit, moche, et…

Brusquement il comprit sa gêne et il s'en voulut d'avoir manqué de tact.

— Il y a des hôtels tout le long de la chaussée du Sillon, nous n'avons qu'à prendre une chambre. Si tu veux bien monter dans ma voiture avant que tout le monde ne dorme ! J'ai faim et j'ai envie de toi.

Ouvrant la portière, il attendit qu'elle soit assise pour ajouter :

— J'ai vu ton père, tout à l'heure.

Il contourna l'Audi, s'installa au volant et démarra tout de suite.

— Qu'est-ce qu'il t'a dit, papa ? demanda-t-elle d'une voix crispée.

— Oh, avec lui c'est simple, il me déteste et il ne s'en cache pas. En plus, il est toujours au courant de tout.

— Tout ?

— Oui. Je ne sais pas comment il fait… Mais j'en ai profité pour lui annoncer mes intentions, en ce qui te concerne. Ce qui l'a mis hors de lui, naturellement !

Contrariée, elle se mordit les lèvres et croisa les bras.

— Attends, Joël. C'est plus compliqué que ça…

— Non, mon amour. Rien au monde ne me fera changer d'idée. Ni ton père, ni…

— C'est moi qui parle, là, pas lui ! Il y a des choses que je ne peux pas accepter. Comme mentir ou raser les murs. Tu vas trop vite, tu décides… Tu veux t'installer à l'hôtel ! Tout le monde te connaît, ici.

— Et alors ? Si tu préfères, on prend la route et on change de ville ! L'important pour moi, c'est de rester avec toi.

Il se gara devant la seule brasserie ouverte. Les réticences de Servane ne l'étonnaient pas. Elle était capable de se montrer têtue, fière, et il s'était déjà heurté à sa volonté.

Dès qu'ils eurent passé la commande, il lui prit la main, lui embrassa le bout des doigts et lui adressa un sourire encourageant.

— Dis-moi ce qui ne va pas.

— Ce soir, demain matin, demain soir, les autres jours… Le même problème va se poser tout le temps.

— Pas du tout. Charlotte partira demain. De gré ou de force. Je suis chez moi !

— Mais il y a Juliette. Tu ménages Charlotte à cause de ta fille ? Je comprends… Mais ensuite il faudra préserver ta fille. Elle n'a sûrement pas envie que quelqu'un remplace sa mère. Surtout maintenant qu'elle l'a vue installée dans la villa.

— Écoute…

— Toi, écoute-moi ! Il n'y a pas que ça. Au bureau, demain, comment dois-je t'appeler ? Monsieur Carriban ? Mon chéri ?

— Tu te fais une montagne de tout. Je…

— Et chaque soir, mon père nous attendra sur le quai, pour nous insulter ?

— Bon, ça suffit !

372

Il venait de reposer son verre d'un mouvement brusque et sa voix s'était durcie.

— Je veux que tu t'installes à la maison, dès demain. Que tu aies un peu confiance en moi. Que tu fasses comprendre à ton père que je ne suis pas le salaud qu'il croit. Et si tout Saint-Malo apprend que tu es ma maîtresse, tant mieux, c'est flatteur pour moi ! C'est moi qui ai envie de le crier sur les toits, alors, les commérages !

— Effectivement, tu cries.

Mais ce n'était pas vraiment un reproche car elle lui souriait. Des gens entrèrent dans la brasserie, demandant s'il n'était pas trop tard pour dîner.

— Joël ! cria une voix familière.

Thierry venait vers eux, suivi de Patricia. Celle-ci lança un regard aigu à Servane dont le visage s'était fermé.

— Nous sommes avec des amis, on vous dit juste un petit bonsoir, déclara Thierry en hâte.

Il essaya d'entraîner Patricia mais celle-ci s'appuya familièrement sur l'épaule de Joël et l'embrassa dans le cou avec une exaspérante familiarité.

— Tu aurais pu m'appeler, quand même… Lâcheur ! Il paraît que tu as accepté une course ? Et avec moi, tu n'en ferais pas une ?

— Non, dit Joël sèchement. Désolé. Thierry est le seul coéquipier que je supporte. Maintenant, si tu veux bien nous excuser…

Les deux hommes échangèrent un coup d'œil. Vexée, Patricia s'était redressée. Dissimulant son dépit, elle lança à Servane qu'elle avait ignorée jusque-là :

— Amusez-vous bien mais n'écoutez pas ses bobards, c'est vraiment le tombeur de ces dames ! Et après, vous verrez, un vrai courant d'air !

Elle fit volte-face et rejoignit le petit groupe qui s'installait à une grande table, de l'autre côté de la salle. Joël voulut se lever mais Thierry l'en empêcha.

— Laisse… Elle a un peu abusé de l'apéritif… J'espère que ça va bien, vous deux ?

Il était si chaleureux que même Servane parvint à lui sourire.

— Passe me voir demain, dit Joël, j'ai de bonnes nouvelles pour ton bateau.

— De quel genre ?

— Je crois avoir convaincu le conseil régional que tu es *le* skipper malouin et qu'il faut qu'ils te subventionnent.

Le visage de Thierry s'illumina aussitôt mais il eut le tact de ne pas insister. Il leur souhaita une bonne soirée avant de s'éloigner à son tour. Prenant une profonde inspiration, Servane murmura :

— Eh bien, ce n'est pas de tout repos…

Yvon n'avait pas voulu dépenser entièrement sa première paye. Il avait déjà acheté le caban, de l'alcool, et il n'était pas question d'une pipe neuve pour le moment. Aussi il se contentait, depuis la veille, de rouler des cigarettes avec du mauvais tabac.

Il s'était levé très tôt, après une nuit agitée. Les paroles de Joël continuaient de tourner dans sa tête. Divorcer pour épouser sa fille ! C'était une idée inconcevable, donc c'était forcément un mensonge destiné à le calmer. Pourtant, Yvon en avait fait l'expérience, le scandale ne semblait pas émouvoir le fils de Jaouën. Et les bagarres ne le faisaient pas fuir. Alors pourquoi prenait-il la peine d'inventer tout ça ? Il avait même parlé de son avocat, c'était pousser le bouchon un peu loin !

Épouser Servane… Quel âge avait-il donc, ce gamin ? Trente ans ?

— J'ai jamais rien entendu d'aussi couillon…, grommela-t-il en ouvrant une boîte de pâtée pour le Clebs.

Malgré lui, son imagination galopait et il faisait des suppositions. Juste pour s'amuser. Comment la famille Carriban réagirait-elle ? La belle Liliane risquait d'en faire un arrêt du cœur, comme son mari six mois plus tôt ! Bien sûr, du côté de Mariannick, il n'y avait rien à craindre puisqu'elle était vraiment copine avec Servane. Quoique. On voyait des gens se fâcher pour moins que ça.

À la rigueur, il pouvait imaginer Servane, dans une belle robe de mariée, sur les marches de l'église. Non, pas de l'église ! De la mairie… En tailleur blanc. Mais là où ça devenait cocasse, c'est quand il pensait à lui, Yvon Collinée, devenant le beau-père de l'armateur ! Le cinéma s'arrêtait là, butant sur cette situation grotesque, et il retombait sur terre.

— On s'fait une virée, le Clebs ?

Le printemps lui donnait des envies de promenade.

— On pourrait dire un petit bonjour à Armelle, des fois qu'on la rencontre ?

Pour ça, il fallait aller à Dinard et la guetter. Elle aurait bien une idée de ce qui se tramait chez les Carriban. Peut-être savait-elle s'il y avait, oui ou non, du divorce dans l'air ? Et puis ce serait agréable de passer cinq minutes avec elle.

Il sortit sa Mobylette et s'engagea dans la rue, le chien gambadant joyeusement derrière ses roues. Depuis qu'il buvait moins, il avait parfois des vertiges. Un comble ! En fait, il s'abstenait de picoler pendant les heures de travail. Il ne l'avait pas décidé, c'était venu tout seul. Quand il entrait dans son premier bar, en fin de journée, il marchait droit. Et il se mêlait aux conversations, parlait de l'activité du port marchand. Personne ne faisait allusion à sa fille devant lui. C'était presque une vie normale qu'il avait retrouvée. Et si Joël Carriban n'avait pas existé, il aurait même pu être heureux.

Le Clebs s'arrêta pour renifler le pied d'un arbre et s'attarda à marquer son territoire. Loin devant, Yvon tourna la tête pour le héler. Il n'eut pas conscience que ce geste avait déporté sa bécane au milieu de la route. Quand il regarda de nouveau devant lui, il était trop tard. La calandre de la voiture lui parut énorme, monstrueuse. Et, l'espace d'une toute petite seconde, il se souvint d'un dessin de baleine que sa femme avait accroché, quinze ans plus tôt, dans la cuisine de leur pavillon. La baleine de Jonas ou bien Moby Dick ?

Comme Servane l'avait prédit, le début de ce samedi n'avait pas été facile. Ils s'étaient fait réveiller à six heures, par la réception de l'hôtel, pour que Joël ait le temps de rentrer se changer à Dinard. Selon les intentions de Charlotte, il devrait organiser la matinée de Juliette avant d'aller au bureau.

Dans son appartement, où elle avait enfilé des vêtements propres, elle s'était sentie fatiguée et découragée. Elle avait insisté pour que Joël n'écourte pas le séjour de sa femme. Une dispute supplémentaire avec elle, en ce moment, ne ferait qu'envenimer les choses. Autant attendre lundi matin. Mais l'idée de prendre sa place, dès qu'elle aurait quitté les lieux, avait quelque chose de détestable. Comme si, dans la vie de Joël, dès qu'une femme sortait, une autre devait aussitôt la remplacer.

Ce fut pendant que son thé infusait que Servane reçut l'appel de l'hôpital. Il ne lui fallut qu'un quart d'heure pour se retrouver, en larmes, au chevet de son père. Il avait une fracture du tibia, des côtes enfoncées et des brûlures tout le long du côté droit, celui qui avait été au contact de l'asphalte lorsqu'il avait été traîné par la voiture sur cinquante mètres. Mais son unique préoccupation concernait le Clebs dont il exigeait des nouvelles. Ses trois voisins de chambre le foudroyaient du regard tandis qu'il vociférait. L'arrivée de sa fille mit un comble à son excitation et lui valut une injection de calmants.

Assise à côté de lui, Servane attendit qu'il s'apaise puis le regarda somnoler un long moment. Il lui avait pris la main et elle n'osait pas bouger. Elle l'observait avec une intense émotion, découvrant soudain à quel point il comptait pour elle. Dans le pyjama fourni par l'hôpital, il semblait différent du vieux marin qu'il s'appliquait à être. D'ailleurs il n'était pas vieux, même si la vie l'avait usé, même si l'alcool l'avait marqué.

Elle ne songea même pas à appeler le bureau, gagnée par une torpeur due à la fatigue des nuits précédentes et à son immobilité. De toute façon, l'accident de son père ne surprendrait personne. Sa réputation de buveur suffirait pour l'accabler. Il roulait en plein milieu de la route, le chauffeur de la voiture l'avait affirmé aux gendarmes. Inutile de prétendre qu'il s'était retourné à cause du chien, qu'il n'était jamais ivre au petit matin, on ne le croirait pas. Tout à l'heure, lorsqu'il se réveillerait, elle se mettrait en quête du Clebs, mais il avait dû retourner tout droit au pavillon dont il connaissait le chemin. Elle l'hébergerait chez elle, ce serait un prétexte pour différer un peu l'installation à Dinard.

« Avec lui, c'est simple, il me déteste. » C'est ce que Joël avait dit. Simple, son père ? Oh, non ! Pas plus simple que les circonstances dans lesquelles ils se retrouvaient tous enfermés.

— T'es encore là ? Mais, ma poupette, je suis pas mort, pas la peine de me veiller !

Il libéra la main qu'il avait retenue prisonnière durant son sommeil et tenta de s'asseoir en grimaçant.

— Me voilà bien arrangé… Tu vas t'occuper de mon arrêt de travail et de tous ces foutus papiers, hein ?

Hochant la tête, elle le considéra avec un sourire triste.

— T'as mauvaise mine, la rouquinette… Alors comme ça, t'as sauté le pas ? T'es grande à présent ?

L'allusion était tellement directe que Servane ne trouva rien à répondre.

— J'aime autant quand tu dors, répliqua-t-elle enfin.

Il voulut rire mais s'interrompit tout de suite, suffoqué par la douleur. Reprenant son souffle avec précaution, il ajouta :

— C'est la vie… Et nous revoilà tous les deux… Parce que je remarque bien que t'es toute seule… Il est où, le grand con qui t'a promis la bague au doigt, hein ? Bon, je ne m'en mêle pas, je sais que t'aimes pas. Mais, quand t'auras mon âge…

— Tu n'as que cinquante ans !

— Oui. Le plus dur est fait, c'est pas malheureux.

Un silence s'installa entre eux, sans qu'ils cessent de se regarder. Brusquement, il songea à sa femme, partie trop tôt, « mangée par le crabe » ainsi qu'il avait pris l'habitude de le dire pour ne pas s'apitoyer. Elle était née à Saint-Servan et c'était elle qui avait choisi le prénom de leur fille. Leur fille unique. Qui faisait une drôle de tête. Au bout d'un moment, il grommela :

— Les hôpitaux, ça me donne envie de pleurer. Pas toi ?

Il avait donc remarqué qu'elle avait des larmes au bord des cils. Elle baissa les yeux et il soupira.

— Je le savais… T'as pas fini de regretter ! Mais qu'est-ce que t'espérais, bon sang ? Tu crois qu'on change de peau comme ça ? D'un coup de baguette magique ?

Elle aurait voulu lui expliquer, cependant elle n'en trouvait pas le courage, ne sachant par où commencer. « Je ne suis pas le salaud qu'il croit. » Non, sûrement pas. Elle devait le défendre, sans se mettre en colère, et aussi sans céder aux doutes qui l'assaillaient malgré elle.

La porte de la chambre était grande ouverte mais quelqu'un frappa quand même avant d'entrer. En voyant l'expression de son père, Servane se retourna d'un bloc. Les mains enfoncées dans les poches de son pardessus bleu nuit, Joël regardait Yvon droit dans les yeux. Il fit trois pas et s'arrêta près du lit.

— Comment allez-vous ?

Calé sur son oreiller, le blessé le toisa des pieds à la tête d'un air mauvais.

— Pour du culot…, lâcha-t-il enfin.

Le regard de Joël restait rivé au sien, sans ciller, grave et insistant.

— C'est pas vraiment moi que t'es venu voir, je parie ? lui demanda Yvon.

— Non.

Servane s'était levée et Joël lui sourit, comme s'ils étaient seuls au monde.

— Je t'ai cherchée partout, j'ai eu très peur.

Ce n'était pas un reproche, pourtant elle eut un geste navré.

— Peur de quoi ?

— De t'avoir perdue.

— Même à l'hosto, faut que tu l'emmerdes ? protesta Yvon. T'as donc le respect de rien, mon gars ?

Joël reporta son attention sur lui et parut se souvenir de quelque chose. Il sortit ses mains de ses poches et déposa quelque chose sur la table de chevet. Puis il fit un petit signe de tête, qui ne s'adressait à personne en particulier, avant de quitter la chambre. Il n'avait rien ajouté, n'avait pas fixé de rendez-vous à Servane, mais elle savait qu'il l'attendrait en bas, jusqu'à la nuit s'il le fallait ou même au-delà. Elle en était sûre, désormais, et cette certitude l'émerveilla.

Yvon avait pris l'objet entre ses doigts et il l'examinait, sourcils froncés.

— C'est pas pour critiquer, dit-il, seulement, la bruyère, ça vaut rien…

Il montra la pipe à sa fille mais l'empêcha d'y toucher. Il souffla plusieurs fois dans le tuyau, mordilla l'embout, et finalement la conserva dans sa paume.

— Je crois que j'ai encore sommeil. Avec leurs drogues ! Reviens demain, poupette, tu m'apporteras le journal…

C'était sa façon d'être, bougon mais pudique, vindicatif mais tendre. Il la laissait aller. Il avait fermé les yeux, faisant maladroitement semblant de dormir. Juste à l'instant où elle sortait, s'apprêtant à s'élancer dans le couloir pour rattraper Joël, elle entendit une voix gouailleuse qui lui criait :

— Et occupe-toi d'abord du Clebs !

Remerciements

J'adresse ici mes plus vifs remerciements à Robert Sinsoilliez pour les précisions techniques qu'il a bien voulu me fournir au sujet de la pêche, des chalutiers et de la navigation.

Composé par Facompo
à Lisieux, Calvados

Imprimé en Espagne par
Liberduplex
en septembre 2012

POCKET - 12, avenue d'Italie - 75627 Paris cedex 13

Dépôt légal : octobre 2012
S21262/01